Vreemdelingen over de (werk)vloer
Het debat over arbeidsmigratie en de migratiestop in kaart

A man is of all sorts of luggage the most difficult to be transported...

(A. SMITH, *An Inquiry into the Nature and Causes of the Wealth of Nations*, Oxford World Classics Edition, Oxford University Press, 74)

Instituut voor Sociale Democratie

Vreemdelingen over de (werk)vloer

Het debat over arbeidsmigratie
en de migratiestop in kaart

Patrick Loobuyck

ACADEMIA PRESS

3𝟙8. 6

© Academia Press
Eekhout 2
9000 Gent
Tel.: 09/233 80 88   Fax: 09/233 14 09
e-mail: info@academia-press.com

De uitgaven van Academia Press worden verdeeld door:

België:
Wetenschappelijke Boekhandel J. STORY-SCIENTIA bvba
P. Van Duyseplein 8
9000 Gent
Tel.: 09/225 57 57   Fax: 09/233 14 09
e-mail: info@story.be

Nederland:
ef & ef
Eind 36
6017 BH THORN
Nederland
Tel.: 0475 561501   Fax: 0475 561660

P. Loobuyck
Vreemdelingen over de (werk)vloer
Gent, Academia Press, 2001, XII + 250 p.

ISBN 90 382 0285 7
Wettelijk Depot: D/2001/4804/21
Bestelnummer U 263
NUGI 659

INHOUDSTAFEL

Tabellen

Grafieken

Kaderteksten

Woord vooraf

Met de keuze voor 'migratie' als een van de eerste inhoudelijke werkthema's voor de Stichting Kreveld werd ook uitdrukkelijk geopteerd voor een 'ongemakkelijk' onderwerp: het was nu niet meteen een duidelijk afgebakend en hapklaar te actualiseren onderwerp waar de sociaal-democratie gedreven kan mee uitpakken. Neen, migratie is een heikel onderwerp, vooral dan voor sociaal-democraten. Enerzijds moet het moeizaam opgetrokken netwerk van sociale voorzieningen - in de meest brede zin – worden beschermd en aangepast: dit kost handenvol. En precies om dat belangrijk sociaal systeem en de onmiddellijke leefwereld leefbaar te houden moet migratie in toom worden gehouden. Maar diezelfde sociaal-democratie heeft ook een internationale roeping en daarin is er geen plaats voor honkvast verankerde solidariteit die niet verder gaat dan de grenzen van de wijkclub: dit universeel humanitaire aspect van de sociaal-democratie staat dikwijls haaks op de dagdagelijkse politieke realiteit waar de schaarste verdeeld moet worden.

Het is dan ook niet verwonderlijk dat precies ter linkerzijde de onderlinge onenigheid over de aanpak en de politiek van de migratie zo scherp en emotioneel wordt gevoerd. Wat daarbij ook opvalt, is dat de kennis over het onderwerp bedroevend pover is. Verwonderlijk is dit niet wanneer je vaststelt dat de migratierealiteit een schoolvoorbeeld is van een complex maatschappelijk fenomeen dat niet eenduidig kan toegespeeld worden aan de een of andere vakkundige: het is een cocktail die niet alleen met nieuwsgierigheid maar ook vanuit een multidisciplinaire invalshoek moet worden benaderd en waarbij het van groot belang is zoveel mogelijk vooroordelen of oneigenlijke premissen opzij te zetten. Onbevangen en doorgedreven onderzoek moet het debat mogelijk maken en vanuit deze versterkte positie moet het minstens mogelijk zijn de elementen voor een coherente en toekomstgerichte politiek uit te zetten.

Dat de voorliggende studie van Patrick Loobuyck met niet geringe trots wordt voorgesteld door de Stichting Kreveld is het gevolg van de vaststelling dat met dit werk een belangrijk element van de uitdaging die migratie in deze wereld met zich meebrengt in kaart wordt gebracht en geïnventariseerd. Dat dit alles ingebed werd in een duidelijk engagement voor een rechtvaardiger verdeling van 's werelds goed is de meerwaarde waar deze Stichting Kreveld voor staat en gaat.

Wij hopen dat dit boek de blijvende discussie over arbeidsmigratie zal voeden en intensifiëren. Niet dat het gesprek daarmee gemakkelijk zal worden, wel dat het scherper en krachtiger, accurater en rechtvaardiger wordt.

Willem DEBEUCKELAERE & Herman BALTHAZAR

Dankwoord

Dit boek zou niet tot stand zijn gekomen zonder de stimulerende werking van de Stichting Gerrit Kreveld. De Stichting heeft mij de noodzakelijke ruimte en de optimale mogelijkheden geboden om mij in de boeiende thematiek van migratie vast te bijten en er mij in te verdiepen. Ik ben de Stichting en haar voorzitter Herman Balthazar uitermate dankbaar voor het vertouwen en de kansen die ze me hebben gegeven.

Mijn bijzondere dank gaat ook uit naar de mensen die mij van dichtbij begeleid en gestuurd hebben, op de eerste plaats Willem Debeuckelaere die de geestelijke vader is van het project 'migratie en asielbeleid als uitdaging voor de sociaal-democratie' waarbinnen dit werk tot stand is gekomen. Ik dank de mensen van de begeleidingscommissie en Inge Picard voor de vlotte en collegiale samenwerking in de voorbije periode en Lut Dombrecht voor de huiselijke ondersteuning.

Bij het schrijven van een boek komt heel wat kijken en er zijn veel mensen die van ver of van dichtbij hun steentje hebben bijgedragen. Heel veel mensen hebben mij gesteund en geholpen in mijn zoektocht naar informatie. Ik kan niet iedereen persoonlijk vernoemen, maar ik ben er mij van bewust dat de bereidwilligheid van die mensen onmisbaar is voor het realiseren van het project dat ik, samen met de Stichting voor ogen had.

Dirk Van den Bulck en Frank Caestecker verdienen een bijzondere vermelding. Zij hebben uiterst geduldig mijn teksten gelezen, nagelezen en van kritisch commentaar voorzien. Door hun interessante suggesties zijn zij mij blijven stimuleren om het schrijf- en denkproces tot een goed einde te brengen. Ik dank ook Anne Van Lancker, Youssef Ben Abdeljelil en Ron Lesthaeghe voor hun opmerkingen bij (stukken van) het manuscript.

Ik dank Marc Andries, Ruddy Doom, Renaat Landuyt, Ron Lesthaeghe, Anne Van Lancker en Toon Vandevelde voor hun 'kadertekstjes' als bijdrage tot dit boek.

Tot slot wil ik graag Academia Press bedanken voor de constructieve samenwerking en de faciliteiten die ze bieden om met dit werk naar buiten te treden.

P. LOOBUYCK
Gent, februari 2001.

Inleiding

Migratie is een belangrijk item dat veel mensen rond de millenniumwisseling bezig-houdt. Veel publicaties, denkgroepen, politieke discussies en persberichten hebben op de een of andere manier met het thema te maken. Het is een complex onderwerp dat ook zeer veel consequenties heeft op andere maatschappelijke vlakken. Het is belangrijk, ondermeer naar de publieke opinie toe, dat men de migratie erkent en op adequate manier onder woorden brengt. Oorspronkelijk waren het vooral onderzoekers en en-kele progressieve politici die het onderwerp thematiseerden en blijk gaven dat ze het fenomeen migratie aanvaardden, maar de attitude heeft zich nu al meer algemeen doorgezet. De realiteit dwingt om de migratie als blijvend te erkennen en het beleid en de reflectie over migratie daarop af te stemmen. Migratie is niet enkel een realiteit van het verleden waar we nu nog de gevolgen van kennen, maar ook een realiteit die ons nu en in de toekomst onverminderd zal blijven uitdagen.

Belangrijk en nieuw aan een deel van het debat is dat de discussie niet enkel wordt gevoerd vanuit de overvraagde asielprocedure of vanuit het discours van het Fort Europa en de migratiestop. Integendeel, er zijn stemmen te horen die pleiten om die migratiestop geleidelijk af te bouwen. In het eerste deel van het boek worden enkele argumentatielijnen voor en tegen de afbouw van de migratiestop geëxpliciteerd, geanalyseerd en besproken. De elementen die aan bod komen zijn de meest gehoorde argumenten in het debat over arbeidsmigratie zoals het zich nu voordoet: het onge-noegen ten aanzien van het ineffectieve huidige immigratiebeleid, de sociaal-demografische evoluties, de migratierealiteit, de globalisering en de internationalise-ring van de arbeidsmarkt. Als tegenargument wordt verwezen naar de factor *brain drain*, de werkloosheid en de lage participatiegraad onder de eigen bevolking en de vele (onvoorziene) gevolgen van migratie voor het gastland. Voor de duidelijkheid behandelen we de verschillende argumentatielijnen en invalshoeken afzonderlijk, het spreekt vanzelf dat verschillende teksten en voorstellen gebruikmaken van verschil-lende argumentatielijnen die elkaar aanvullen, versterken of met elkaar in tegen-spraak zijn.

Nadat in het eerste deel het *waarom* centraal stond, ligt in het tweede deel vooral de nadruk op het *hoe*: op welke manier en op welk niveau kan er op een gerechtvaardigde en gecontroleerde manier een poort geopend worden om meer arbeidsmigratie te insti-tutionaliseren? Vooraleer we bij die vraag stilstaan, proberen we een zicht te krijgen op de feitelijke arbeidsmigratie in en naar Europa. Omdat er in de discussie over arbeids-migratie dikwijls wordt verwezen naar de migratierealiteit in Australië, Canada en de VS laten we die migratiesystemen ook aan bod komen. Op het eind van het tweede deel verwoorden we enkele dilemma's waar zowel links als rechts mee worstel(d)en als het om migratie gaat. In de conclusie proberen we op basis van de gegevens die we dan niet zinvol is om te migreren. Een voorbeeld van dergelijke microtheorie is de *human capital approach*: men gaat ervan uit dat net als bij het uitzetten van een kapitaal de persoon in kwestie nagaat waar zijn talenten, zijn vakkennis en diploma's het meest zouden opbrengen.

De macrotheorieën benaderen de migratie vanuit een structureel perspectief. Het push-pullmodel is zo een veel gebruikt macroschema. Migratie wordt er beschouwd als het resultaat van twee groepen determinanten: een groep die de potentiële migranten het land 'uitduwt' en een andere groep die hen naar een ander land 'trekt'. Veelal wordt hierbij sterk de nadruk gelegd op de economische factor maar deze is lang niet de enige. Ook politieke, ecologische, sociale en demografische factoren kunnen als pull- of pushfactoren optreden. De push- en pullfactoren kunnen elkaar versterken of neutraliseren. Bij de reden om te vertrekken zouden de pushfactoren de meest dominante rol spelen, terwijl de pullfactoren vooral bepalend zouden zijn voor de plaats waarheen men migreert.

Bepaalde migratietheorieën legden de nadruk hoofdzakelijk op de pullfactoren. In het geval van de arbeidsmigratie naar Europa bijvoorbeeld werden mensen naar hier gehaald met de belofte van werk en inkomen. Dit accent heeft zich in de literatuur verlegd. Er is veel aandacht voor de pushfactoren als belangrijke determinant van de migratiedynamiek, zeker op wereldvlak. Dit geldt zowel voor de conventievluchtelingen, als voor de ontheemden door burgeroorlogen en ecologische rampen, als voor de economische vluchtelingen.[6]

1.1   De pushfactoren

Op 12 oktober 1999 vierden de Verenigde Naties symbolisch de geboorte van de zes miljardste mens, een verdubbeling sinds 1960 en een verdrievoudiging sinds 1930. Meer dan 95% van de bevolkingsgroei doet zich voor in de ontwikkelingslanden. In Europa, Japan en Noord-Amerika is de natuurlijke groei bijna gestopt. Ten zuiden van de Middellandse Zee ligt het geboortecijfer zeer hoog. De minder en minst ontwikkelde landen hebben bovendien een zeer jonge bevolking. Door een stijging van het bevolkingsaantal in de minder en minst ontwikkelde landen zal de wereldbevolking volgens schattingen van de VN nog tot 2050 stijgen met bijna 50%. (tabel 1-3) In vergelijking met de ontwikkelde landen zouden in 2050 dan acht keer zoveel mensen leven in de minder en minst ontwikkelde landen. De groei is dus erg ongelijk verdeeld. In de minder ontwikkelde gebieden zal het aantal mensen tot 2050 nog stijgen met meer dan 70%, met als koploper Afrika met 153%. In de meer ontwikkelde gebieden zou tussen 1995 en 2050 de bevolkingsomvang zelfs dalen met 1%. De grootste daling wordt voor Europa voorzien: min 14%. In 1960 had Europa dubbel zoveel mensen als Afrika, maar in 2050 zouden er drie keer meer Afrikanen dan Europeanen zijn.

Tabel 1

regio	1998 Percentage van de bevolking jonger dan 15	1998 Percentage van de bevolking ouder dan 60	Bevolkings- dichtheid per km^2
Wereldbevolking	30	10	44
Meest ontwikkelde landen[1]	19	19	22
Minder ontwikkelde landen[2]	33	8	57
Minst ontwikkelde landen[3]	43	5	30

Tabel 2

regio	Bevolkingsaantal in duizenden 1998	Bevolkingsaantal in duizenden 2025	Bevolkingsaantal in duizenden 2050
Wereldbevolking	5,901,054	7,823,703	8,909,095
Meest ontwikkelde landen[1]	1,182,184	1,214,890	1,155,403
Minder ontwikkelde landen[2]	4,718,869	6,608,813	7,753,693
Minst ontwikkelde landen[3]	614,919	1,092,623	1,494,925

Tabel 3

regio	Jaarlijkse groei (per 100)	Gemid- delde geboorte- graad (per 1000)	Gemid- delde sterfte- graad (per 1000)	Vrucht- baarheids- graad (per vrouw)	Levens- verwachting bij de geboorte	Kinder- sterfte- graad (per 1000)
Wereldbevolking	1.3	22	9	2.7	65	57
Meest ontwikkelde landen[1]	0.3	11	10	1.6	75	9
Minder ontwikkelde landen[2]	1.6	25	9	3.0	63	63
Minst ontwikkelde landen[3]	2.4	39	15	5.1	51	99

[1] Europa en Noord-Amerika, Australië/Nieuw Zeeland en Japan
[2] Afrika, Azië (uitgezonderd Japan), Latijns-Amerika en de Caraïben, Melanesië, Micronesië en Polynesië
[3] 48 landen waarvan 33 in Afrika, 9 in Azië, 1 in Latijns-Amerika en 5 in Oceanië

Bron: Verenigde Naties 1999: http://www.undp.org/popin/wdtrends/p98/fp98toc.htm, zie ook UN, 1992.

De groeiende demografische breuklijn doet velen aan een scenario van massamigratie denken. Men kan zich inderdaad afvragen hoe men de samenleving zal organiseren met zo een enorme bevolkingsaangroei. Zal er voldoende budget zijn voor scholen, gezond-heidszorg en sociale voorzieningen, zal er voldoende voedsel zijn: het zijn vragen die nu al aan de orde zijn in de ontwikkelingslanden en de bevolkingsaangroei zal ze alleen maar pregnanter maken. Ten tweede worden vragen gesteld over de draagkracht van de planeet aarde om de groeiende bevolking te voeden. Alvast lokaal zal die draagkracht ontoereikend zijn, als er geen ingrijpende maatregelen worden genomen. Een vierde van de wereldbevolking zou in 2050 met ernstig watertekort kampen en een derde van het aardoppervlak wordt door woestijnvorming bedreigd. Er is de opwarming van de aarde en het toenemend aantal slachtoffers die door overstromingen op de been worden gebracht. Men schat dat 850 miljoen mensen in een ecologisch kwetsbaar gebied leven. De Nijldelta, Bangladesh en grote delen van Afrika vormen overbevolkte ecologische spanningsgebieden. Nu al is de groep *environmental refugees* aanzienlijk, vooral in Afrika.[7] Experts voorspellen dat de ecologische vluchtelingen binnenkort de grootste groep zullen uitmaken.

Naast de demografische en ecologische factoren kunnen ook politieke factoren de migratiedruk versterken. Verschillende staten in Afrika en voorbij het voormalige IJzeren Gordijn hebben problemen met de *nation building* en deze instabiliteit vertaalt zich dikwijls in gewelddadige (etnische) conflicten en burgeroorlogen die veel mensen op de vlucht kunnen drijven.[8] Het aantal dergelijke conflicten is de laatste jaren niet afgenomen. Bovendien vinden in heel wat landen nog steeds schendingen van de mensenrechten plaats.

Tot slot is er ook nog de economische druk. Jaarlijks zijn er verschillende rapporten van de Wereldbank, de OESO, *ILO* of het *UNDP (Human Development Report)* die duidelijk maken dat de divergentie tussen de ontwikkelingslanden en de geïndustrialiseerde landen nog toeneemt. Tussen 1960 en 1990 groeide het inkomen in de OESO-landen gemiddeld 2,6% per jaar, terwijl het in de andere landen gemiddeld 1,8% groeide. Het verschil tussen de inkomens van de rijken en van de armen is in die dertig jaar met 45% toegenomen.

De Noord-Zuid verhouding wordt steeds meer bepalend voor de migratie. Er loopt een viervoudige kloof (economisch, demografisch, ecologisch en politiek) waarover velen via migratie een brug willen slaan. Bovendien kunnen de verschillende determinanten elkaar versterken. Zo loopt de demografische breuklijn ongeveer gelijk met die van de grote welvaarts- en inkomstenverschillen. In tegenstelling tot de VS en Europa stijgt het bevolkingsaantal wel in Afrika, maar de levensverwachting daalt er, mede door de aids- en malariaproblematiek.

De onvrijwillige migratie, de zogenaamde vluchtelingenstroom, is de laatste jaren sterk toegenomen, getuige het enorm aantal mensen dat in eigen streek op de vlucht is. Wereldwijd zouden er 50 miljoen mensen op de vlucht zijn, waarvan 30 miljoen intern ontheemde personen en 20 miljoen internationale vluchtelingen. Het merendeel van de vluchtelingen leeft verspreid in Azië (36%), Europa (29%) en Afrika (29%).[9] Afrika telde vóór de catastrofe in Rwanda in 1994 al meer dan 3 miljoen mensen die op de vlucht waren in eigen land.[10] UNHCR ziet zich verantwoordelijk voor 6 miljoen vluchtelingen die in een ander Afrikaans land leven en die hulp en bescherming nodig hebben. Het aantal asielaanvragen in Europa kende een hoogtepunt van bijna 696.500 aanvragen in 1992. Daarna zakte het aantal tot onder de helft. Sinds midden 1996 stijgt het aantal aanvragen opnieuw. De studie van de asielaanvragen leert dat het erkennings-percentage vrij laag ligt (rond de 10%), en het is omgekeerd evenredig met het aantal aanvragen.[11] Dit doet vermoeden dat hier meer aan de hand is. Veel mensen doen een beroep op de asielprocedure terwijl ze niet in aanmerking komen om als vluchteling erkend te worden op basis van de Conventie van Genève.

Maar de asielcijfers betekenen eigenlijk zo goed als niets in het perspectief van de vluchtelingenproblematiek op wereldschaal. Minder dan 2% van de vluchtelingen vindt de middelen en de mogelijkheid om ergens in een asielprocedure te stappen. Een mager resultaat in verhouding met de middelen die erin gestoken worden. Dé uitdaging voor het internationaal vluchtelingenbeleid ligt dan ook niet in de eerste plaats in de (her)interpretatie van de Conventie maar in het nadenken over en het uitvoeren van preventie en humanitaire interventies (militaire tussenkomst, het opzetten van vluch-telingenkampen, repatriëring van vluchtelingen, *burdensharing*, instaan voor voedsel en medische hulp in de vluchtelingenkampen, enzovoort).[12] De activiteiten en doelstel-lingen van de *UNHCR* zijn ook in die richting geëvolueerd. Waar ze vroeger vooral bezig was met de bescherming en het statuut van vluchtelingen, moet ze zich nu vooral concentreren op het lenigen van de behoeften van de vluchtelingen en de *displaced persons*, die zich in veel gevallen nog binnen hun eigen landsgrenzen bevinden.[13]

Preventieve migratiepolitiek

De pushfactoren verhogen het migratiepotentieel, maar ze leiden niet noodzakelijk tot meer migratie. Er zijn heel wat andere intermediaire factoren die bepalen in welke mate de migratiedruk effectief omgezet wordt in migratie.

De analyse van de pushfactoren leert wel dat hun bijdrage in de toekomstige migra-tiestromen niet zal verminderen. Daarom wil men ter preventie van de migratie ook aan de oorzaken werken door duurzame ontwikkeling en internationale samenwerking te stimuleren.[14] De (preventieve) aanpak van onwenselijke migratie zou het best gebeuren op basis van internationale samenwerking en afspraken die erop gericht zijn de in-komensverschillen tussen landen kleiner te maken, jobs te creëren en het politieke systeem te stabiliseren in de emigratielanden.[15] Het migratiebeleid is daarom onlosma-kelijk verbonden met elementen van het buitenlands beleid: ontwikkelingshulp, directe buitenlandse investeringen (DBI), internationale samenwerking en eerlijke handels-overeenkomsten.[16] Men gaat er vanuit dat als de ontwikkelingslanden naar een econo-misch hoger niveau kunnen evolueren, ook verschillende andere pushfactoren aan impact zullen moeten inboeten, waardoor de migratiedruk aanzienlijk zou verminde-ren. Men kan verwijzen naar de Zuid-Europese landen die in een vrij korte periode van emigratie- naar immigratielanden geëvolueerd zijn.

Wat betreft de ontwikkelingshulp botst men onvermijdelijk op politieke onwil. België en de meeste andere Europese landen halen de 0,7% norm niet. Bovendien moe de hulp niet zozeer gaan naar die landen die voor het meest migratie zorgen, maar na de landen die het meest behoefte hebben. En dan nog, volgens de berekeningen

Nobelprijswinnaar Tinbergen moeten de ontwikkelingslanden, als de inspanningen op het gebied van ontwikkelingssamenwerking dezelfde blijven als de voorbije jaren, nog 600 jaar wachten om het westers welvaartsniveau te halen. Veel moed geeft dat niet. Misschien is er meer heil te verwachten van de internationale handel. Ook hier vallen de inspanningen tegen. De meeste DBI gebeuren tussen de geïndustrialiseerde landen. Van de 1,9 triljoen dollar die in 1992 voor DBI ingezet werd, ging slechts 420 miljard (22%) naar de ontwikkelingslanden.[17] Ontwikkelingslanden worden om verschillende redenen nog niet als waardige handelspartners beschouwd en blijven verstoken van serieuze investeringen door privé-kapitaal. Landen bijvoorbeeld waar malaria erg verspreid is, kunnen duidelijk minder op DBI rekenen en het toerisme kan er onmogelijk van de grond komen. Onderzoek toont aan dat malaria verantwoordelijk is voor een vertraging van de economische groei met ongeveer 1,3% per jaar.[18] Ook de politieke instabiliteit in Afrika maar lange tijd ook in Zuid-Amerika, speelt een belangrijke rol of het land al dan niet aantrekkelijk is voor investeerders en handelspartners. De Oost-Aziatische landen zijn kunnen groeien omdat er politieke stabiliteit heerste en omdat de overheid er voor een gunstig ondernemersklimaat zorgde dat buitenlandse investeerders en handelspartners aantrok.[19] Bovendien kan het beleid van de lokale overheden de vrijhandel en DBI verwelkomen of tegenwerken door allerlei voorwaarden op te leggen (India tot voor kort) of door de grenzen gesloten te houden (China).

De stelling dat de economische ontwikkeling ook vanzelf bijdraagt tot de afname van de migratiedruk moet genuanceerd worden. De band tussen ontwikkelings- en handelssamenwerking aan de ene kant en de vermindering van de migratie(druk) aan de andere kant blijkt niet altijd even eenduidig. Steunend op 79 studies concludeerde een breed opgezet onderzoek voor het Amerikaans Congres dat ontwikkeling op korte termijn geen alternatief zal zijn voor emigratie.[20] Verschillende experts zijn het er zelfs over eens dat een verhoging van welvaart en ontwikkeling in de derdewereldlanden de vlucht- en emigratiedruk alleen maar zal verhogen. De relatie tussen economische ontwikkeling en internationale migratie bevat immers de tegenstelling tussen de korte-termijneffecten en de langetermijneffecten. Dit fenomeen dat de migratie initieel stijgt maar op langere termijn zakt, duidt men aan met de term 'migration hump'.[21]

Het belang van de condities op de arbeidsmarkt

Bij de economische motieven om te migreren kunnen twee elementen onderscheiden worden: het al dan niet hebben van een job en de mogelijkheid om elders meer te verdienen. Peter Stalkers positie kan als volgt worden samengevat. Door de toenemende divergentie tussen het rijke westen en de ontwikkelingslanden is ook het loonsverschil sterk toegenomen en dit is verantwoordelijk voor nieuwe migratiestromen. Voor de meeste mensen is en blijft meer geld verdienen immers de hoofdreden om te migreren.[22] De verhouding tussen het gemiddelde loon in de VS en Mexico bedraagt tien tegen één, en tussen Japan en Bangladesh tachtig tegen één. De migratiedruk in Mexico en Bangladesh is navenant.

Lucas is meer genuanceerd. Uit verschillende onderzoeksresultaten leidt hij af dat niet zozeer het loonsverschil tussen het land van herkomst en het gastland de migratie stimuleert, maar dat vooral de toestand van de arbeidsmarkt in het land van vertrek een doorslaggevende rol speelt.[23] De inkomensverschillen spelen wel maar ze zijn onvoldoende om het geheel te verklaren. Het welvaartspeil en het niveau van het loon is belangrijker dan de loonsverschillen. Zo is het evident dat alleen al vanuit financieel oogpunt mensen die bijna geen inkomen hebben niet kunnen migreren. Maar dat nog buiten beschouwing gelaten, bestaat er geen eenduidig verband tussen de inkomensverschillen en de migratie. Er is meermaals vastgesteld dat wanneer het gemiddelde inkomen stijgt, ook de emigratie stijgt, maar dat blijft niet duren. Eenmaal het inkomen een bepaald niveau bereikt, zakt de emigratie gevoelig.[24] Dit keerpunt ligt opvallend laag, maar toch moeten er verklaringen zijn voor deze *migration transition*. Lucas geeft verschillende factoren aan die de initiële stijging zouden kunnen verklaren. Een hoger loon maakt de financiering van migratie mogelijk. Ten tweede is het niet omdat het loon stijgt dat ook de arbeidsomstandigheden verbeteren en ten derde kan een verhoging van de welvaart op termijn gepaard gaan met een demografische transitieperiode waarin het bevolkingsaantal stijgt (doordat het aantal geboorten constant blijft maar de sterftegraad door allerlei verbeteringen vermindert) en ook het aantal potentiële vertrekkers (hoofdzakelijk jongeren) stijgt.

Alles samen blijken vooral de toestand van de arbeidsmarkt en de jobkansen van belang. Naast de inkomens kunnen handel en liberalisering ook een invloed uitoefenen. Ook hier stelt men vast dat de veranderingen initieel met een groei van migratie gepaard gaan. De hypothese van de gewijzigde inkomens is voor Lucas opnieuw niet voldoende, de *migration transition* wordt verklaard doordat de liberalisering een ontwrichte arbeidsmarkt tot gevolg kan hebben, althans in eerste instantie. Ook de afstand van de migratie en de scholing zijn bepalend. De migratie over korte afstand stijgt sneller dan de langeafstandsmigratie. Het blijkt ook dat hooggeschoolden minder snel de beslissing nemen om te migreren.

De bevindingen van Lucas hebben grote implicaties voor de migratie in de nabij toekomst. Op wereldvlak stijgt het aantal formele jobs wel, maar de bevolkingsaangroei is veel groter. Dit was lange tijd niet het geval voor de *newly industrializing economies* (NIE's) in Zuidoost-Azië, waar het aantal nieuwe jobs de bevolkingsgroei oversteeg. Sinds de economische crash eind de jaren negentig heeft men ook in die landen met een teveel aan mensen te kampen. In verschillende landen zorgt het grote arbeidsoverschot voor reële problemen en een toegenomen migratiedruk.[25] Rekening houdend met het feit dat de economische groei in de komende jaren in de ontwikkelingslanden toch beperkt zal zijn, zal men moeten vaststellen dan het arbeidspotentieel in de derdewereldlanden tegen 2010 zeer ver de mogelijkheden op de arbeidsmarkt overstijgt. Bovendien bestaat er geen analoog verband tussen de economische groei en het aantal jobs: in de ontwikkelingslanden groeit het aantal jobs maar half zo snel als het BNP en in de meeste Europese landen daalt het aantal jobs zelfs terwijl de econo mie blijft groeien.[26] Door kapitaalinvesteringen, techniek en betere opleidingen sti de productiviteit per werknemer, waardoor er minder werknemers nodig zijn. Op reldvlak stijgt de tewerkstelling wel, maar de bevolkingsaangroei is veel hoger en de gevolgen van deze *mismatch* kan men nu moeilijk overzien.

De werkloosheid ligt nu al zeer hoog in de Maghreblanden: 16,4% van de actieve bevolking in Tunesië, 16,6% in Marokko en 22,5% in Algerije. Elk jaar komen er in Noord-Afrika ongeveer 800.000 nieuwe arbeidskrachten op de markt, terwijl er niet meer dan 400.000 nieuwe plaatsen beschikbaar zijn. Het aantal potentiële emigranten groeit dus met 400.000 per jaar.[27]

1.2   De pullfactoren

Naast de pushfactoren zijn er de pullfactoren die zorgen dat de potentiële migrant hoopt ergens anders een beter leven te kunnen leiden: grotere welvaart, hoge lonen, werkgelegenheid en sociale bescherming. Soms wordt het immigratieland veel mooier voorgesteld dan het eigenlijk is. Door deze illusoire pullfactoren verwachten sommigen dat ze naar een soort 'beloofde land' kunnen migreren. De push- en pullfactoren zijn in belangrijke mate complementair, waardoor ze eenzelfde effect, namelijk migratie, kunnen versterken. Ook de sociale netwerken en de aanwezigheid van landgenoten worden steeds meer onderkend als belangrijke pullfactor voor verschillende soorten migratie.[28]

De nadruk die in de literatuur gelegd wordt op de pushfactoren lijkt niet altijd even duidelijk van toepassing te zijn op de Belgische en Europese migratierealiteit. De migranten die naar Europa (willen) komen zijn niet altijd op de eerste plaats mensen die erbarmelijke omstandigheden ontvluchten. Hoewel er ook wel pushfactoren in het geding kunnen zijn, zijn de pullfactoren voor veel migratie naar Europa van groot, zoniet van doorslaggevend belang.

De belangrijkste immigratiekanalen zijn de volgmigratie, het studentenstatuut, (tijdelijke) arbeidsmigratie en de asielprocedure. Bij de volgmigratie is het duidelijk dat de pullfactoren het meest doorwegen. Hier spelen hoofdzakelijk de sociale netwerken, de hoge welvaart en eventueel de arbeidsmogelijkheden als belangrijkste pullfactoren.[29] Ook voor buitenlandse studenten en (tijdelijke) arbeidsmigratie zijn vooral pullfactoren aan het werk: buitenlandse ervaring opdoen, betere infrastructuur, meer arbeidsmogelijkheden, betere lonen.

Via de asielprocedure wordt slechts een kleine minderheid als conventievluchteling erkend, wat er kan op wijzen dat ook hier de pullfactoren in veel gevallen belangrijker zijn dan de pushfactoren. In de EU bestaan bovendien grote verschillen per lidstaat wat betreft het aantal asielaanvragen.[30] Pullfactoren kunnen bepalend zijn voor welk land wordt uitgekozen om er een asielprocedure op te starten. Bij de keuze van het immigratieland kunnen externe factoren als transportfaciliteiten, de toegankelijkheid van het land, de wijze en de duur van ontvangst, het al dan niet mogen werken, de mogelijkheid tot zwartwerk[31], de organisatie van de asielprocedure en de aanwezigheid van landgenoten of migratienetwerken een bepalende rol spelen.[32] Hoe gunstiger de omstandigheden en hoe meer gunsten aan asielzoekers worden toegekend, hoe meer mensen asiel zullen willen aanvragen. De informele netwerken en de mensensmokkelaars spelen hierbij een belangrijke rol. Mensenhandelaars blijken perfect op de hoogte te zijn van het gevoerde asielbeleid in de respectieve landen en de specifieke keuze voor dat welbepaalde land gebeurt op basis van die kennis.[33] Om hun eigen zaak te promoten stellen mensenhandelaars Europa bovendien voor als een paradijs op aarde: migranten hebben er een beter leven dan in het thuisland, ze krijgen huisvesting, er is OCMW-steun en werkgelegenheid.

Een deel van het asiel- en migratiebeleid van de Europese landen, zeker na 1985, is erop gericht die pullfactoren uit te schakelen. Hoewel het specifieke belang van pull-factoren voor asielzoekers niet sluitend is aangetoond en in kaart gebracht door verge-lijkend onderzoek, zijn er wel enkele cijfergegevens die de hypothese (ten dele) kunnen bevestigen. Zo is het opvallend dat, ondanks hun geografische ligging, de Zuid-Euro-pese landen veel minder asielzoekers hebben dan bijvoorbeeld de Beneluxlanden, Duitsland, Zweden en Finland waar een kwalitatief veel beter onthaalsysteem is uitge-werkt.[34] In Italië, Spanje, Griekenland en Portugal zijn de uitkeringen tot een minimum beperkt en zeer tijdelijk. De niet-gouvernementele organisaties en de kerk spelen in die landen een belangrijke rol in de opvang van de asielzoekers. Spanje, Italië en Portugal zijn wel belangrijke transitlanden voor (Noord)afrikanen, maar wegens een minder sociaal onthaalbeleid hebben ze in verhouding niet veel asielzoekers. Ook het feit dat het illegaal-zijn en illegaal-werken er gedoogd en soms geregulariseerd wordt, zorgt ervoor dat er in die landen veel meer nieuwkomers zijn dan het aantal asielaanvragen laat uitschijnen.

Ten tweede blijkt ook dat bepaalde maatregelen die op de pullfactoren inwerken - op korte termijn - een effect hebben op de hoeveelheid asielzoekers. Vandaar dat verschillende landen in een soort van cascadesysteem zijn terechtgekomen, waarbij men steeds meer pullfactoren wil uitschakelen en de opvangfaciliteiten zo sober moge-lijk wil houden: asielcentra in plaats van OCMW-woningen, detentiecentra, de moge-lijkheden tot tewerkstelling terugschroeven, nadruk op materiële hulp in plaats van financiële uitkeringen en efficiëntere en snellere verwijdering van uitgeprocedeerden.[35] Naast het opvangsysteem blijkt ook de duur en de structuur van de asielprocedure een belangrijke rol te spelen, zeker wanneer het zo is dat de asielzoeker steun geniet zolang de procedure loopt. De maatregelen bijvoorbeeld van Frankrijk in 1989, België in 1993, Nederland en de VS in 1994 hebben aangetoond dat het versnellen van de procedure resulteert in een daling van het aantal aanvragen. Het versnellen van de procedure hoeft niet altijd met wetswijziging gepaard te gaan, veel kan afhangen van het management en de hoeveelheid personeel die men inzet.

Er bestaat in dit verband zelfs een imitatiegedrag bij de verschillende lidstaten, want een strengere asiel en immigratiewetgeving van het ene land doet de druk bij andere landen stijgen.[36] Nederland kende in 1994 een piekjaar inzake het aantal asiel-aanvragen (52.600). In 1993 hadden de buurlanden België en Duitsland immers hu wetgeving verstrengd en bovendien creëerden enkele aanslagen in Duitsland een gunstig klimaat ten aanzien van vreemdelingen. In 1994 voert Nederland op zijn een verstrenging uit van de asielwetgeving. In Zeveraar, Rijsbergen en Schiph men Aanmeldcentra waar zeer snel (de bedoeling was binnen een etmaal) een selectie moest worden uigevoerd van mogelijk gegronde asielverzoeken en evident ongegronde of niet-ontvankelijke verzoeken. In de daaropvolgende jaren heeft er een gevoelige daling van het aantal asielaanvragen plaatsgevonden (29.300 in 1995 en 22.200 in 1996).

Gezien de grote variëteit in toelatingsprocedure en opvang kan het niet verwonderen dat de vraag naar harmonisatie op Europees niveau steeds luider klinkt. Niet elke lidstaat dringt hier evenveel op aan. Vooral de landen met relatief veel asielzoekers zijn vragende partij. De harmonisatie zou volgens die landen de 'concurrentievervalsing' moeten verminderen. Zolang dit niet gebeurt, zal men voor de landen met de beste voorzieningen kiezen. Voor de Zuid-Europese landen, Frankrijk en Groot-Brittannië is de harmonisatie echter helemaal geen prioriteit. Gezien die harmonisatie uitblijft, nemen de afzonderlijke lidstaten zelf initiatieven om hun land minder aantrekkelijk te maken.

Wat betreft de illegale migratie ten slotte, kunnen we er ook vanuit gaan dat hierbij de pullfactoren een belangrijke rol spelen. Wie echt wegens pushfactoren het land van herkomst heeft verlaten, kan immers in veel gevallen - maar lang nog niet altijd - als vluchteling erkend worden via de asielprocedure, of het statuut van ontheemde of oorlogsslachtoffer toegewezen krijgen. Verschillende elementen kunnen als pullfactor aangeduid worden: de aanwezigheid van landgenoten en sociale netwerken, de aanwezigheid van mensensmokkelroutes, de afwezigheid van boetes voor transportmaatschappijen, de geografische ligging, geen of zwakke identiteitscontroles, een gedoogbeleid ten aanzien van tewerkstelling van illegalen[37], zwartwerk en prostitutie. In Groot-Brittannië bijvoorbeeld is de identiteitscontrole minder streng en inwoners hebben er geen nationaal paspoort nodig. Dit maakt het land aantrekkelijk voor illegale migranten. Bovendien is er mogelijkheid tot (zwart)werk en zijn er al verschillende internationale gemeenschappen die een aantrekkingskracht uitoefenen op potentiële migranten. In Spanje is het vooral de mogelijkheid tot tewerkstelling die als pullfactor functioneert. Tuinbouwgebieden als Andalusië en Murcia zijn grote trekpleisters, want veel werkgevers komen er openlijk voor uit dat ze niet zonder de arbeid van illegalen kunnen. De houding en de wetgeving van de verschillende landen ten aanzien van illegale migratie en illegale tewerkstelling spelen dus een belangrijke rol. Vanuit dit besef heeft Nederland (1998) de Koppelingswet goedgekeurd. Deze maatregel zorgt ervoor dat illegalen niet meer legaal kunnen worden tewerkgesteld en ze ontzegt de illegalen alle vormen van sociale voorzieningen en overheidssteun. Sinds oktober 2000 heeft Nederland ook het bordeelverbod opgeheven, maar deze maatregel is gekoppeld aan een identificatieplicht om illegale tewerkstelling in die sector te vermijden. Ook in België gaan er stemmen op die pleiten voor een statuut voor de prostituee om op die manier de illegaliteit en de uitbuiting beter te kunnen bestrijden.[38] Vrouwenhandel is immers pas commercieel interessant als vrouwen bij gebrek aan de juiste papieren en n arbeidsrechtelijke bescherming maximaal uitgebuit kunnen worden.[39]

1.3. Tekorten van het push-pullmodel

Als de migratierealiteit door middel van het push- pullmodel wordt beschreven, bestaat het gevaar dat men een al te deterministisch beeld van de werkelijkheid krijgt, zeker als vooral de nadruk gelegd wordt op de rol van de pushfactoren. Het lijkt immers niet evident om op die pushfactoren die op verschillende plaatsen inderdaad nog aan belang winnen werkelijk vat te krijgen. Vanuit een analyse van de push- en pullfactoren wordt méér migratie dikwijls als onvermijdelijk voorgesteld. Dit klopt tot op zekere hoogte, maar gaat niet noodzakelijk op voor de volledige migratierealiteit naar Europa. Een stuk van de migratie naar Europa is niet van die aard dat men er helemaal niet kan op ingrijpen. Het belang van pushfactoren stijgt voor veel migratiestromen, maar wat betreft asielzoekers, schijnhuwelijken en illegale migratie spelen ook de pullfactoren zeer sterk. Anders dan bij de pushfactoren is het wel mogelijk om op de pullfactoren een invloed uit te oefenen. De middelen die nu ingezet worden zijn niet altijd even effectief, maar dat neemt niet weg dat het niet mogelijk zou zijn toch op een deel van de migratie meer greep en controle te krijgen. In het push-pull model wordt soms te weinig aandacht gegeven aan de mogelijkheden van de politiek en het beleid.[40]

De werkelijkheid is complexer dan de theorie en de schema's die het push- pull-model presenteert. Tussen de pull- en pushfactoren liggen nog heel wat tussenliggende factoren die een remmende of stimulerende, al dan niet bepalende rol in de beslissing om te migreren kunnen spelen. Er moet ook rekening gehouden worden met het karakter en de leefwereld van de persoon in kwestie, de economische, historische en/of koloniale band van het thuisland met het gastland, de manier waarop gerekruteerd wordt en de rol van de media. Voor ecn omvattende theorie moeten zowel de individuele benadering als de structurele benadering met elkaar gecombineerd worden. Richmond presenteert een multivariaat model waarin er een complexe interactie bestaat tussen politieke, economische, ecologische, sociale en biopsychologische factoren.[41] Het structureel perspectief moet ook aangevuld worden met een meer individuele benadering om te verklaren waarom mensen *niet* migreren. Gegeven de structurele omstandigheden van vandaag kan men er zich immers over verwonderen waarom er niet nog veel meer migratie naar de rijke landen is.[42] Het verdwijnen van het IJzeren Gordijn, de droogte in de Sahel, de zovele etnische conflicten de voortdurende oorlogen hebben niet tot een massale volksverhuizing naar het westen geleid. In het onderzoek wordt steeds de nadruk gelegd op factoren die migratie bevorderen, maar er zijn ook tal van clementen die migratie afblokken: de afwezigheid van filières, een gebrek aan beschikbare middelen of een slechte geografische ligging. Naast de structurele elementen spelen ook psychologische drempels een belangrijke rol: men scheidt niet zomaar van vrienden, kennissen en familie, men laat niet zomaar het geboorteland achter om de stap in het duister te zetten naar een samenleving waar men zich met alle bijhorende moeilijkheden opnieuw zal moeten integreren.

1.4 Het pragmatisch argument om arbeidsmigratie toe te laten

Het is opmerkelijk dat veel onderzoekers er al enige tijd de aandacht willen op vestigen dat immigratie slechts ten dele beheersbaar is, terwijl de politici juist al hun pijlen richtten op het controleren en uitbannen van de immigratie. Het is in die context van die 'beperkte beheersbaarheid' dat er voorstellen voor meer arbeidsmigratie worden gelanceerd. Voor Johan Wets (HIVA) bestaat er immers geen alternatief: 'Als je elke arbeidsmigratie tegenhoudt, proberen mensen het toch anders: via schijnhuwelijken, valse asielaanvragen, illegaal.'[43] Volgens het push- pullmodel zal de migratiedruk niet afnemen en in de postindustriële wereld is migratie een onvermijdelijke realiteit geworden, en dus, zo wordt geredeneerd, moeten we die migratie ook toelaten en reguleren. We moeten leren leven met etnische diversiteit, snelle sociale veranderingen *en* migratie. Er is geen ander vreedzaam alternatief, schrijft Richmond.[44] Politici moeten met de realiteit van migratie rekening houden en een ernstig beleid moet zich volgens die auteurs bevrijden van het verhaal over de migratiestop. Dit verhaal is een symbool dat onhoudbaar is geworden. De feiten spreken voor zich. Uiteindelijk ontvangt de EU jaarlijks een klein miljoen nieuwkomers, vooral via de procedure van asiel en gezinshereniging. Het denken in termen van nulmigratie is nooit in overeenstemming geweest met de werkelijkheid, maar naar de publieke opinie toe was het gunstig dit te verkondigen en te verdedigen. Dit is nu aan het veranderen. Er wordt steeds meer op aangestuurd dat Europa zich als immigratiecontinent zou erkennen. Sommigen redeneren dat eenmaal men de immigratie als werkelijkheid erkent, niets nog het herinvoeren van arbeidsimmigratie in de weg kan staan. We werken deze argumentatie hieronder verder uit en geven een korte bespreking.

Het aantal migranten wordt anno 2000 al op meer dan 130 miljoen geschat (waarvan meer dan 20 miljoen vluchtelingen) en het ziet er niet naar uit dat het potentieel in de nabije toekomst significant zal verminderen. Er zijn al verschillende mogelijkheden uitgedacht en beproefd om de migratie te doen verminderen. In Europa is dit gebeurd in het kader van de strijd tegen de illegale migratie. Ondanks het arsenaal aan preventieve en repressieve maatregelen, slaagt men er echter niet in de migratie volledig aan banden te leggen. In België werden nooit meer illegale vluchtelingen uit vrachtwagens en maïsvelden gehaald, waren nooit meer mensensmokkelaars aan de slag en lag het aantal asielaanvragen nooit zo hoog als in 1999 (bijna 36.000) en 2000 (meer dan 42.000).

Ondanks de strengere maatregelen van de voorbije jaren is zowel de geregelde migratie als het aantal asielaanvragen en illegalen blijven stijgen. De netwerken van mensensmokkelaars blijken bovendien zo georganiseerd te zijn dat ze de genomen maatregelen kunnen omzeilen. Ondanks de repressieve aanpak aan de grens, de repatriëring en de dure investeringen in politieboten, gesloten centra, bewakings- en controlesystemen blijven de filières standhouden. Moet men besluiten zoals David Jan Godfroid en Yaël Vinckx dat mensensmokkel niet uit te roeien is en dat de strijd in feite al verloren is?[45] Volgens sommigen vertrekt het huidige beleid teveel vanuit een beheersingsdenken, maar men vergeet dat de migratiedynamiek ook bepaald wordt door omstandigheden waarop de besluitvormers in individuele immigratielanden geen vat krijgen. Hammar schrijft dat migratie- en vluchtelingenstromen bepaalde patronen volgen die zelden overeenkomen met de voorstellingen en scenario's die uitgedacht worden door politieke overheden.[46]

Het afschrikkingsbeleid is dan ook niet vrij van kritiek op het punt van de effectiviteit. In sommige kritieken worden enkele aanzetten gegeven voor alternatieven, waarbij soms de nadruk ligt op een preventieve migratiepolitiek met als centrale hefboom het promoten van de vrije handel, DBI en ontwikkelingshulp. De *migration hump* indachtig moeten de inspanningen voor economische ontwikkelingen vooral mikken op effecten op lange termijn. Men moet streven naar duurzame ontwikkeling en omstandigheden creëren die het geloof in de toekomst in eigen land versterken. Een grotere en stabielere arbeidsmarkt in de thuislanden kan een sleutel zijn om op lange termijn de emigratie te verminderen. DBI, externe hulp, kapitaalstromen en de liberalisering van de economie kunnen hierbij echter dikwijls een dubbelzinnige rol spelen.[47]

Met Wets (HIVA) kan men concluderen dat op korte termijn noch het Europese afschrikkingsbeleid, noch de economisch gestuurde preventieve migratiepolitiek een situatie kunnen creëren die tot minder migratie zou leiden.[48] De studies van het *ILO* tonen ook aan dat de arbeidsmarkt onvermijdelijk steeds meer internationaal wordt. De rode draad doorheen de boeken van Peter Stalker (1994 en 2000) is dat economische migratie onder de condities van globalisering niet zal verminderen wel integendeel. Internationale (vooral tijdelijke) migratie is al een wezenlijk onderdeel van het huidige wereldgebeuren, en dat zal in de toekomst niet verminderen. Volgens de genoemde auteurs komt er meer migratie, wat men ook doet of niet doet. Uit de migratierealiteit besluiten sommigen dat men niet moet blijven vechten tegen de bierkaai, maar dat men een actiever immigratiebeleid moet voeren waarin een goed studentenstatuut, een statuut voor ontheemden, een mogelijke verruiming van de Conventie van Genève en de mogelijkheid voor arbeidsmigratie moeten voorzien zijn. Niet de vraag wie er beter van wordt, maar de migratierealiteit zelf is het doorslaggevende argument. De hoofdvraag is hier niet 'hoe kunnen we migraties beperken', maar wel 'op welke manier kunnen migratiestromen het best worden beheerst'.

De redenering is pragmatisch: men stelt vast dat meer migratie in de toekomst onvermijdelijk is en het beleid moet zich hierop afstemmen. Dit klinkt aannemelijk maar er moeten beleidsmatig ook andere maatregelen aan vastgekoppeld worden. De realiteit is ook dat de achterstand van de reeds ingezeten allochtonen zowel in het onderwijs als op de arbeidsmarkt nog steeds zorgwekkend groot is en dat er problemen bestaan op de woningenmarkt. Bovendien spelen nog steeds allerlei discriminatiemechanismen en staat het onthaal van de huidige nieuwkomers nu nog maar in de kinderschoenen. Het officieel toelaten van meer nieuwkomers komt inderdaad tegemoet aan een realiteit, maar die realiteit heeft ook nog een ander gezicht waar men evenzeer rekening moet mee houden.

Tot slot nog iets over de basisstelling dat migratie niet tegen te houden is. In welke mate migratie onbeheersbaar is, daar valt over te discussiëren, maar hun punt is dat alvast een deel van de migratiedynamiek wordt bepaald door factoren waar men moeilijk vat op krijgt. Toch mag men er zich niet te gemakkelijk bij neerleggen dat het beleid niet effectiever kan. Op bepaalde onderdelen van de migratierealiteit is controle wel degelijk mogelijk. Het huidige beleid gaat ervan uit dat immigratiebewegingen afgeremd kunnen worden door grenscontroles en een streng, al dan niet gemeenschappelijk, visumbeleid. Deze maatregelen zijn noodzakelijk maar onvoldoende. Er zijn meer factoren waarop men kan inwerken. Men hamert graag op de grenscontroles omdat dit een zichtbaar en aanvaardbaar gegeven is naar de publieke opinie toe, maar men moet ook een integraal en multidisciplinair beleid durven uitvoeren dat verschillende factoren tegelijk aanpakt (illegale tewerkstelling, prostitutienetwerken). Het is niet altijd duidelijk in hoeverre de maatschappelijke en politieke wil aanwezig is om zo een consequent beleid uit te voeren. Een beleid tegen illegalen bevat immers hoe dan ook weinig aantrekkelijke elementen die men liever zou vermijden.[49]

Noten

1 Caestecker, 1998; 2001 en 2001a.
2 Caestecker, 1992; Caestecker en Martens, 2001. Zie ook Hammar, 1990, 42-45; Rystad, 1992; Castles en Miller, 1993 en Sassen, 1999b.
3 Castles en Miller, 1993, 8; Massey e.a., 1998; Sassen, 1999b.
4 Massey e.a., 1993; Stalker, 2000, 21-34.
5 Massey e.a., 1993; Richmond, 1994, 48-88; Wets en De Bock, 1997.
6 cf. Wets, 1999. Akgündüz (1993) toont zelfs aan dat pushfactoren medebepalend waren voor de arbeidsmigratie vóór 1974 van Turkije naar Europa.
7 Pachler, 1993; Otunnu, 1992; Richmond, 1994, 75-88.
8 Zolberg, 1992; Zolberg e.a., 1989 en 1999.
9 Wets e.a., 2000, 94-95.
10 Hampton, 1998.
11 Tussen 1991 en 1995 werden 2,4 miljoen asielaanvragen ingediend in Europa, waarvan er uiteindelijk 212 000 (11%) erkend zijn. (UNHCR, 1998, 187)
12 Schloeter-Paredes en Böhning, 1994.
13 Zetter, 1999, 55 e.v.; Adelman, 1999, 100-104; Weiner, 1995, 150 e.v.; UNHCR, 1998, 263-276.
14 Castles en Miller, 1993, 268-271. De OESO heeft in de voorbije tien jaar veel aandacht besteed aan het verband tussen migratie en economische ontwikkeling. *Migration and Development: New Partnerships for Co-operation* (OECD, 1994) is de neerslag van een conferentie over migratie en internationale samenwerking (Madrid, maart 1993) en op 2 en 3 november 1998 heeft de OESO de conferentie *Globalisation, Migration and Development* georganiseerd in Lissabon. Zie ook OECD (1993), *Development Challenges. Development Co-operation and migration*; IOM (1992), *Migration and development*, report on the tenth IOM seminar on migration, 15-17 september 1992, Genève; IOM en UN (2000), *Migration and development*, Genève en HAMMER, T. e.a. (eds.) (1997), *International migration, immobility and development: multidisciplinary perspectives*, Berg, Oxford en New York.
15 Bigo, 1996; Straubhaar, 1992, 478-479 en 1992a, 123. Straubhaar pleit voor een internationale GAMP: *General Agreement on Migration Policy*.
16 Cleemput, 1998; Stalker, 1994, 155 e.v. en Lucas, 1999.
17 ILO, 1995, 43. Zie ook Lucas, 1999, 130; Stalker, 2000, 17-18, 64-69; Wilterdink, 1995, 188, 190 en Nierop, 1995, 55-56.
18 Dit onderzoek werd voorgesteld door Jeffrey Sachs, directeur van het Centrum voor Internationale Ontwikkeling van Harvard, op de conferentie van Afrikaanse staatshoofden in Abuja (Nigeria), eind april 2000.
19 Lucas, 1999, 132.
20 *Unauthorized Migration: An economic development response*, Report of the Commission of

the Study of International Migration and Cooperative Economic Developmlent, Washington, juli 1990. Zie ook Teiltelbaum M.S., *Les effets du développement économique sur les pressions à l'émigration dans les pays d'origine*, Conférence internationale sur les migrations, OCDE, Rome, 13-15 maart 1991.

21 Martin, 1995, 53; Muus, 1995, 53; Wets, 1999a, 19 en Wets, 1999, 167; Teitelbaum en Russel, 1997; Weiner, 1995, 213-214; Stalker, 2000; Lucas, 1999, 137 en voor Oost-Europa cf. Herman, 1991, 59-65.
22 Stalker, 1994, 23; Stalker, 2000, 21.
23 Lucas, 1999, 136-142. Nog anders dan Stalker en Lucas komt Straubhaar tot de bevinding dat niet het inkomensverschil, niet de werkloosheid in het land van herkomst, maar vooral de vraag naar nieuwkomers op de arbeidsmarkt van het gastland en het daarbij horende toelatingsbeleid bepalend is voor migratie. (Straubhaar, 1986; 1988, 222)
24 Lucas, 1999, 139-140; Stalker, 2000, 103-104; Teitelbaum en Russel, 1997. Voor een case-studie met concreet cijfermateriaal cf. FAINI, R. en VENTURINI, A. (1994), *Migration and growth: the experience of southern Europe*, Centro Studi Luca d'Agliano / Queen Elizabeth house development study working papers, nr. 75, Turijn / Oxford.
25 SOPEMI, 1999, 50 e.v.; Spaan, 1998.
26 Doomernik e.a., 1996, 15; Wets, 1999, 161-162.
27 Obdeijn, 1998, 136-137.
28 Boyd, 1989; Fawcett, 1989; Gurak en Caces, 1993; Wilpert, 1993; Böcker, 1992; Leman e.a., 1994; Portes, 1995; Stalker, 1994, 34-35 en Stalker, 2000, 120-122.
29 Boyd, 1989; Portes, 1995 en Lievens, 1999.
30 Hammar, 1985; Böcker en Havinga, 1998; 1999 en Efionayi e.a., 2001.
31 Ook het aantal asielzoekers dat in de prostitutie werkt, is de laatste jaren sterk gestegen. (CGKR, 1999; 2000, 84-85; Van Hecke, 1994, 62-65).
32 Böcker en Havinga, 1998; 1999; Hulshof e.a., 1992 en Doornheim, L. en Dijkhof, 1995.
33 Van Hecke, 1994.
34 cf. Hammar, 1985. Zo heeft Olaf Reerman (1997) van het *Bundesministerium des Innern* erop gewezen dat het niet mag verbazen dat Duitsland zoveel asielzoekers heeft, aangezien het welvaartssysteem er vrij soepel en gul is in vergelijking met andere landen. Hetzelfde hoort men dikwijls voor België.
35 UNHCR, 1998, 191-194; Voor België tot 1995 zie Caestecker, 1995.
36 Uit het onderzoek van het Zwitsers forum voor Migrantenstudies van de Universiteit van Neuchâtel blijkt dat politieke ingrepen (1992-2000) een tijdelijke invloed uitoefenen op de verdeling van de asielaanvragen over verschillende EU-landen, maar het blijkt geen invloed te hebben op het totale immigratievolume. Bovendien zou vooral het toelatingsbeleid in de strikte zin van het woord een invloed uitoefenen, meer dan bijvoorbeeld de toegang tot de arbeidsmarkt en de steunverlening. (Efionayi e.a., 2001)
37 Uit onderzoek van Godfried Engbersen blijkt immers dat heel wat illegalen begin de jaren negentig taks op hun loon betaalden aan de overheid. (Cross en Waldinger, 1997) In Nederland sprak men van 'witte illegalen'.
38 Sörensen, 1994, CGKR, 2000, 85.
39 Van Ammelrooy, 1987, 150.
40 Massey e.a., 1998, 12-14.
41 Richmond, 1994, 67-70.
42 Emmer en Obdeijn, 1998, 17, 32; HAMMAR, T (1995), *Development and immobility: why have not many more emigrants left the south?*, in VAN DER ERF, R. en HEERING, L. (eds.) (1995), *Causes of international migration; proceedings of a workshop, Luxembourg, 14-16 december 1994*, Eurostat, Luxemburg, aangehaald in Muus, 1997, 20.
43 Johan Wets in Vandaele, 1999, 95.
44 Richmond, 1994, 217.
45 cf. Godfroid en Vinckx, 1999, 242.
46 Hammar, 1985, 10.
47 Lucas, 1999; Stalker, 1994, 155-168 en Stalker, 2000.
48 Wets, 1999, 307.
49 Weiner, 1995, 196.

2. Pleidooi voor (arbeids)migratie vanuit het demografisch tekort en de noden op de arbeidsmarkt

2.1 Inleiding

Bij migratie gaat het om de verplaatsing van mensen waardoor de populaties van de emigratie- en immigratiegebieden kwantitatief wijzigen: de emigratiegebieden verliezen mensen, in de immigratielanden komen er mensen bij. In het verleden hebben migraties de demografische kaarten steeds opnieuw geschut en herschut.[1] Op veel plaatsen is de bevolking nog altijd de spiegel van de migraties uit het verleden, denken we maar aan de zwarten en de blanken in Zuid-Afrika, Kenia en Zimbabwe. De mix van volkeren is het duidelijkst in Amerika. De eerste kolonie in het Nieuwe Engeland werd in 1620 gesticht. Tussen 1630 en 1640 zijn er ongeveer 20.000 immigranten aangekomen. In het midden van de 17[de] eeuw telde de bevolking er al 250.000 personen. In de 17[de] en 18[de] eeuw hebben zich ongeveer 750.000 kolonisten in het Nieuwe Engeland gevestigd en er bestond een enorme invoer van zwarte slaven (men schat 11-12 miljoen). Tussen 1800 en 1940 hebben ongeveer 50 miljoen mensen Europa definitief verlaten, hoofdzakelijk naar de VS (40 miljoen), maar ook naar Canada (7 miljoen) en Australië en Nieuw-Zeeland (3 miljoen) en in mindere mate naar Siberië en Zuid-Afrika. Deze migratie is zeer ingrijpend geweest. Het Verenigd Koninkrijk telde 17 miljoen emigranten, waarvan 5,4 miljoen Ieren. Italië telde 10 miljoen emigranten, Duitsland 6, Spanje en Portugal 6,5, Oostenrijk-Hongarije 5, Rusland 2,5 en Scandinavië 2. Slechts een half miljoen Fransen hebben het land verlaten in die periode.

Volgens de slotverklaring van de bevolkingsconferentie in Caïro (1994) waren er toen 125 miljoen internationale migranten, inclusief vluchtelingen. Meer dan de helft van de migranten bevindt zich in ontwikkelingslanden.[2] Deze aantallen geven aan dat er verbanden kunnen bestaan tussen migraties en de demografische evoluties in verschillende gebieden.

2.2 Demografische pushfactoren

Waar in het verleden de vraag naar goedkope arbeid als pullfactor de stuwende kracht was achter de migratie naar het westen, stellen sommigen nu dat vooral de demografische pushfactor als hoofdoorzaak van de migratie zal functioneren.[3] Op basis van de demografische gegevens en de groeiende kloof tussen arm en rijk, vreest men dat de migratiedruk nog zal toenemen. (cf. supra) Sommigen zien in de huidige migratie-realiteit al de eerste tekenen van een immense, onhoudbare migratie naar het westen.

Niet iedereen is even sterk overtuigd van het belang van de demografische druk voor de migratie. Er bestaat geen empirische evidentie voor het feit dat de emigratie stijgt als er een grote bevolkingsaangroei is of omgekeerd. De demografische factor kan een rol spelen in de migratiedruk, maar ze is niet de enige en belangrijkste factor.[4] Er zijn landen waar zowel de bevolkingsaangroei als de emigratie hoog was, bijvoorbeeld Algerije, Marokko, Tunesië en Mexico. Aan de andere kant hadden emigratielanden als Griekenland, Portugal en Joegoslavië sinds 1965 een bevolkingsaangroei beneden de 1%. In de voormalige Sovjet-Unie en Oost-Europa is de emigratie niet verminderd, ook al is de bevolkingsaangroei er sterk gedaald. Als men voorbeelden aangeeft uit het verleden waar de demografische factor wel lijkt te spelen dan moet ook de economische ontwikkeling van die tijd en plaats bekeken worden. Zo heeft bij de Europese emigratie naar de Nieuwe Wereld niet enkel het demografische element gespeeld. Vooreerst was er de pullfactor: er was gratis grond te krijgen (in te palmen) in Amerika, Australië en Zuid-Afrika. Daarnaast speelde als pushfactor dat de economische groei de groei van de Europese bevolking niet meer kon volgen, waardoor de armoede toenam. Door de industrialisering werden bovendien veel mensen naar de steden gelokt, waar ze niet altijd werk en soms een moeilijk bestaan vonden. In die omstandigheden werd de stap naar de Nieuwe Wereld ook sneller gezet: doorgaans immigreren mensen gemakkelijker naar het buitenland als ze al eens de stap gezet hebben van het vertrouwde plattelandsdorp naar de meer anonieme en vaak verbijsterende grootstad. Op die manier kan de plattelandsvlucht een eerste stap zijn naar internationale migratie.[5]

De demografische pushfactoren kunnen niet als argument dienen om hier meer migratie toe te laten. Migratie kan onmogelijk het demografisch onevenwicht herstellen. Er zijn niet veel statistieken nodig om te begrijpen dat het westen de overbevolking in verschillende ontwikkelingslanden niet kan oplossen door meer migratie toe te laten. Het is enkel een druppel op een hete plaat. In de komende decennia zullen in de derde wereld enorm veel nieuwe arbeidsplaatsen moeten worden geschapen om tegemoet te komen aan de grote aantallen jongeren die zich op de arbeidsmarkt zullen aanmelden. Voor een deel van hen zou emigratie naar het rijke westen een oplossing kunnen bieden. Heel waarschijnlijk zal dat maar om een heel klein deel van hen gaan, want de groei van het aantal 15-64 jarigen die wordt voorzien in derdewereldlanden, zal een veelvoud zijn van het 'tekort' aan arbeidskrachten in Europa. Duurzame economische groei zal dus voor veel derdewereldlanden topprioriteit blijven.

Door de bevolkingstoename stijgt de demografische druk in verschillende ontwikkelingslanden, aan de andere kant evolueert men in het westen naar een demografisch tekort (cf. infra). Men kan redeneren: er zijn meer mensen die willen migreren en het westen heeft mensen tekort, waarom geen regeling treffen die beide partijen van dienst kan zijn. Toch zijn de twee tendensen niet op alle punten even complementair: veel derdewereldlanden hebben een teveel aan laaggeschoolden terwijl in het westen vooral de vraag naar hooggeschoolden sterk stijgt. Bovendien botst het wegtrekken van hooggeschoolden uit landen die ze zelf zouden kunnen gebruiken op weerstand. Op die manier zou men immers enkel tegemoet komen aan de westerse, egoïstische invalshoek. Voor wie verder kijkt dan het westers eigenbelang en een internationaal solidair perspectief inneemt, botst de verdeling van de krachten op de mondiale arbeidsmarkt op een ethische grens.[6] (cf. infra)

2.3   De natuurlijke bevolkingsaangroei in Europa wordt kleiner

Een van de belangrijkste veranderingen die Europa te wachten staat is de wijziging in de demografische verhoudingen. Voor een stabiele bevolking is een geboortecijfer van 2,08 nodig, maar verschillenden Europese landen scoren beduidend lager: Nederland en België 1,6 (Wallonië 1,75 en Vlaanderen 1,5); Frankrijk 1,7; Duitsland 1,4 en Italië en Spanje 1,2. Ondanks die cijfers blijft het aantal inwoners in alle EU-lidstaten voorzichtig stijgen. Het aantal inwoners van de EU is in 2000 met 0,3% gestegen in vergelijking met 1999. De EU telde eind 2000 377,6 miljoen inwoners. In 1999 was de bevolking gestegen met 989.200 eenheden (0,26%). De natuurlijke bevolkingsaangroei (geboorten min overledenen) was 277.700 personen, terwijl het netto migratiecijfer op 711.400 lag. Dit betekent dat de toename van de bevolking voor meer dan 70% werd veroorzaakt door immigratie.[7] Ook in België en Nederland wordt de bevolkingsgroei grotendeels door de migratie veroorzaakt. De EU heeft momenteel dus nog een klein geboorteoverschot en een positief netto migratiecijfer, waardoor er van een verdunning vooralsnog geen sprake is. Demografen voorspellen wel dat wanneer de babyboomgeneratie van de jaren vijftig en zestig voorbij de leeftijd van 45 jaar zal zijn (rond 2010) er geen natuurlijke toename meer zal zijn.

2.4   Het *triple ageing process*

Belangrijker dan de beperkte bevolkingsaangroei is de relatieve veroudering van de bevolking. Deze veroudering is niet enkel het resultaat van de toenemende levensverwachting (vergrijzing) , maar nog meer van de lage vruchtbaarheid (ontgroening).[8] Géry Coomans van het *Institute for Prospective Technological Studies (IPTS)*, spreekt van het drievoudige verouderingsproces.[9] Vooreerst is er de algemene veroudering, af te meten aan het aantal 65-plussers. De babyboom generatie schuift door als een *pig in the snake* en zal het aantal 65-plussers drastisch doen stijgen. In 1995 bestond 15,4% van de Europese bevolking uit 65-plussers, in 2010 zou het aantal 65-plussers stijgen naar 69 miljoen (17,9%). Een extrapolatie naar 2025 leert dat ze binnen 25 jaar met 85 miljoen mensen 22% van bevolking zullen uitmaken. België volgt het Europese gemiddelde.

Naast de algemene veroudering treedt ook het fenomeen van de *elder ageing* op: het percentage 80-plussers zal in de toekomst een hoge vlucht nemen. Sommige spreken over een 'intravergrijzing', de 'intensifiëring van de vergrijzing' of 'de veroudering in de veroudering'. Door een laag geboortecijfer tussen 1915 en 1919 is het aantal 80-jarigen tussen 1995 en 2000 gedaald met ongeveer 6%. De stijging van het aantal geboortes na WOI in combinatie met de langere levensverwachting zal het aantal tachtigers tussen 2000 en 2010 doen stijgen met 36% voor de EU. Voor België, Frankrijk, Griekenland, Italië en Luxemburg verwacht men zelfs een stijging van bijna 50%. Het aantal tachtigers bereikt een dieptepunt van 13,4 miljoen in 1999 en zal stijgen tot

18,3 miljoen in 2010. Op dat moment zal deze bevolkingsgroep 4,7% van de totale EU-bevolking uitmaken. De *elder ageing* zorgt voor een extra druk op de gezondheids- en zorgsector. Afhankelijk van het aandeel van de familiale zorg, verwacht men dat de *elder ageing* één tot twee miljoen extra jobs vereist tussen 2000 en 2010.

Grafiek 1: De leeftijdsgroepen 15-24 en 55-64 als percentage van de leeftijdsgroep 15-64 – EUR 15 – 1995-2025

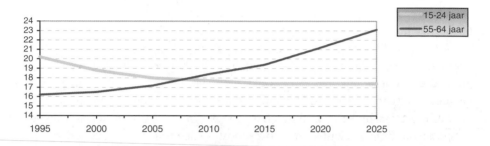

Bron: Coomans, 1999, 18.

Maar het belangrijkste voor de economie is de stelselmatige veroudering van de actieve bevolking. De groep tussen de 30 en 49 jaar blijft ongeveer constant, maar de binnenkomende generatie (tussen 15 en 29 jaar) vermindert met meer dan 10% tussen 1995 en 2010; en de oudere generatie (tussen 50 en 64 jaar) neemt toe met 17,9%. Het aandeel 55- tot 64-jarigen binnen de 'actieve groep' zal de komende jaren tot 23% stijgen. Deze veroudering vertaalt zich al snel in een tekort aan (geschoolde) werkkrachten. De levenslange bijscholing is in onze samenleving voor heel wat mensen van groot belang, maar dit geldt a fortiori voor de oudere werknemers. Naar de toekomst toe ligt hier een enorme uitdaging zowel voor de overheid, de werkgevers en de bedrijfswereld als voor de (oudere) werknemers.

2.5 De noden van de arbeidsmarkt

Een veranderende arbeidsmarkt

De laatste jaren hebben zich enkele veranderingen voltrokken in de samenstelling en de omvang van het arbeidsaanbod.[10] Vooreerst is er de feminisering van de arbeidsmarkt. Door de stijging van het opleidingsniveau van vrouwen, de komst van nieuwe generaties die andere verwachtingen hebben ten aanzien van de combinatie werk en gezin, en door toegenomen mogelijkheden om parttime te werken is de arbeidsparticipatie van vrouwen snel toegenomen. In 1983 had slechts 38% van de Nederlandse vrouwen een betaalde baan, vijftien jaar later is 63% van de vrouwen actief op de arbeidsmarkt. België scoort iets lager: tussen 1991 en 1996 is het percentage gestegen van 52,4% naar 56,9%. Volgens een prognose van het steunpunt WAV zou in 2006 60,6% van de Vlaamse vrouwelijke beroepsbevolking actief zijn.[11]

Een ander element is dat de beroepsbevolking beter geschoold is. Dit zorgt ervoor dat meer mensen de gedane investering willen terugverdienen op de arbeidsmarkt. Het is opmerkelijk dat hoogopgeleide mensen zich pas later op de arbeidsmarkt aanbieden en afhankelijk van loon en werkgelegenheid ook op latere leeftijd met pensioen gaan.

Bovendien, en dat is misschien wel de belangrijkste verandering, is er de structurele veroudering van het arbeidspotentieel. Vooral de groei van het aantal ouderen (vergrijzing) en de afname van het aantal jongeren (ontgroening) zal zich op de arbeidsmarkt doen voelen. Grafiek 2 biedt ons een blik op de mate waarin het arbeidsaanbod in de nabije toekomst in de lidstaten van de EU zal groeien. In de periode van 1996 tot 2015 zullen de meeste Europese landen te maken hebben met een stagnerende groei van het arbeidsaanbod. Alleen Ierland springt er bovenuit met een totale groei van 20 procent.

Grafiek 2: Groei van de beroepsbevolking in de Europese Unie, 1996-2015

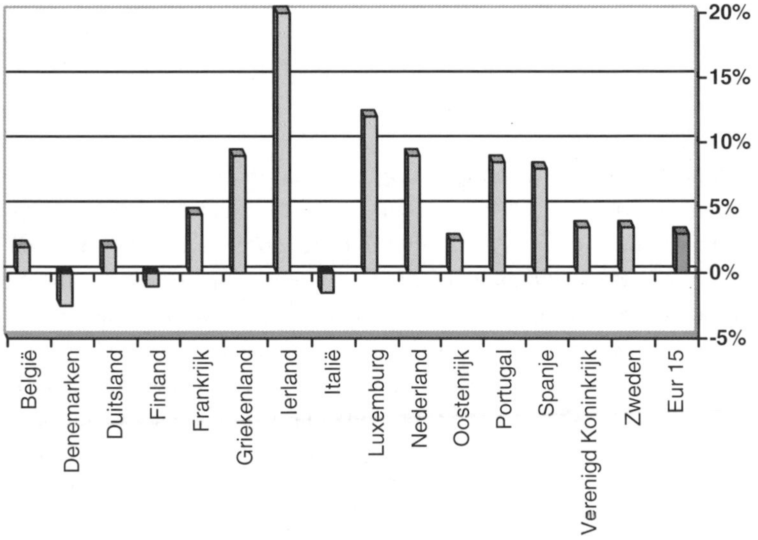

Bron: Van Dalen, Huisman en Van Imhoff, 1999.

In 1996 bedroeg het totale arbeidsaanbod in de EU 170 miljoen personen, onder wie 72 miljoen vrouwen. In 2015 zal het totale arbeidsaanbod in de EU zijn gegroeid tot 176 miljoen personen, een groei die volledig op het conto van de toegenomen deelname van vrouwen kan worden geschreven. Doordat de babyboomgeneratie zich langzaam maar zeker door de bevolkingspiramide werkt, treedt er een vergrijzing van het arbeidsaanbod op: de gemiddelde leeftijd van de werknemer zal toenemen van 38 jaar in 1996 tot ruim 40 jaar in 2015.

De laatste twintig jaar kende de Belgische arbeidsmarkt een stevige demografische druk. De instroom was altijd hoger dan de uitstroom, met een uitzonderlijk groot instroomoverschot tussen 1975 en 1985. Deze periode van demografische druk wordt nu afgesloten. De babyboomgeneratie zal binnenkort massaal de arbeidsmarkt verlaten en de komende generaties zullen die uitval niet kunnen vervangen. Ook in België is de verdunning van het arbeidspotentieel immers het duidelijkst te merken bij de jongere generatie. Ondanks de verdere stijging van de activiteitsgraad vooral bij de vrouwen daalt de beroepsbevolking tot 39 jaar de komende jaren vrij snel. Maar volgens het steunpunt WAV zou tussen 1996 en 2006 het remmend effect van de aankomende kleinere jongerengeneraties op de omvang van de totale beroepsbevolking geneutrali- seerd worden door het stuwend effect van de verder stijgende activiteitsgraad bij de vrouwen en bij de oudere generaties tussen 50 en 64 jaar. Er is dus nog niet onmiddel- lijk een demografisch deficit, integendeel de beroepsbevolking zou de volgende jaren nog toenemen.[12] Maar na 2005 zou de situatie drastisch kunnen veranderen. Op basis van het zogenaamde 'centraal scenario' van het planbureau van het Nationaal Instituut voor Statistiek (NIS) zou de uitstroom nog vóór 2010 de instroom overstijgen. Dit demografisch deficit zou toenemen tot 2025. Tegen dat jaar verwacht men ongeveer 140 000 meer uitstromers dan instromers.[13]

Werkloosheid

De gemiddelde werkloosheid in Europa ligt tussen de 9 en 10%. Het gemiddelde in de EU ligt een klein procent lager. Volgens Eurostat zet een dalende trend zich verder: van 10% in mei 1999 naar 9,2% in april 2000 in de Europese Ruimte en van 9,2% in mei 1999 naar 8,5% in april 2000 in de EU. In absolute getallen betekent dit dat er nog 14 miljoen werklozen zijn in de EU. In Vlaanderen daalde de werkloosheidsgraad in 2000 tot 6,8%, in Groot-Brittannië en Nederland tot respectievelijk 4 en 2,7%. In Vlaande- ren ligt de werkloosheidgraad onder jongeren, ouderen, laaggeschoolden (vooral vrou- wen) en allochtonen van buiten de EU beduidend boven het gemiddelde.

België heeft bovendien een relatief lage participatiegraad van 58,9%. Naast de officiële reserve die ingeschreven is bij de VDAB (ongeveer 160.000, waarvan 115.000 uitkeringsgerechtigden), zit er nog een relatief groot potentieel bij de groep niet-actieven: vooral huisvrouwen, PWA'ers en ouderen tussen de 50 en 65 jaar (brug- gepensioneerden). Men schat de latente arbeidsreserve die nog geactiveerd kan worden in Vlaanderen op 480.000 personen. Dit is een uitdaging voor de actieve welvaarts- staat.

In bijna alle OESO-landen zijn de vreemdelingen oververtegenwoordigd in de werkloosheidscijfers. (grafiek 3) Er zijn verschillende elementen die hierbij een rol kunnen spelen: de opleiding, het geslacht, de vraag op de arbeidsmarkt, de taal, de nationaliteit en het zogenaamde verborgen racisme. Veel allochtonen die werkloos zijn,

zijn quasi ongeschoold en op de huidige West-Europese arbeidsmarkt is minder vraag naar laaggeschoolden in de primaire en secundaire sector. De arbeidsmarkt is de laatste 25 jaar sterk veranderd en voor de eerste generatie Turken en Marokkanen die naar Europa zijn gekomen, betekende deze omslag in de economie een massale en vaak permanente verdwijning van de arbeidsmarkt.[14]

Sinds de jaren tachtig groeit in Duitsland de kloof tussen de werkloosheidsgraad van de autochtonen (11% in 1997) en die van de vreemdelingen (20,4% in 1997). (tabel 4) In 1999 lag het werkloosheidspercentage van de niet EU-vreemdelingen op 15%, het dubbele van dat van de autochtonen.[15] Vooral Turken blijven het slachtoffer van werkloosheid. Ook in Frankrijk is de kloof tussen de werkloosheidsgraad van Franse burgers (11,1%) en deze van vreemdelingen (23,7%) groter geworden. De werkloosheidsgraad van EU-vreemdelingen was 10,2%, terwijl die van vreemdelingen uit niet EU-landen tot 31,4% was gestegen.[16] In Nederland was de werkloosheidsgraad van allochtonen vier keer zo groot als die van de autochtonen.[17] Turken, Marokkanen en voormalige inwoners van de Nederlandse Antillen zijn procentueel het sterkst vertegenwoordigd in de werkloosheidsstatistieken. (tabel 4) In 1998 lag in Vlaanderen de werkloosheidsgraad van de mannelijke allochtonen van buiten de EU 6,2 keer hoger dan die van de Belgen. Hoewel de vreemdelingen van buiten de EU slechts 2% uitmaken van het aantal loontrekkenden, ligt hun aandeel in de werkloosheid op 7,5%.[18]

Grafiek 3: Het aandeel van de vreemdelingen in de totale werkloosheid in verhouding met hun aandeel in het totale arbeidspotentieel in 1997

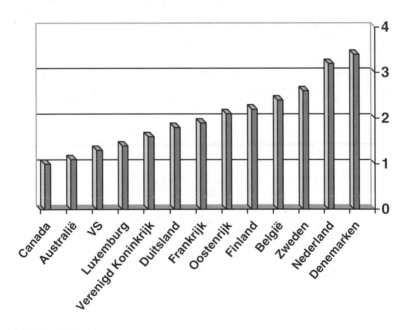

Bron: SOPEMI, 1999, 46.

Canada, Australië en de VS kennen een laag werkloosheidscijfer en hebben een relatief kleine werkloosheid onder de vreemdelingen. Grafiek 3 toont dat de discrepantie tussen de werkloosheid van allochtonen en van autochtonen het kleinst is in deze immigratielanden. Dit verzwakt de overtuigingskracht van het werkloosheidsargument tegen de idee om meer arbeidsmigratie toe te laten. De grafiek geeft de indruk dat het belangrijkste element voor de tewerkstelling van vreemdelingen wel eens de flexibiliteit van de arbeidsmarkt zou kunnen zijn. Canada, Australië, de VS, Luxemburg en het Verenigd Koninkrijk hebben de meest gedereguraliseerde arbeidsmarkten, terwijl België, Zweden, Nederland en Denemarken de meest geregulariseerde arbeidsmarkten hebben, maar ook veruit de grootste werkloosheid onder de vreemdelingen.[19] Bovendien zijn er studies die aantonen dat het toelaten van migranten voor meer werkgelegenheid zorgt dan voor concurrentie op de arbeidsmarkt. In Nederland werd in 1994 door het Bureau voor Economische Argumentatie een onderzoeksrapport gepubliceerd waaruit bleek dat de 250.000 werkende allochtonen in Nederland goed zijn voor 170.000 extra banen. Migranten nemen niet altijd de jobs in van de autochtonen en bovendien betekenen nieuwkomers een extra vraag naar voedsel, behuizing en consumptie. Tot slot zijn er nog de mogelijkheden van het (etnisch) ondernemerschap.

Tabel 4

	1994	1995	1996	1997
Werkloosheid in Duitsland				
Totaal aantal werklozen (geheel Duitsland) (duizenden)	3 698.1	3 611.9	3 965.1	4 384.5
Totaal aantal werklozen (West-Duitsland) (duizenden)	2 556.0	2 564.9	2 796.2	3 020.9
Werkloosheidsgraad (%) (West-Duitsland)	*9.2*	*9.3*	*10.1*	*11.0*
Totaal aantal buitenlandse werklozen (West-Duitsland) (duizenden)	408.1	424.5	496.0	521.6
Werkloosheidsgraad van de vreemdelingen (%) (West-Duitsland)	*16.2*	*16.6*	*18.9*	*20.4*
Werkloosheid in Nederland (%)				
Nederlanders die in Nederland geboren zijn	6.4	5.8	5.4	4.0
Vreemdelingen en Nederlanders van vreemde origine waarvan:	19	19	19	16
Turkije	36	41	36	31
Marokko	31	27	25	24
Andere mediterrane landen	18	19	21	20
Andere Europese landen	9	8	7	7
Suriname	18	15	16	13
Nederlandse Antillen	30	28	28	24
Indonesië	7	8	9	7
Ander	21	28	25	22

Bron: SOPEMI, 1999, 145, 180.

Noden van een laatkapitalistische arbeidsmarkt

Vacatures voor knelpuntberoepen in Vlaanderen

Ondanks de arbeidsreserve die bestaat, hoort men steeds vaker dat er onvoldoende werknemers zouden zijn om alle arbeidsplaatsen degelijk in te vullen. In januari 2000 schatte de VDAB dat ongeveer voor 70.000 vacatures niet onmiddellijk geschikte werknemers te vinden zouden zijn en bij de verwachte groei van 3,5% zou dit rekruteringsprobleem groter worden. Volgens de VDAB, steeg in de loop van 1999 het aantal openstaande vacatures met meer dan 50% van 21.400 tot 34.600. Hierbij moet dan nog rekening worden gehouden met het feit dat de VDAB niet alle vacatures kent. Verschillende bedrijven en werkgevers laten weten dat ze hun vacatures niet meer kunnen invullen. Grafiek 4 toont hoe het aantal vacatures voor knelpuntberoepen de laatste jaren sterk is gestegen. Knelpuntberoepen zijn jobs waarvoor moeilijk geschikte werknemers worden gevonden.

De permanente wervingsproblemen wijzen erop dat het niet enkel om een conjunctuurgebonden fenomeen gaat, maar om een structureel gegeven. Omdat de knelpuntberoepen zich meestal in dezelfde sectoren voordoen, spreekt men van een 'selectieve krapte' op de arbeidsmarkt. Volgens het VEV en de VDAB is er een groeiend tekort aan ingenieurs, technici, informatici, technische verkopers, specialisten op allerlei vlak, directiesecretaresses, boekhouders, vrachtwagenbestuurders, horecapersoneel en arbeiders textiel, metaal, hout en bouw.[20] Ook de non-profit sector wordt geconfronteerd met een tekort.

De VDAB onderscheidt drie oorzaken van knelpuntberoepen: (i) kwantitatief: er zijn niet voldoende werkzoekenden, (ii) kwalitatief: er zijn voldoende arbeidskrachten, maar ze hebben niet de nodige bekwaamheden en (iii) ongunstige arbeidsomstandigheden: laag loon, zwaar of ongezond werk, stress of ongunstige tijdregelingen. De eerste oorzaak is van toepassing op de jobs voor (hoog)geschoolden, de laatste is vooral (maar niet exclusief[21]) van toepassing op jobs voor laaggeschoolden. De tweede oorzaak geldt voor zeer veel jobs, hetzij omdat ze werkelijk specialistisch van aard zijn, hetzij omdat er in de vacature teveel eisen worden gesteld. Tot 1996 was dit de hoofdoorzaak waarom de verschillende vacatures niet ingevuld raakten: werkgevers stelden te hoge eisen inzake verantwoordelijkheidsgevoel, ervaring, bekwaamheid, zelfstandigheid en flexibiliteit. Maar sinds 1997 stelt zich ook een kwantitatief probleem: de uitstroom vanuit het onderwijs blijkt te gering in verhouding tot de stijgende vraag op de arbeidsmarkt. Eén van de oorzaken ligt ook in de mismatch tussen onderwijs en arbeidsmarkt, zeker wat betreft technici en industriële werknemers. Er wordt nog altijd pas voor het technisch onderwijs gekozen indien het in de humaniora niet lukt. Technisch en beroepsonderwijs blijft een *second best*. Ook de poging om meer meisjes in dat onderwijs te integreren is nog niet echt gelukt. De krapte wordt bovendien nog altijd versterkt door het fenomeen van de 'overvraging': er worden door de werkgevers vaak meer kwalificaties of werkervaring gevraagd dan nodig is voor de uitvoering van de job.[22] Dit laatste verklaart waarom de schoolverlaters een belangrijk onderdeel van de arbeidsreserve uitmaken. Er zijn niet enkel problemen aan de aanbodzijde van de vacaturemarkt, er zijn ook pijnpunten aan de kant van de vraagzijde. Waneer alleen werkzoekenden met werkervaring in aanmerking kunnen komen wordt de arbeidsmarkt inderdaad heel beperkt.

Grafiek 4: Knelpuntberoepen in Vlaanderen (1990-1997)

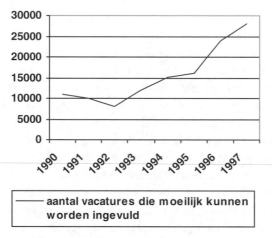

Bron: VDAB

Om aan de problematiek van de knelpuntenberoepen tegemoet te komen moet er geïnvesteerd worden in de activering, begeleiding en vorming van werklozen en andere niet-actieven. Onder de werklozen scoren laaggeschoolde jongeren, ouderen en allochtonen significant hoog. Er moeten dus specifieke maatregelen genomen worden naar deze doelgroepen toe. Het beleid moet erop gericht zijn de ingeschreven werklozen en de stille arbeidsreserve te activeren. De participatiegraad van de bevolking is immers geen voorgegeven constante. Door allerlei maatregelen kan die verhoogd en geoptimaliseerd worden. Wat betreft ouderen ligt dat gevoelig. Er kunnen bepaalde stimuli aangereikt worden, maar waarschijnlijk is het moeilijk om veel te forceren, misschien komen ze wel vanzelf terug als ze hiertoe de kans krijgen. Ook (huis)vrouwen zijn immers vrij spontaan naar de arbeidsmarkt gestapt, hoewel ook hier nog potentieel ligt en er zich specifieke maatregels opdringen. (cf. infra) Ook de studiedienst van het VEV en het Federaal Planbureau dringen er bij de overheid op aan om een beleid te voeren dat niet exclusief gericht is op het verminderen van het aantal werklozen, maar vooral op het verhogen van het aantal werkenden.[23]

Bovenop het activeren van de bevolking kunnen ook andere maatregelen aan de problematiek van de selectieve krapte op de arbeidsmarkt en de knelpuntberoepen tegemoetkomen: het uitschakelen van financiële en fiscale werkloosheidsvallen, meer aandacht voor de arbeidsvoorwaarden, arbeidsomstandigheden en arbeidsinhoud, investeren in menselijk kapitaal door vorming van laaggeschoolden, herwaardering van het technisch en beroepsonderwijs en overvraging vermijden bij het opstellen van de beroepsprofielen.[24]

Vraag naar hooggeschoolde nieuwkomers

Uit het rapport *Employment in Europe* van 1991[25] blijkt dat er een overaanbod bestaat aan laaggeschoolden die niet meer uit de werkloosheid geraken, terwijl de vraag naar hoog en specifiek geschoolden stijgt. De structureel veranderde arbeidsmarkt heeft een wanverhouding gecreëerd: aan de ene kant bestaat er een permanente graad van werkloosheid, aan de andere kant kan de vraag naar geschoolde werknemers niet beantwoord worden. Het tekort aan geschoold personeel situeert zich vooral in de sector van de investeringsgoederen, waaronder de metaalconstructie en de machinebouw ressorteren. Vooral aan informatici en goed opgeleide ingenieurs lijkt een prangend tekort te bestaan. In 1999 zou er in West-Europa een tekort geweest zijn van 850.000 geschoolde computerspecialisten en volgens de *International Data Corporation* (een marktstudieonderzoeksbureau) loopt dat tekort in 2003 uit tot 1,7 miljoen.[26] Ook in de zorg- en dienstensector bestaat een tekort aan personeel en met de vergrijzing zal dat probleem groter worden. Vanuit de werkgevers werden al verschillende oproepen gedaan om meer geschoolde vreemdelingen op de arbeidsmarkt toe te laten. Ook de Europese Commissie heeft in 1999 gewezen op de noodzaak hooggeschoolden naar Europa te laten migreren. In 1993 al waarschuwde Philip Muus dat Europa 'de slag om de geschoolde migrant' niet mag verliezen van de VS, Canada, Australië en sommige Aziatische landen.[27]

Uit de gegevens van de OESO en *ILO* blijkt dat de arbeidsmarkt van hoogopgeleiden steeds meer internationaal is geworden.[28] Door de liberalisering en internationalisering van de economie en de globalisering in het algemeen, moeten steeds meer hoogopgeleide professionals (vaak tijdelijk) migreren, op vraag van het bedrijf. Voor internationale concerns zijn nationale grenzen van ondergeschikt belang en veel van hun werknemers worden internationaal ingezet. Voorstanders van een vrijere arbeidsmarkt, wijzen erop dat de huidige nationale reguleringen die migratie bemoeilijken, strijdig zijn met de realiteit van een globale economie die volgens hen onstuitbaar opgang maakt.[29] Vooral vanuit de kant van de werkgevers wordt erop aangedrongen dat deze migratie niet tegengewerkt wordt. 'Rigide immigratieregels en de overbodige administratieve verplichtingen worden best aangepast om deze geglobaliseerde deelarbeidsmarkten niet te verstoren, en om de Vlaamse bedrijven niet te hinderen de specialisten aan te trekken die ze nodig heeft', aldus het VEV.[30]

Vraag naar laaggeschoolde nieuwkomers

In verschillende sectoren is de vraag naar laaggeschoolde arbeiders verminderd. In 1988 was 70% van het aantal vacatures nog toegankelijk voor laaggeschoolden, in

1998 bedroeg dit aandeel nog 50%. Enkel voor de duidelijk minder gewaardeerde jobs blijft er een grote vraag bestaan. Op het eerste gezicht ziet het er niet naar uit dat er in de toekomst veel meer nood zal zijn aan ongeschoolde werknemers: er is de groei van de arbeidsvervangende technologie, de vlucht van de arbeidsintensieve sectoren naar lagelonenlanden, het stijgend aandeel vrouwen en de blijvende werkloosheid van laaggeschoolden. De technologische veranderingen in het bedrijfsleven resulteren in een uitstoot van minder geschoolde arbeid en deze tendens wordt versterkt door de globalisering die de internationale concurrentie opdrijft waardoor de ondernemingen tot een hogere productiviteit gedwongen worden.[31]

Toch is de voorspelling van de jaren tachtig, namelijk dat er voor laaggeschoolden geen toekomst meer zou zijn, niet uitgekomen. Laaggeschoolden zonder ervaring kunnen solliciteren voor 32% van de vacatures, laaggeschoolden met werkervaring hebben toegang tot 50% van de vacante jobs. Aan de onderkant van de arbeidsmarkt zijn banen verdwenen, maar er zijn er ook bijgekomen.[32] Ondanks de technologie en de vooruitgang blijft er een nood bestaan aan laagopgeleide, tijdelijke en flexibele arbeidskrachten, zowel in de (informele) dienstensector als bijvoorbeeld in de agrobusiness. De dienstensector creëert in het westen een groot aantal laaggekwalificeerde, flexibele banen ondermeer voor technisch-huishoudelijke taken zoals schoonmaak, beveiliging en catering. Ook de vraag naar persoonlijke dienstverlening zoals huishoudelijke hulp, verzorging en kinderopvang zal toenemen. Er heeft zich wel een verschuiving voorgedaan in de vraag naar laaggeschoolden. Ondermeer door de vooruitgang in de techniek en de informatisering is de vraag naar laaggeschoolde industriële werknemers gedaald. Maar in de dienstensector is de vraag sterk toegenomen. Voor bepaalde beroepen van de tertiaire sector (chauffeurs, huispersoneel, industriële reiniging, laders en lossers, pakkers, horeca) komen laaggeschoolden in aanmerking voor minstens vier vijfden van de vacatures. Toch blijven de primaire (94%) en de secundaire sector (62%) veel meer laaggeschoolden vragen dan gemiddeld (50%) want de tertiaire sector herbergt ook sectoren waar laaggeschoolden nauwelijks aan de bak komen (informatica: 5% en de financiële sector: 9%).

De nieuwe laaggeschoolde banen worden voornamelijk in de dienstensector geschapen en in het algemeen worden er andere en ook hogere eisen verbonden aan die jobs voor laaggeschoolden: werkervaring en sociaal-normatieve vaardigheden (flexibiliteit, creativiteit, voorkomen, communicatievaardigheden, taalbeheersing en stressbestendigheid.) Deze verschuiving kan een deel van de verklaring zijn voor de paradoxale maar hardnekkige werkloosheid aan de onderkant van de arbeidsmarkt. 'Paradoxaal' omdat de werkgelegenheid aan de onderkant stabiel is, de laag opgeleide beroepsbevolking voortdurend krimpt, maar de werkloosheid onder laagopgeleiden in de jaren negentig niet structureel kleiner geworden is.[33] Veel laaggeschoolden, niet het minst de migranten uit de migratiegolf van vóór 1974 en de daarop volgende volgmigratie, die uit de primaire en secundaire sector komen, hebben de aansluiting gemist. De paradox is ook deels te verklaren door het feit dat een deel van de nieuwe banen wordt bezet door hoger opgeleiden.

Het probleem inzake de onderkant van de arbeidsmarkt situeert zich dus niet zozeer in het aanbod van laaggeschoolden, want die zijn oververtegenwoordigd in de werkloosheidscijfers. Vraag en aanbod zijn blijkbaar niet goed op elkaar afgestemd. Het tekort heeft ook met de kwaliteit en de aard van de jobs te maken. Aan de ene kant is er de vraag naar andere en hogere kwaliteiten, aan de andere kant is er een gebrek aan opwaardering van de jobs. Zo zijn, ondanks de hogere eisen de lonen niet aangepast. Ook de arbeidsvoorwaarden en arbeidsomstandigheden zijn soms weinig aantrekkelijk. Hier speelt dan de werkloosheidsval. In de praktijk blijkt dat sommige werklozen niet of nauwelijks beter af zijn als ze een job aanvaarden. Als werkloze genieten ze immers van een gunstig fiscaal regime, verhoogde kinderbijslag en geen kosten voor woon- werkverkeer en kinderopvang. Sommigen hebben bovenop hun uitkering nog inkomsten uit zwartwerk. Alleenstaande ouders zijn de belangrijkste risicogroep voor de werkloosheidsval. Om deze val te bestrijden moet het verschil tussen de werkloosheidsuitkering en het arbeidsinkomen groter worden. Velen zijn er ondertussen van overtuigd dat deze val niet instandgehouden wordt door te hoge uitkeringen, maar door te lage nettolonen. De paars-groene regering Verhofstadt heeft als één van haar eerste actiepunten in 1999 werk gemaakt van een verhoging van de minimumlonen.

Informele tewerkstelling

Het werk van Saskia Sassen toont aan dat er in de economie van de *global city* steeds meer plaats is voor laaggeschoolde, flexibele werknemers. Hun niche blijkt vooral in de informele economie te liggen. Sassen beschrijft een groeiende tweedeling tussen de formele en een informele economie.[34] Het formele circuit wordt het exclusieve terrein van goedbetaalde professionals, terwijl de informele economie wordt gekenmerkt door flexibiliteit (ongeregelde arbeid) en veelal door (illegale) migranten wordt ingevuld. Sassen wijst op de groei van de dienstensector in de postindustriële grootstedelijke samenleving die kwaliteitsloze en laag betaalde banen genereert, waardoor de komst van migranten wordt aangemoedigd. Door het gevoerde beleid gebeurt die komst en tewerkstelling steeds meer illegaal. In bepaalde delen van de economie, bijvoorbeeld in de intensieve landbouw, bestaat op verschillende plaatsen een reële behoefte aan tijdelijke, goedkope en 'flexibele' arbeid. Aan deze vraag kan niet worden voldaan door het restrictieve migratiebeleid waardoor de illegale immigratie aan aantrekkingskracht wint. In welbepaalde sectoren van de economie wordt werk aangeboden dat intensief en/of vuil, onderbetaald, tijdelijk, onregelmatig en soms gevaarlijk is. Mede de uitgebouwde verzorgingsstaat zorgt ervoor dat ondanks werkloosheid niemand nog deze laagbetaalde 3D jobs (*dirty, dangerous* en *demanding*) wil doen.[35] Voor de werkgevers is de stap om op illegale arbeid over te schakelen dan nog maar heel klein en migranten zijn een makkelijke prooi. We krijgen te maken met twee realiteiten die elkaar kunnen versterken: de aanwezigheid van illegale tewerkstelling is een aantrekkingspool voor illegale migratie en anderzijds kan de aanwezigheid van veel werkloze migranten het aanbod van goedkope diensten en 'flexibele' jobs stimuleren.

Sommigen beargumenteren het herinvoeren van arbeidsmigratie deels door te verwijzen naar het reëel aandeel van de informele economie, vooral in de Zuid-Europese landen. Het feit dat dergelijk circuit bestaat en blijft bestaan duidt op een nood die bestaat. Er wordt in dat verband ook gewezen op de verschillende regularisatie-campagnes die men in de Zuid-Europese landen blijft doorvoeren. Deze kunnen immers als een indirecte vorm van arbeidsmigratie beschouwd worden. De realiteit is ook hier complexer dan op het eerste gezicht lijkt. Er zijn inderdaad tal van tekenen die erop wijzen dat er in bepaalde gebieden en in bepaalde sectoren van de economie een nood bestaat aan aanvullende werkkrachten. De vraag die men hierbij echter moet durven stellen is of men nood heeft aan werkkrachten óf dat men nood heeft aan *illegale* werkkrachten. Dit laatste wordt door verschillende auteurs verdedigd en zet de proble-matiek in een ander daglicht. Sassen is ervan overtuigd dat de nood aan informele werknemers eigen is aan de aard van de huidige ontwikkelingsfase van de economie, vooral in de grote steden. 'De informalisering moet worden beschouwd in de context van de herstructurering die heeft bijgedragen aan het verval van het naoorlogse, door industriële productie beheerste economische stelsel, en de opkomst van een nieuw economisch stelsel beheerst door de dienstverlening.'[36]

Wie stelt dat informele economie eigen is aan de structurele omstandigheden van de huidige fase van het hoog ontwikkelde kapitalisme weerlegt de idee dat het de migran-ten zijn die de informele economie hier scheppen en instandhouden. Door hun maat-schappelijke en soms illegale positie komen de migranten wel gemakkelijk terecht in de informele economie (maar het zijn zeker niet enkel migranten![37]), maar het is verkeerd te veronderstellen dat het bestaan van de informele economie ook volledig valt toe te schrijven aan de bestaande migratie en omgekeerd.[38] De aanwezigheid van een niet-legale economie functioneert in bepaalde landen zeker als een belangrijke pullfactor voor de illegale immigratie, maar dat betekent nog niet dat de migratie die economie ook zelf schept. De toename van de informalisering blijkt onafhankelijk te zijn van het bestaan van een beroepsbevolking van immigranten. Illegale werkgelegenheid is inhe-rent aan het systeem en sommige werkgevers beschouwen het als een noodzakelijk structurele compensatie voor de rigide arbeidsmarkt. Het punt is dan ook niet zozeer dat een laat-industriële, hoog technologische samenleving niet zonder immigratie zou kunnen, maar dat die samenleving niet zonder informele dienstverlening en illegale tewerkstelling kan in bepaalde economische sectoren.

De illegale arbeid als argument gebruiken om opnieuw arbeidsmigratie toe te laten, getuigt volgens sommigen dan ook van een gebrek aan inzicht in het functioneren van de huidige economie. Ook wie de regularisaties in Zuid-Europa wat dichterbij bekijkt, zal moeten vaststellen dat vooral de nood aan illegale arbeiders groter blijkt te zijn dan de nood aan (al dan niet vreemde) legale arbeiders. Het vrij hoge werkloosheidcijfer in een land als Italië, waar tussen 1986 en 1998 tussen de 600.000 en 1.000.000 mensen werden geregulariseerd, zegt al veel. Bovendien is geen enkele regularisatiecampagne erin geslaagd serieus bij te dragen aan de strijd tegen de illegale arbeidscircuits. Veel van de geregulariseerde migranten gaan opnieuw werken in de illegaliteit omdat het voor hen moeilijk is ander werk te vinden. Legale tewerkstelling wordt door veel werkgevers te duur bevonden. Geregulariseerde migranten in het zuiden die niet meer in de illegaliteit willen werken worden veelal werkloos en verhuizen naar Noord-Italië waar meer fabriekswerk is. Volgens Doomernik (1998) getuigt het van kortzichtigheid en naïviteit als landen met veel illegale werknemers zomaar overgaan tot het legaliseren van arbeidsmigratie of het regulariseren van illegalen zonder dat deze maatregels gepaard gaan met verstrengde controle op de arbeidsmarkt en een bescherming van de rechten van alle arbeiders.

Het toelaten van meer legale arbeidsmigranten zal de illegaliteit niet noodzakelijk doen verminderen. Theoretici van de globalisering stellen juist dat het huidig stadium van het kapitalisme niet zonder informele dienstverlening en illegale tewerkstelling kan. Doordat geen enkele werknemer zo goedkoop en flexibel is als een illegale werknemer en het systeem blijkbaar nood heeft aan goedkope, flexibele en illegale werknemers, is het nog niet zo zeker dat indien men arbeidsmigranten officieel toelaat die hier ook officieel zullen (kunnen) werken. Dit doet vragen rijzen bij de evolutie in Spanje. Men wil arbeidsmigratie toelaten omdat er een 'nood' aan (tijdelijke) arbeidskrachten bestaat in Andalusië in de fruit- en groenteteelt, ook al is er in de Andalusische steden een werkloosheid van bijna 20%. Nu al wordt veel van het werk opgeknapt door illegale tewerkstelling, veelal van migranten. Om dat tegen te gaan wil men een legale deur openzetten. Het is onzeker of deze officieel aangetrokken migranten ook aan de slag zullen kunnen bij deze werkgevers die flexibele en goedkope werknemers gewoon zijn. Het is immers de bedoeling de migranten hetzelfde loon te geven als de Spaanse *temporeros*. De hogere kosten die legale (gast)arbeiders met zich meebrengen kunnen ervoor zorgen dat die legale arbeiders helemaal niet aan de bak zullen komen, tenzij ze opnieuw in de illegaliteit willen treden. In dezelfde lijn stelt Vandaele dat het zeer twijfelachtig is dat indien men de grenzen voor arbeidsmigratie zou openen dat hier een grote groep migranten aan Belgische lonen zou komen werken. Waarom zouden er zoveel werklozen zijn in België en vanwaar het onophoudelijk geroep voor loonlastenverlaging, zeker voor laaggeschoolden, zo vraagt hij zich af. Veel werkgevers vinden laaggeschoolde, legale arbeid veel te duur en kiezen daarom voor automatisering, verhuis naar lagelonenlanden of voor het illegale informele circuit (dat mede wordt gevoed door de illegale migratie uit diezelfde lagelonenlanden). Wanneer men toch arbeidsmigranten zou toelaten blijven er volgens Vandaele slechts twee mogelijkheden open: ofwel gaan de nieuwe migranten in het zwart werken, ofwel belanden ze bij het OCMW.[39] Sommige auteurs formuleren nog een derde alternatief, namelijk dat men gaat sleutelen aan de sociale wetgeving, de loonkosten en de minimumlonen.[40] Dit betekent dat men de sociale bescherming afbouwt ofwel voor geheel de samenleving (de minimale optie), ofwel enkel naar de nieuwkomers toe (duale optie). (cf. infra) Beide opties zijn weinig wenselijk. Bovendien is het zo dat men de loonlasten nog zo naar omlaag mag trekken, illegalen zullen altijd minder kosten, alleen al omdat ze minder rechten hebben en aldus makkelijk te misbruiken en te manipuleren zijn. Het idee om werkgevers ten minste voor een deel mee te laten opdraaien voor de kosten die arbeidsmigranten met zich meebrengen (taalcursussen, huisvesting, aangepast onderwijs, arbeidsbemiddeling), lijken in deze context bijzonder irrealistisch.

De bevindingen van Sassen gaan over de grootste metropolen ter wereld en kunnen dus niet zomaar voor de Vlaamse en Belgische realiteit gelden. Toch is de analyse tot op zekere hoogte herkenbaar, ook hier zijn sectoren die een beroep doen op illegale tewerkstelling van migranten, denken we maar aan de huisdiensten, de horeca en de groente- en fruitteelt. Uit antropologisch onderzoek midden de jaren negentig bleek dat 80% van de Poolse vrouwen en 100% van de Latijns-Amerikaanse vrouwen die illegaal in België verbleven als huisdienster werkten. Ook in België en Nederland zijn clandestiene fruitplukkers en afwassers aan het werk in slechte arbeidsomstandigheden en tegen een veel te laag loon.[41] Maar er doet zich hier ook een andere realiteit voor. Er is ook een overaanbod aan de onderkant van de arbeidsmarkt. Laag- en ongeschoolden zijn duidelijk oververtegenwoordigd in de werkloosheidscijfers. Door de delokatie naar lagelonenlanden van arbeidsintensieve producten, de groeiende import en de technologische innovaties lijkt er voor laaggeschoolde arbeiders immers steeds minder plaats te zijn in de industrie. In zowat alle OESO-landen is het werkloosheidscijfer van *blue-collar workers* gemiddeld dubbel zo hoog als dat van *white-collar workers*.[42] De al aanwezige migranten hebben bovendien een belangrijk aandeel in die werkloosheid van laaggeschoolden. Als men de grenzen opent voor laaggeschoolden, bestaat het gevaar dat werkgevers nog in toenemende mate voor goedkope werkkrachten kiezen van buitenaf, waardoor de huidige werklozen helemaal uit de boot dreigen te vallen. Dergelijke sociale dumping is een weinig wenselijke evolutie.

De duale arbeidsmarkt

Op basis van de hierboven aangebrachte gegevens kunnen we ons aansluiten bij wat Stalker de 'theorie van de duale arbeidsmarkt' noemt.[43] Zowel in Europa als in de VS blijkt vooral vraag naar extra werknemers aan de top en aan de (informele) onderkant van de arbeidsmarkt.[44] De ene vraag wordt door de overheid en de werkgevers al meer onderkend dan de andere. Hooggeschoolden kunnen steeds makkelijker toegelaten worden als ze door een werkgever of een multinationaal bedrijf worden gevraagd of gestuurd. Deze toenemende migratie, niet alleen van binnen de EU, kan het maatschappelijke debat nauwelijks beroeren.

Dat men het liever niet heeft over de nood aan laaggeschoolden heeft verschillende oorzaken. Vooreerst kan men niet voorbijgaan aan de oververtegenwoordiging van laaggeschoolden in de werkloosheidscijfers. Bovendien situeren sommige jobs onderaan de arbeidsmarkt zich dicht bij de illegale zone. Bepaalde branches kunnen maar overleven door illegaal tewerk te stellen. Met legale tewerkstelling zou men de concurrentie niet overleven omdat de werkkrachten en de loonlasten veel te duur zijn. De jobs zijn dus maar lonend als ze ingevuld kunnen worden in 'flexibele' omstandigheden. Vandaar dat er niet veel ruchtbaarheid wordt aan gegeven. Het spreekt vanzelf dat werkgevers die aankomen met het feit dat slecht betaalde en ondergewaardeerde jobs niet ingevuld geraken, direct de boodschap zouden krijgen het werk aantrekkelijker te maken en het loon te verhogen. Zolang de mogelijkheid bestaat om illegaal tewerk te stellen, zal men daar dus niets van horen en zullen de werkomstandigheden niet verbeteren.

Door het bestaan van deze schemerzone, leven en werken mensen in mensonterende omstandigheden. Dergelijke situatie kan onmogelijk getolereerd worden. De overheid en de werkgevers moeten er alles aan doen om jobs voor laaggeschoolden naar het legale circuit te trekken en de jobs aantrekkelijker te maken. Een sector die het gebruik van illegalen legitimeert met het feit dat ze anders niet meer concurrentieel is, heeft op zijn minst nood aan een economische screening.[45]

2.6 De vergrijzing en ontgroening als druk op de verzorgingsstaat

Uit een analyse van de sociale zekerheidsuitgaven blijkt dat ouderen veel meer kosten dan de rest van de bevolking. Een Belg van zeventig jaar kost al snel dubbel zoveel als een jongere tussen de 15 en 19 jaar. De globale kostencurve naar leeftijd (grafiek 5) heeft een U-vorm, maar het linkerbeen van de U-curve is kleiner dan het rechterbeen. De pensioenen vormen de grootste uitgave. Daarbovenop speelt ook het morbiditeitseffect: het feit dat ziekteproblemen meer voorkomen op hogere leeftijd waardoor de uitgaven per capita bij ouderen hoger zijn dan bij de jongere generaties. De veroudering van de bevolking zal de pensioenuitgaven en de vraag naar medische en sociale bijstand verder doen groeien.[46]

Grafiek 5: Gemiddelde gecumuleerde sociale uitkeringen per persoon en per leeftijdsklasse, België 1988

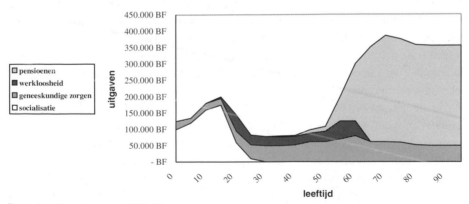

Bron: Lesthaeghe e.a., 1998, 86.

De vergrijzing is niet enkel 'de vuurproef voor de democratie' zoals de Amerikaanse econoom Lester Thurow beweerde, het is ook de vuurproef voor de verzorgingsstaat. De veroudering gecombineerd met de relatief lage activiteitsgraad van de bevolking zorgen dat er problemen rijzen inzake de financiering van de pensioenen, de ziekteverzekering en de zorg. Dit wordt helemaal niet gecompenseerd door verminderde kosten ten behoeve van de jongeren (onderwijs; kinderbijslag). De samenleving is sterk veranderd in vergelijking met de jaren waarop de berekeningswijze voor de sociale voorzieningen gebaseerd zijn. Jongeren gaan langer naar school, men kan tijdens de loopbaan in toenemende mate een beroep doen op ouderschapsverlof en andere vormen van loopbaanonderbreking, ouderen kunnen vroeger op (brug)pensioen en de mensen leven langer en gaan zodoende meer kosten voor de staat temeer omdat ook de familiale mantelzorg in veel gevallen zogoed als verdwenen is. De stijgende levensverwachting maakt bovendien dat de niet-actieve periode langer duurt. Het pensioenstelsel is nog berekend op een gemiddelde duur van ongeveer vijf, maximum tien jaar. Dit staat veraf van de huidige gemiddelde pensioensduur. In 1980 werkten de mannen gemiddeld 42 jaar van hun leven en 28 jaar niet. In 2020 zullen ze, bij ongewijzigd beleid, nog 34 jaar werken, en 43 jaar niet. Deze evoluties leiden tot de conclusie dat de vergrijzing in een ondraaglijke druk op de verzorgingsstaten zal resulteren, indien men niet op zoek gaat naar beleidsopties om een en ander in goede banen te leiden.[47] De zwaarste klap komt tussen 2015 en 2040, tussen het begin van de pensionering van de babyboomers en het moment waarop de meesten overleden zullen zijn. Voor België zou, tussen 2000 en 2030, het aandeel in het BNP dat besteed wordt aan de uitgaven voor pensioenen van werknemers stijgen met 28%. Het aandeel dat naar gezondheidszorg zou gaan stijgt tegen 2030 met 21%.

De verhouding tussen de actieven en de niet-actieven wijzigt sterk. Momenteel zijn er in heel Europa vijf werkenden voor elke gepensioneerde. In 2050 zou dat gedaald zijn naar twee werkenden. Niet alleen de verhouding actieven-niet-actieven wijzigt, de groep actieven (15-64 jarigen) wordt ook numeriek kleiner, zowel doordat de jonge generaties met minder zijn als doordat de categorie zelf ingekrompen is. De actieve leeftijd bestaat in werkelijkheid immers voor meer dan 70% uit de smallere categorie van de 25-50 jarigen: tussen 15 en 24 jaar is de meerderheid nog studerend, terwijl vanaf de leeftijd van 50 opnieuw minder mensen aan het werk zijn. Onder de 55 tot 64 jarigen is de activiteitsgraad in België slechts 22%. Deze evolutie is de reden waarom de financiering van de sociale zekerheid in het gedrang kan komen. De huidige sociale zekerheid is een repartitiesysteem (omslagstelsel) waarbij de werkende bevolking meteen de lopende kosten betaalt. Het beschikbare geld hangt dus af van het huidige aantal actieven en wordt niet opgebouwd op basis van kapitalisatie van de bijdragen van de pensioengerechtigden zelf, afgedragen tijdens de actieve levensperiode. Het systeem is dus meer gebaseerd op 'menselijk kapitaal' dan op 'financieel kapitaal'. Het huidige pensioenstelsel is ontwikkeld na WOII, in een tijd toen er op elke gepensioneerde grosso modo vijf actieven waren; met amper twee actieven op elke gepensioneerde kan onmogelijk hetzelfde pakket aan sociale voordelen worden aangeboden.[48] Anno 2000 telt België ongeveer nog evenveel actieven als niet-actieven. Tegen 2030 zal het percentage beroepsactieven die met hun sociale bijdragen de pensioenen van de oudere generatie moeten betalen, teruggevallen zijn tot 39%.

Om aan de financieringsmoeilijkheid tegemoet te komen worden verschillende oplossingen voorgesteld. Een eerste mogelijkheid is dat de uitkeringen teruggeschroefd worden. Dit betekent de afbouw van de sociale zekerheid. Deze optie is in verschillende opzichten moeilijk aanvaardbaar, wat niet betekent dat er niet gestreefd moet worden naar een beheersing van de kosten. De pensioenrechten en ziekteverzekering moeten echter gegarandeerd blijven. Het kan niet dat in een periode waarin steeds meer mensen een beroep doen op het sociale zekerheidssysteem, dat systeem afgebouwd zou worden. Men kan eventueel wel nadenken over een herverdelingsmechanisme zodat de beschikbare pot rechtvaardiger wordt verdeeld. Zo heeft de regering Dehaene de solidariteitsbijdrage ingevoerd. Het gaat om een kleine belasting die rijkere gepensioneerden moeten betalen om aan de kosten van de vergrijzing tegemoet te komen. De ongelijke verdeling van de pensioenen en de voorspelling dat die ongelijkheid in de toekomst zal toenemen rechtvaardigen de vraag naar meer solidariteit tussen de ouderen onderling.[49] Ook de ongelijkheid tussen de hoge pensioenen en sommige lonen pleit voor meer solidariteit tussen de ouderen zelf. In een systeem waarin de dualisering zich verder lijkt te zetten moet men behoedzaam zijn voor het feit dat plots een behoorlijk aantal jongeren serieus veel zouden moeten betalen voor pensioenen die aanzienlijk hoger liggen dan hun eigen gezinsinkomen.

Een belangrijke voorwaarde om aan het financieringsprobleem tegemoet te komen is het vergroten van de besteedbare overheidsinkomsten door de last van de overheidsschuld verder af te bouwen. In dat opzicht is het saneren van de overheidsfinanciën een deel van een sociaal beleid.[50] Een andere manier om de inkomsten van de overheid te verhogen is de actieven meer belastingen laten betalen. Deze maatregel komt in België bijna niet ter sprake want de loonlasten zijn nu al vrij hoog in vergelijking met vele andere landen.[51] Er wordt dan ook eerder nagedacht over belastings- en loonlastenvermindering. De extra financiering zal dus niet uit bijkomende belastingen op arbeid kunnen komen. De bijkomende financiering kan wel worden bereikt met milieulasten, lasten op kapitaal of opbrengsten uit privatiseringen. De overheid kan ook beslissen om een extra spaarpotje aan te leggen om de kosten van de vergrijzing in de toekomst mee te betalen. Het Zilverfonds van minister van Begroting Johan Vande Lanotte is hiervan een voorbeeld. Er worden ook voorstellen gedaan om het repartitiesysteem aan te vullen met een kapitalisatiesysteem. In dergelijk systeem kunnen werkenden een eigen kapitaal opbouwen voor aanvullende pensioenen en ziekteverzekering, hetzij op collectieve wijze (per sector of per bedrijf), hetzij op individuele wijze (pensioensparen, privé-, levens- of ziekteverzekering). De wettelijke voorzieningen op basis van repartitie noemt men de eerste pijler, de collectieve kapitalisatie de tweede pijler en de individuele kapitalisatie de derde pijler. Maar de overgang naar een meer gemengd systeem is niet evident. Het legt een nog grotere druk op de generatie actieven die zowel moeten afdragen aan het repartitiestelsel als aan hun eigen kapitalisatiekas.[52] Volgens Deleeck kan een kapitalisatiesysteem de demografische onevenwichtigheden niet ten gronde oplossen. Individualisering en een verlaagde solidariteit nemen de problemen niet weg aan de bron. Zolang er niets gedaan wordt aan de denataliteit en de verhouding actieven-niet-actieven, zal men met gelijk welke techniek niet kunnen vermijden dat de relatieve aangroei van het aantal gepensioneerden een supplementaire last voor de samenleving met zich zal meebrengen.[53]

Een laatste mogelijkheid om aan het financieringsprobleem tegemoet te komen is ervoor zorgen dat er meer actieven zijn. Anno 2000 lag de activiteitsgraad in België op 58,9%, meer dan 2% onder het Europees gemiddelde. De werkgelegenheidsgraad kan dus nog opgetrokken worden en de regering Verhofstadt wil daar samen met Europa werk van maken. Op de Europese top in Lissabon van maart 2000, waar de actieve welvaartsstaat een Europese dimensie kreeg, hebben de regeringen beloofd dat de werkgelegenheidsgraad in de EU tegen het jaar 2010 zal worden opgetrokken van 61 tot 70% van de actieve bevolking. Voor vrouwen wil men evolueren van 51 naar meer dan 60%. In de hele Unie moeten er bijgevolg meer dan twintig miljoen banen bijkomen en dat is vijf miljoen meer dan het aantal Europese werklozen. Europa gelooft dus opnieuw in *full employment*. Volgens de Hoge Raad voor Werkgelegenheid betekent de EU-norm van 70% dat er in België in vergelijking met het jaar 2000 828.000 mensen meer aan de slag zullen moeten zijn.[54]

Door de activering van de bevolking heeft men twee vliegen in één klap: meer inkomsten en minder uitgaven.[55] Het is echter niet evident om langdurig werklozen opnieuw op de arbeidsmarkt te integreren, het vervroegd uittreden van oudere werknemers tegen te gaan of deeltijdse werkers opnieuw te interesseren voor een voltijdse baan. Voor een deel moet de overheid nu de gevolgen dragen van de verschillende regelingen die ze in tijden van hoge werkloosheid in de praktijk gebracht heeft. Bijna alle OESO-landen hebben een pensioenregeling uitgewerkt die mensen ouder dan 55 jaar wil demotiveren op de arbeidsmarkt actief te blijven. Het resultaat is een significante vermindering van de arbeidsparticipatie van ouderen.[56] Nu moeten er integendeel inspanningen geleverd worden om mensen langer aan het werk te houden en dit impliceert onder meer een ander 50-plussersbeleid.[57]

De regeringen Dehaene hebben de pensioenleeftijd voor vrouwen gradueel opgetrokken van 60 tot 65 jaar, waardoor ook vrouwen een loopbaan van 45 jaar zullen moeten voorleggen om een volledige pensioenuitkering te krijgen. De financiële sanctie voor wie vroeger met pensioen gaat, is groter geworden en de brugpensioenleeftijd is verhoogd tot 58 jaar.[58] Er bestaat echter nog altijd een discrepantie tussen de theoretische pensioenleeftijd en de werkelijke. Om de werkelijke pensioenleeftijd op te trekken is meer nodig dan enkele papieren operaties, er moet aan een mentaliteitsverandering worden gewerkt. De loopbaan kan beter worden gespreid, bijvoorbeeld door tijdens de arbeidsloopbaan ouderschapsverlof en loopbaanonderbreking te nemen. Daartegenover staat dan dat men wel langer kan werken en dus later op pensioen kan gaan. Deleeck pleitte er begin de jaren negentig al voor om de pensioenleeftijd flexibeler te maken, aangepast aan de persoonlijke wensen en de specifieke arbeidssituaties.[59] Om ouderen actief te houden kan ook gedacht worden aan landingsbanen, extra mogelijkheden voor arbeidsduurverkorting, stimuli (bijvoorbeeld lagere loonlasten) opdat werkgevers 58-plussers in dienst zouden houden en financiële aanmoedigingen voor mensen die de leeftijd van uittreden uitstellen. België is het recordland in de EU qua arbeidsuitstoot van ouderen. De cijfers in het buitenland bewijzen dan ook dat er nog potentieel is. In 1990 behoorde niet eens de helft van de Belgische mannen ouder dan 50 nog tot de actieve bevolking en in de leeftijdsgroep 60-64 haalde België niet eens 20%. Duitsland, het Verenigd Koninkrijk en Denemarken hebben vergelijkbare economieën en haalden een participatiecijfer in de leeftijdsgroep 50-64 van 70 tot 77%. In 1995 lag de activiteitsgraad van de mannen tussen 50 en 54 jaar in Duitsland en Frankrijk hoger dan 90%, terwijl het in België nog 80% was.

Naast de activering van de ouderen ligt ook in de activering van de vrouwen en de allochtonen nog een belangrijk potentieel.[60] Evenredige arbeidsdeelname van allochtonen en *Employment equity* is niet alleen sociaal wenselijk, maar ook een keihard economisch belang.[61] (cf. supra) Wat de vrouwen betreft, hun activiteitsgraad is de laatste jaren al gestegen en deze trend zal zich onder invloed van de pensioenhervorming nog enkele jaren doorzetten.[62] De gemiddelde activiteitsgraad van vrouwen ligt immers nog steeds een stuk onder dat van de mannen. (tabel 5) Met betrekking tot de vrouwelijke tewerkstelling scoort België ook ondermaats in vergelijking met de buurlanden. Bij de jongere generaties ligt de participatiegraad van de Belgische vrouw wel boven het Europees gemiddelde. Toch stelt men vast dat nog heel wat vrouwen na de geboorte van hun eerste kind, maar vooral na de leeftijd van 45 jaar (als het huis is afbetaald) de arbeidsmarkt vroegtijdig verlaten.[63] Het beter combineerbaar maken van werk en gezin is één van de mogelijkheden om de vrouwen naar de arbeidsmarkt toe te trekken of ze er te houden. Vrouwvriendelijke maatregelen zijn goed op twee vlakken: als de arbeidsmarkt en het gezin beter in harmonie worden gebracht moet de vrouw niet thuisblijven voor het gezin, en aan de andere kant kunnen vrouwen die willen blijven werken toch nog aan kinderen denken. Jan Hjarnoe noemt nog een ander voordeel: de vrouwvriendelijke maatregelen en een voldoende aanbod aan kinderopvang en huishoudelijke diensten beperken de nood aan zwartwerkers in de huishoudsector. Precies deze sector is in andere landen een mogelijke bron van inkomen en dus attractief voor illegale migranten.[64] Hoewel de maatregelen die werk en gezin beter combineerbaar maken zinvol zijn, moet toch vooral nagedacht worden hoe vrouwen tussen de 40 en 50 jaar op de arbeidsmarkt kunnen worden gehouden, want in deze levensperiode is de uitval duidelijk het grootst.

Tabel 5: Activiteitsgraad in Vlaanderen in percent van de totale bevolking

	1990	1995	1997	1998
mannen	60.7	62.2	61.3	60.9
vrouwen	36.2	41.2	41.5	41.9

Bron: op basis van NIS gegevens

Verschillende Europese landen, met de Scandinavische landen, het Verenigd Koninkrijk en Nederland voorop, benutten een groter deel van hun menselijk kapitaal door middel van deeltijdse arbeid. Systemen van arbeidsherverdeling kunnen de arbeidsmarkt aantrekkelijker maken voor de vrouwen en kunnen de uitstoot van oudere werknemers afremmen. In België kent deeltijdse arbeid enkel succes bij de vrouwen. Aan mannelijke zijde is deeltijds werken hoogst uitzonderlijk waardoor de arbeidsherverdeling nagenoeg enkel wordt gerealiseerd door vervroegde uittreding uit de arbeids-markt.[65]

Om de verhouding tussen actieven en niet-actieven te verbeteren wordt soms ook gedacht aan migratie. Zonder de migratie komt onze welstand en onze welvaartsstaat in gevaar, zo stelt men, temeer omdat andere beproefde methodes, zoals het verlagen van uitkeringen, vruchtbaarheidscampagnes of het geven van subsidies aan werkgevers om ouderen of langdurig werklozen aan het werk te krijgen, tot nu toe nog maar weinig effect sorteren.[66] Men spreekt in dit verband over *replacement migration*.

2.7 Replacement Migration

Diverse internationale organen (OESO, *UNDP*, *ILO*, de Europese Commissie en Sadako Ogato van de *UNHCR*) hebben in de jaren negentig voorspeld dat vanaf het jaar 2000 een grotere migratie naar Europa wenselijk zou zijn. Dikwijls wordt het voorge-steld alsof migratie als middel zou kunnen dienen om het demografisch evenwicht in het westen te herstellen. Dat is echter minder evident dan men het voorstelt.

Het recente *UNDP* rapport *Replacement Migration: Is it A Solution to Declining and Ageing Populations?* heeft aandacht voor de demografische toestand in verschil-lende gebieden. Frankrijk, Duitsland, Italië, Japan, Zuid-Korea, Russische Federatie, het Verenigd Koninkrijk, de VS, Europa en de EU worden van naderbij bekeken.[67] De rode draad is opnieuw de vrij snelle daling van de bevolking en de vergrijzing. Wat betreft de vergrijzing spant Spanje de kroon: in 2050 zou 43% van de bevolking ouder zijn dan 60 jaar; in Italië zal dat 41% zijn, in Japan 38%, in Rusland 33%, in Duitsland 32%, in Groot-Brittannië 31%, in Frankrijk 30% en in de VS 20%. Indien de vrucht-baarheid en de migratie constant blijven, zal de Europese bevolking volgens het rap-port zakken van 376 miljoen inwoners in 2000 naar 371 miljoen in 2025 en 336 miljoen in 2050. Joseph Chamie, het hoofd van de bevolkingsafdeling van de VN, zei bij de voorstelling van het rapport: '*I accept that all solutions are going to be unpopular, but allowing migrants to come in is the only alternative to structural reforms that are simply too painful to contemplate.*' De VN-demografen zijn ervan overtuigd dat het toelaten van (veel) meer migratie een onderdeel moet zijn van het toekomstige politiek en economisch beleid. Zij verwachten immers niet dat er drastisch aan de pensioen-leeftijd gesleuteld zal worden. De onderzoekers onderkennen wel dat de vruchtbaar-heid opnieuw een beetje in de lift zit, maar dit zal volgens hen ontoereikend zijn.

Op basis van de demografische projecties werd voor elk land afzonderlijk onder-zocht hoeveel nieuwkomers er in de toekomst (tussen 2000 en 2050) nodig zouden zijn om bepaalde demografische doelstellingen te bereiken. Er werden vijf doelstellingen (scenario's) van dichterbij bekeken. In tabel 6 worden de getallen voor de verschillende regio's weergegeven. Het bovenste gedeelte geeft het totaal aantal nieuwkomers weer om het vooropgezette objectief te bereiken, het tweede gedeelte geeft de nodige nieuw-komers per jaar weer.

Tabel 6

Aantal nieuwkomers per land en per scenario, 2000-2050 (*Duizenden*)					
Scenario	*I*	*II*	*III*	*IV*	*V*
Land of regio	*Medium variant*	*Medium variant met nulmigratie*	*Constante bevolking*	*Constante leeftijdsgroep 15-64*	*Constante verhouding 15-64 / 65 plussers*
A. Totale aantal 2000-2050					
Frankrijk	325	0	1 473	5 459	89 584
Duitsland	10 200	0	17 187	24 330	181 508
Italië	310	0	12 569	18 596	113 381
Japan	0	0	17 141	32 332	523 543
Zuid-Korea	-350	0	1 509	6 426	5 128 147
Russische Federatie	5 448	0	24 896	35 756	253 379
Verenigd Koninkrijk	1 000	0	2 634	6 247	59 722
VS	38 000	0	6 384	17 967	592 572
Europa	18 779	0	95 869	161 346	1 356 932
Europese Unie	13 489	0	47 456	79 375	673 999
B. Gemiddeld aantal per jaar					
Frankrijk	7	0	29	109	1 792
Duitsland	204	0	344	487	3 630
Italië	6	0	251	372	2 268
Japan	0	0	343	647	10 471
Zuid-Korea	-7	0	30	129	102 563
Russische Federatie	109	0	498	715	5 068
Verenigd Koninkrijk	20	0	53	125	1 194
VS	760	0	128	359	11 851
Europa	376	0	1 917	3 227	27 139
Europese Unie	270	0	949	1 588	13 480

Bron: UNDP, 2000, 2.

Scenario I toont het aantal migranten dat nodig is opdat de bevolking in 2050 zou voldoen aan de medium variant zoals die door de VN is bepaald in *World Population Prospects: 1998 Revision.*[68] Duitsland heeft de komende vijftig jaar meer dan 10 miljoen nieuwkomers nodig om dat objectief te bereiken, dit betekent 204.000 per jaar. Europa heeft bijna 19 miljoen migranten nodig, de VS het dubbele. Het tweede scenario heeft als doelstelling de nulmigratie te handhaven. Er wordt dus nergens een nieuwkomer toegelaten. Dergelijk scenario gaat gepaard met een sterke daling van het bevolkingsaantal, een enorme ontwrichting van de leeftijdspiramide en een totale wanverhouding tussen het actieve en het niet-actieve deel van de bevolking. Het derde scenario heeft als objectief om de totale bevolkingsaantal constant te houden. Met uitzondering van de VS zijn voor alle regio's meer migranten nodig dan in scenario I. Om de

België heeft een kwart eeuw achter de rug met een vruchtbaarheid van 1.5 à 1.6 kinderen per vrouw, wat onvoldoende is voor de generatievervanging. Deze ontgroening aan de voet van de bevolkingspiramide impliceert ook een bijkomende veroudering. De term 'replacement migration' slaat op de vervanging van de ontbrekende geboorten door toename van migratie. Replacement migration is dus niet gelijk aan gewone arbeidsmigratie vermits niet alleen een correctie op een krimpende actieve bevolking wordt beoogd, maar een breder herstel van een demografisch evenwicht op langere termijn. Dit betekent dat replacement migration voorziet in immigratie van volledige gezinnen, omdat de vruchtbaarheid van nieuwkomers even centraal staat als hun bijdrage tot de arbeidsmarkt.

België kan op lange termijn het peil van de bevolking op 10 miljoen houden als de jaarlijkse legale migratiestroom aangroeit van 15.000 nu naar 50.000 na 2040. Dit scenario impliceert niet dat het verouderingsproces stopt: er is alleen een gedeeltelijke correctie van het percentage ouderen. Bovendien mag de vruchtbaarheid van nieuwe immigranten niet fors onder het vervangingsniveau dalen (2 kinderen gemiddeld). Het scenario van replacement migration is alleen haalbaar als men een stationaire bevolking in stand wil houden, en men niet verder wil afzinken naar een krimpende bevolking met een extra veroudering en een extra krimp van de actieve populatie.

Het constant houden van de verhouding tussen de leeftijdsgroepen via migratie is mathematisch onhaalbaar. Het percentage 65+ en een vaste ratio tussen ouderen en actieven kunnen dus niet als criterium worden aangewend. Dit zou aanleiding geven tot (i) compleet irrealistische cijfers qua aantallen migranten, (ii) enorme golfbewegingen in deze aantallen, en (iii) tot een irrealistische bevolkingsgroei.

De prijs van 25 jaar lage vruchtbaarheid is niet van de poes. Replacement migration kan enkel de totale bevolkingsomvang remediëren en enkel een deel van het verouderingsproces (± 40%) neutraliseren. Als geïsoleerde maatregel is deze remedie dus inefficiënt. In combinatie met andere maatregelen (zoals verhogen activiteitsgraden, hogere reële pensioenleeftijd, besparingen en hervormingen in de sociale zekerheid en hogere productiviteit) is replacement migration wel zinvol. En een toename van de vruchtbaarheid tot het evenwichtspunt van 2 kinderen gemiddeld is dit al evenzeer.

R. Lesthaeghe
Sociaaldemograaf VUB
december 2000

bevolking numeriek gelijk te houden heeft Europa bijna 95 miljoen migranten nodig, de EU 47,5 miljoen en de VS slechts 6 miljoen. Het potentieel actieve bevolking waarop de economie kan rekenen is belangrijk voor de arbeidsmarkt en de economische groei. Om dat potentieel constant (scenario IV) te houden is meer migratie nodig dan in scenario III. In totaal zou Europa 161 miljoen nieuwkomers nodig hebben. Omgerekend betekent dat 3 miljoen buitenlandse arbeidskrachten per jaar, waarvan Duitsland er al een half miljoen voor zijn rekening neemt. Duitsland telt nu 56 miljoen actieven en indien alles blijft zoals nu zakt de actieve bevolking tot 43 miljoen in 2050. In scenario V wordt aandacht besteed aan de verhouding tussen de actieve en de niet-actieve bevolking (A/I ratio). Deze afhankelijkheidsgraad is bepalend voor de haalbaarheid en de mogelijkheden van de verzorgingsstaat. De cijfers zijn hier werkelijk spectaculair: Japan zou een kleine 524 miljoen mensen nodig hebben (10,5 miljoen per jaar) en Europa zou in de komende decennia 1 356 miljoen nieuwe immigranten nodig hebben om de verhouding tussen werkenden en gepensioneerden te stabiliseren. Voor de EU wordt het totaal aantal nieuwkomers in dat scenario op 674 miljoen berekend (13,5 miljoen per jaar). Ter vergelijking: in de tweede helft van de jaren negentig bedroeg de feitelijke netto-immigratie in Duitsland ruwweg 250.000 per jaar. De EU heeft gemiddeld een saldo van 800.000 nieuwkomers door migratie.

De bevolkingsverdunning en de vergrijzing vragen een grondige reflectie op en herschikking van het politiek, sociaal en economisch beleid, en dit op lange termijn. Hoewel het *UNDP*-onderzoek veel nadruk legt op de mogelijkheden van migratie, besluiten de onderzoekers dat men met migratie alleen de uitdaging niet tot een goed einde kan brengen, gezien het enorme aantal nieuwkomers dat uit het rapport naar voren komt. Vanuit een kritische reflectie zullen er verschillende maatregelen moeten worden genomen.[69]

2.8 Bedenkingen bij het idee van *replacement migration*

Welke scenario's zijn haalbaar?

In de jaren negentig zijn verschillende prognoses en scenario's uitgetekend voor vervangingsmigratie, maar het ging altijd om grote aantallen nieuwkomers die de bevolkingsstructuur in evenwicht zouden moeten houden. De onderzoeksresultaten van de *UNDP* (2000) bevestigen dat nogmaals. Europa zou binnen een paar decennia maar liefst 1.356 miljoen nieuwe immigranten nodig hebben (27.139.000 per jaar) om de ratio tussen werkenden en gepensioneerden te stabiliseren (scenario V). Deze aantallen zijn surrealistisch.

De scenario's waarin men de totale bevolking constant wil houden (III) of waarin men de actieve bevolking constant wil houden (IV) zijn 'minder irrealistisch'.[70] Scenario III vereist het minst aantal nieuwkomers. Landen als Frankrijk, Groot-Brittannië en de Scandinavische landen zouden bijna geen extra inspanningen moeten leveren, maar voor bepaalde andere Europese landen zou het wel een verdubbeling tot verdrievoudiging van het huidige aantal nieuwkomers betekenen. Het gevolg van dit scenario is dat de A/I ratio in de EU zakt van 4,1 in 2000 tot 3,1 in 2020 en verder tot 2,2 in 2050, en dat het percentage 65-plussers stijgt van 16,5% in 2000 tot 21% in 2050. Zonder de bijkomende migratie zou het percentage 65-plussers oplopen tot 30%, toch een relevant verschil. Om de beroepsbevolking constant te houden (scenario IV) is meer migratie nodig (voor sommige landen tot zes keer de huidige aantallen) en het effect op de A/I ratio in vergelijking met scenario III is minimaal: in 2020 zou de ratio 3,17 bedragen en in 2050 2,21. Om de A/I ratio in de EU op 4 te behouden moet de pensioenleeftijd opgetrokken worden tot 74 jaar in scenario III en tot 72 jaar in scenario IV. Zonder migratie zou die leeftijd op 76 komen. Volgens scenario III en IV zou de veroudering van de bevolking en van de beroepsbevolking niet worden gestopt. Zelfs met record-immigratiecijfers tot 2,5 miljoen per jaar kan de veroudering in de EU slechts matig worden verminderd.[71] België kent nu een nettomigratiecijfer van 15-20.000. Indien België de totale omvang van de populatie constant wil houden moet het denken in termen van 50.000 nieuwkomers per jaar. Wil het de groep actieven in absolute cijfers constant houden dan moeten we evolueren naar 80.000 per jaar.[72]

De aantallen voorgesteld in scenario V zijn absoluut onhaalbaar. Scenario IV en meer nog scenario III zouden wel in overweging kunnen worden genomen. Maar wie de immigratiecijfers in die mate wil opdrijven zal toch op moeilijkheden stuiten, gezien de problemen die nu al in Europa bestaan met de relatief kleine migratie-instroom. Het probleem van xenofobie van de autochtonen naar de nieuwkomers toe is hoe dan ook reëel. Wat opiniemakers en wetenschappers ook mogen beweren, dergelijke migratiestroom op gang brengen is geen sinecure. Demografische argumenten zullen hiervoor zeker niet afdoende zijn. Men kan onmogelijk voorbijgaan aan de politieke en socio-culturele realiteit. Wil men niet meer problemen veroorzaken dan men er oplost, dan gaat het niet op enkel rekening te houden met een demografisch of economisch draagvlak, het maatschappelijk, politiek en cultureel draagvlak zijn minstens even belangrijk in het debat.

Kan migratie het demografisch tij keren?

Lebras heeft de demografische invloed van de migratie in de naoorlogse periode onderzocht voor een aantal OESO-landen.[73] Na WOII kende Australië een bevolkingsaangroei van 38% die te wijten was aan immigratie, voor Canada is dat 19% en voor Frankrijk, België en Zweden 5 à 10%. Dikwijls wordt van de vooronderstelling uitgegaan dat de bevolking ook aanzienlijk verjongt door de immigratie omdat vooral jonge mensen migreren en omdat men erop rekent dat migranten meer kinderen zullen hebben dan de autochtonen. De cijfers zijn echter niet overtuigend. Lebras berekende dat de gemiddelde leeftijd in Australië 1,4 jaar lager ligt door de immigratie, in België is dat 1,8 jaar, in Zweden 0,7 jaar en in Canada en Frankrijk 0,5 jaar. Van een echt doorgedreven verjonging kan men dus moeilijk spreken. Het klopt wel dat het vooral jonge mensen zijn die de stap naar migratie zetten, maar ook zij verouderen, waardoor het effect op middellange termijn al niet meer zichtbaar is. Wat betreft het aantal kinderen blijkt dat de migranten zich aanpassen en evolueren in de richting van het geboortecijfer van de autochtone bevolking.[74]

Demografen geloven niet dat migratie de bevolkingspiramide, de arbeidsmarkt en de verzorgingsstaat opnieuw in evenwicht kan brengen.[75] Men erkent wel dat de demografische evoluties in Europa voor ernstige sociale en economische problemen kunnen zorgen, maar men ziet niet in hoe migratie als sleutel naar een duurzame oplossing zou kunnen dienen. De voorgestelde hoeveelheid immigratie in scenario V, waarbij de leeftijdsstructuur en de A/I ratio gehandhaafd worden, is immers niet realistisch. Immigratie kan wel bijdragen om het bevolkingsaantal op peil te houden (immigratie neemt nu al een belangrijk deel van de bevolkingsgroei in de geïndustrialiseerde landen voor haar rekening, maar in de toekomst zal dit steeds meer nodig zijn) maar kan er moeilijk voor zorgen dat de leeftijdsstructuur van de bevolking niet verder veroudert. (cf. supra)

Omdat de verjonging van de bevolking en een betere verhouding tussen actieven en niet-actieven wenselijk is in het licht van de houdbaarheid van de sociale voorzieningen, maar dit onmogelijk door migratie kan worden bewerkstelligd, raadt men aan om naast een migratiepolitiek ook een vruchtbaarheids- en activeringspolitiek te voeren om zo het aantal toekomstige actieven te vergroten. Over de activering bestaat consensus, maar de vruchtbaarheidsbevorderende politiek blijft een gecontesteerd middel. Verschillende demografen vinden het onrealistisch dat de bevolkingsveroudering zou worden omgebogen door een forse verhoging van de vruchtbaarheid van de Europese bevolkingen. De Scandinavische landen hebben een vrij verregaande sociale wetgeving om de combinatie van werk en gezin te vergemakkelijken en ze kennen dan ook een hogere vruchtbaarheid dan veel andere Europese landen – het geboortecijfer van Noorwegen en Denemarken ligt ongeveer op 1,8 – maar toch blijft hun geboortecijfer onder het vervangingsniveau. Bovendien heeft een vruchtbaarheidspolitiek effecten in de eerste vijf jaar, maar er zijn weinig aanwijzingen voor de efficiëntie van de maatregelen op langere termijn.[76] Gegeven de slechts tijdelijke effecten is een vruchtbaarheidsbeleid ook vrij kostelijk: kindertoelage, betaald zwangerschapsverlof, investeren in goedkope kinderopvang. Niettemin kan een 'meer uitgesproken nataliteitpolitiek' worden overwogen, zo schrijft Ronald Schoenmaeckers (2000), wetenschappelijk directeur van het Centrum voor Bevolkings- en Gezinsstudie, maar dan niet met als expliciet en enig doel een verhoging van de vruchtbaarheid, wel als antwoord op reële sociale behoeften.[77] Volgens Herman Deleeck kan een vruchtbaarheidspolitiek door middel van uitkeringen een marginaal effect hebben dat precies groot genoeg is om enige verandering in de bevolkingsevolutie op gang te brengen. Het onderwerp blijft evenwel moeilijk bespreekbaar. Op dit moment zijn de Zweden de kampioenen van de bevolkingspolitiek.

Het geringe correctieve effect van immigratie lijkt contra-intuïtief met de vaststelling dat migranten jong zijn en dikwijls een hoger vruchtbaarheidscijfer hebben. Dit laatste moet evenwel genuanceerd worden. Het gebeurt wel dat bepaalde groepen nieuwkomers gemiddeld een hoger geboortecijfer hebben dan de bevolking ter plaatse, maar de ervaring leert dat de nieuwkomers zich al snel voegen naar het gemiddelde van de aanwezige bevolking. Bovendien hebben immigranten uit Centraal- en Oost-Europa op dit ogenblik al een lage vruchtbaarheid en kennen migranten uit Turkije of Noord-Afrika een snelle vruchtbaarheidsdaling (het geboortecijfer daalt tot 2 à 2,5, wat nog ver boven het Belgisch gemiddelde is).[78] Op langere termijn lost immigratie het probleem van de vergrijzing dus niet op. Men schuift de problemen eigenlijk gewoon voor zich uit, aangezien ook migranten ouder worden. Als men, bijvoorbeeld zoals in Antwerpen, te maken heeft met een jonge vreemdelingenbevolking, kan het overschot aan jongeren nuttig zijn om de onevenwichtige evolutie bij de autochtone bevolking ietwat te compenseren, maar de cijfers tonen ook aan dat de jonge leeftijd van de populatie een duidelijke aangroei van het aantal allochtone bejaarden niet uitsluit.[79] De veroudering van de 'stock' aan migranten versnelt nog naarmate ook zij hun vruchtbaarheid beperken en dus een ontgroeningseffect vertonen. De immigratie zou enkel als oplossing voor de veroudering kunnen dienen als de migranten in grote getale toegelaten worden voor hun twintigste, maar terug moeten vertrekken vanaf hun veertigste.[80] Als de migranten hier blijven en ouder worden, zullen er steeds meer nieuwkomers nodig zijn. Zonder het te beseffen is men in een vicieuze cirkel terechtgekomen, waarbij steeds meer migranten nodig zijn om hetzelfde effect te bereiken. Hoe meer mensen er immers boven de 65 jaar zijn, hoe meer nieuwkomers men zal nodig hebben. Op die manier zou de bevolking van de EU en Europa meer dan verdrievoudigd zijn tegen 2050. De bevolking van Nederland zou in 2025 zijn toegenomen tot 27 miljoen, in 2050 tot 39 miljoen, en in 2100 tot 109 miljoen. Er treedt dus onvermijdelijk een spanning op tussen het veelgehoorde probleem van 'Europa is vol' aan de ene kant en het probleem van 'Europa wordt oud' aan de andere kant.

De idee dat arbeidsmigratie de relatieve beroepsbevolking zou moeten doen stijgen moet ook nog op een andere manier geëvalueerd worden. Dit kan wanneer enkel de actieve migrant naar hier komt, maar dat is niet altijd het geval. Wanneer ook de partner en de kinderen meekomen, en zij hier niet werken, kan het zijn dat immigratie de relatieve beroepsbevolking verkleint in plaats van vergroot. Als ze natuurlijk grote gezinnen stichten of veel kinderen met zich meebrengen kan migratie tijdelijk een positief effect hebben op het bevolkingsaantal en op de verjonging van de bevolking. De kinderen kunnen als ze volwassen zijn op de arbeidsmarkt komen en aldus de beroepsbevolking aandikken. Uit alle werkloosheidscijfers blijkt echter dat allochtonen er hoog scoren, wil men dus enig effect op de tewerkstellingsgraad dan zou men er op zijn minst moeten voor zorgen dat deze achterstand in de toekomst wordt weggewerkt. Als dit niet het geval is, zal de gehele migratieoperatie een maat voor niets zijn. Bovendien geldt opnieuw het tegenargument dat ook de migranten ouder worden en dat ze zich vrij snel aan het geboortecijfer van de gastsamenleving aanpassen, waardoor de effecten van korte duur zullen zijn.

De bevolkingsveroudering heeft in het algemeen minder met migratie te maken dan wel met de vruchtbaarheids- en sterfteontwikkelingen die op hun beurt nauw samenhangen met socio-economische en maatschappelijke factoren. Volgens Van Imhoff en Van Nimwegen van het Nederlands Interdisciplinair Demografisch Instituut (NIDI) is het een misverstand te menen dat de bevolking over 30 jaar extreem oud zal zijn. Veeleer is het zo dat de bevolking in het verleden 'extreem jong' was en dat op dit moment eigenlijk nog steeds is. We zullen moeten accepteren dat die jonge structuur waarschijnlijk nooit meer zal terugkeren. Dit is het gevolg van onze (post)moderne patronen van sterven, leven en kinderen krijgen. Van Nimwegen ziet geen argumenten om het krimpen en verouderen van de bevolking kost wat kost te willen tegengaan. De veroudering van de bevolking is een feit en het heeft weinig zin om krampachtig met allerlei middelen naar verjonging te streven. 'Voor zover die veroudering maatschappelijke problemen oplevert, moeten we de organisatie van onze samenleving daarbij aanpassen en niet in paniek over immigratie gaan praten.'[81]

Wat met de huidige werkloosheid?

David Coleman schreef in 1992 dat het toch vreemd zou zijn de immigratie van laaggeschoolden opnieuw te hervatten, terwijl er in Europa 15 miljoen werklozen zijn, waarvan de meeste onder de 25 jaar en velen zelf immigrant zijn.[82] Opnieuw meer migratie institutionaliseren is inderdaad tegenstrijdig met de vaststelling dat bepaalde Europese landen en regio's nog steeds met een relatief hoog werkloosheidscijfer te kampen hebben.

Sommigen vrezen dat arbeidsmigratie zal misbruikt worden om te legitimeren waarom men zo weinig investeert in scholing, opleiding en *incentives* voor de huidige werklozen.[83] Er wordt gevreesd dat men dan nog minder zal werken aan de *empowerment* van de inzittende werklozen en de lagere sociale klassen. De allochtonen maken bovendien een belangrijk percentage uit in de werkloosheid en de ondertewerkstelling. De situatie voor de werknemers van buiten de EU is slechter dan het gemiddelde voor de totale vreemdelingenpopulatie.[84] Ook de huidige nieuwkomers van buiten de EU (hoofdzakelijk volgmigranten) zijn nog steeds laaggeschoold en vinden moeilijk een plaats op de arbeidsmarkt.[85]

In verband met de houding ten aanzien van de eigen bevolking verwijst men veelal naar de VS, ondanks het feit dat er slechts 4% werkloosheid is. Sinds 1989 bepaalde *The Immigration Nursing Relief Act* dat ziekenhuizen tot 30.000 verpleegkundigen per jaar uit het buitenland mochten aantrekken. In 1995 heeft men deze regeling ongedaan gemaakt omdat veel hospitalen er de voorkeur aan gaven mensen uit het buitenland tewerk te stellen in plaats van verpleegkundigen van de VS zelf. Buitenlanders waren voordeliger en flexibeler.[86] LULAC, de Liga van verenigde Latijns-Amerikaanse burgers, lobbyt al jaren opdat *Silicon Valley* Latino's zou rekruteren. Maar de bedrijven zijn niet geïnteresseerd omdat het goedkoper is Indische en Aziatische informatici tewerk te stellen dan Amerikanen op te leiden.[87] Bovendien zijn er minder inkomensgaranties voorzien voor de nieuwkomers en zijn ze tevreden met een lager loon. Op die manier bepalen de werkgevers wie kan worden toegelaten, en zijn de sociaal-economisch zwakkeren en de werklozen van de eigen maatschappij (waaronder mensen van allochtone afkomst) de dupe. Dit alles kadert in de moeizame economische integratie van

Vlaanderen kent een goede economische ontwikkeling. Eind 2000 lag de werk-loosheidsgraad op 6,04%. De schaduwkant is de relatief lage activiteitsgraad. De activiteitsgraad neemt de laatste jaren wel toe maar ook de spanning op de arbeidsmarkt blijft toenemen. Sommige bedrijven klagen dat ze nauwelijks vol-doende gekwalificeerde arbeidskrachten vinden.

Er zijn nog verschillende groepen die moeilijk uit de werkloosheid zijn te halen. Er is een potentieel aan werkzoekenden en niet-actieven en ik wil in eerste instantie deze groep aanspreken en hen, waar nodig, via een intensieve traject-begeleiding naar de arbeidsmarkt loodsen. Maar het optrekken van de activi-teitsgraad zal vanaf 2010 onvoldoende zijn om het demografisch deficit te compenseren. We kunnen vandaag dan ook onze ogen niet sluiten voor moei-lijkheden die we over tien jaar zullen ondervinden om de nog groter wordende arbeidskrapte op te vullen. Beleid maken is vooruitzien. Daarom heeft een diversiteitsbeleid een dubbel belang: op korte termijn de arbeidsreserve in-schakelen; op langere termijn de nieuwe migratie de juiste onthaalbodem ge-ven.

Met sectoren die geen werknemers vonden zijn samenwerkingsakkoorden af-gesloten. Het akkoord met de transportsector in het najaar 2000 is hierbij een voorbeeld. Enerzijds moet de werkzoekende de nodige (bij)scholing kunnen krijgen om effectief aan het werk te kunnen. Anderzijds kijken bedrijven te weinig naar het potentieel aan arbeidskrachten in de zogenaamde kansen-groepen (vrouwen, allochtonen en ouderen). Bedrijven moeten dus ook inves-teren in een nieuw soort personeelsbeleid waarin de diversiteit op de werkvloer centraal staat. Als zij bereid zijn hier werk van te maken ben ik bereid om mee te helpen aan de opleiding en vorming van hun nieuwe werknemers.

Zolang er in Vlaanderen werkzoekenden zijn die de knelpuntvacatures kunnen invullen, kan ik niet aanvaarden dat er vreemde werknemers worden aange-trokken. Maar ik ben niet principieel tegen arbeidsmigratie. Integendeel, migra-tie kan verrijkend zijn. Elke migratiegolf brengt economische, sociale, culturele, creatieve en intellectuele stimulansen mee die elke open maatschappij nodig heeft. Ik heb dan ook geen probleem om arbeidskaarten toe te kennen als bedrijven kunnen aantonen dat zij een werknemer, met welbepaalde vaardig-heden nodig hebben die ze – ondanks hun en onze inspanningen - niet op de Vlaamse arbeidsmarkt kunnen vinden. Ik weiger echter in de val te lopen van de sociale dumping. Laten we duidelijk zijn: een niet-begeleide arbeidsmi-gratiegolf zal de zwaksten op onze arbeidsmarkt wegduwen. Ik ben ervan overtuigd dat we eerst de arbeidsmarktkansen van de tweede en derde genera-tie uit de vorige migratiegolven en de arbeidsmarktkansen van de nieuwkomers (via gezinshereniging of de asielprocedure) moeten kunnen waarborgen.

Het arbeidsmigratiedebat staat dus niet los van het inburgerings- én het gelijke kansendebat. Pas in 2010, als de nood aan arbeidskrachten werkelijk prangend is, stelt zich de vraag naar het openstellen van de arbeidsmarkt-grenzen. We hebben nog even tijd om onze arbeidsmarkt om te vormen tot een

multiculturele arbeidsmarkt, om in ons personeelsbeleid de diversiteit als rijkdom te leren waarderen, om iedereen die vandaag in Vlaanderen leeft mee te
krijgen op de arbeidsmarkt en de welvaartsstaat. Ik wil er iedereen van bewust-
maken dat, eenmaal onze arbeidsreserve zal uitgeput zijn, we inderdaad open
zullen moeten staan voor nieuwe arbeidsmigranten. Ik wil later niet het verwijt
krijgen dat ik Vlaanderen daarop niet heb voorbereid. Evenmin wil ik het verwijt
krijgen dat ik geen kansen heb geboden aan de kansengroepen van vandaag.
Tot spijt van wie het benijdt, ik wil (herintredende) vrouwen, jongeren, allochtonen, gehandicapten, laaggeschoolden verankeren op onze arbeidsmarkt, op
de werkvloeren, in ons economisch bestel nog voor de Europese uitbreiding
naar het Oosten een feit wordt.

Renaat Landuyt
Vlaamse minister van Werkgelegenheid en Toerisme
December 2000

allochtonen: zowel in de VS als in Europa zijn de migranten oververtegenwoordigd in
de lagere sociale middens. In de VS is dat vooral een probleem van ongelijkheid en lage
lonen, in Europa is het probleem de werkloosheid.[88]

Er valt veel te zeggen voor de stelling: geen migratie zolang de werkgelegenheidsgraad bij de eigen bevolking op actieve leeftijd nog vrij laag is, en de werkloosheid
onder allochtonen uit vorige immigratiestromen nog steeds zeer hoog is. Voor het VEV
moet het optrekken van de werkgelegenheidsgraad in Vlaanderen (vooral in de categorie 50-65 jaar) én het beter integreren op de arbeidsmarkt van migranten die hier al zijn
voorrang krijgen op de organisatie van *replacement migration*.[89] Ook de Wiardi
Beckmanstichting (WBS, het studiebureau van de Nederlandse socialistische partij
PvdA) gaat niet voorbij aan de werkloosheid. Toch hielden ze vast aan de idee van
invoering van arbeidsimmigratie. In de eerste plaats moet aan de werkloosheid onder
de eigen bevolking gewerkt worden, maar deze werkloosheid kan niet als alibi dienen
om niet over arbeidsmigratie na te denken. De arbeidsmarkt in een hoogontwikkelde
economie is immers geen vat dat men naar believen, op dirigistische wijze kan vol-
proppen. Er zijn grenzen aan de dwang die men op uitkeringsgerechtigden kan uitoefenen om een bepaalde job uit te oefenen, vaak ontbreken, op korte termijn, de nodige
kwalificaties voor de openstaande jobs of er kan in bepaalde sectoren om demografische of concurrentieredenen behoefte bestaan aan arbeidsmigratie.[90]

Het verhogen van de participatiegraad zal op korte termijn het meest opleveren,
zeker in die landen waar de participatiegraad van 50-plussers en van vrouwen ver onder
het gemiddelde ligt. Maar de activering van de bevolking alleen kan niet de oplossing
zijn op langere termijn voor de vergrijzingsproblematiek.[91] In de projecties tot 2025
kan de activering dienst bewijzen, op langere termijn echter duiken dezelfde demografische problemen opnieuw op. De economische maatregelen hebben hun beperkingen:
de activiteitsgraad zal nooit 100% kunnen zijn, want er zal steeds een kleine kern

bestaan die zich niet kan of zich niet wil plaatsen in het productiesysteem. Bovendien lijkt het moeilijk, in een economie die op meer flexibiliteit, technologische kennis en permanente bijscholing aanstuurt, om de pensioenleeftijd ver boven de 65 jaar op te trekken. Na 2025 zal de invloed van mogelijke economische maatregelen verminderen, maar de demografische wetten zullen wel nog gelden. Immigratie en de vruchtbaarheid verhogen zijn wel effectief op langere termijn. Maar omdat de vruchtbaarheid in Europa moeilijk omhoog te krijgen is zal Europa op termijn toch voor meer migratie moeten kiezen.

Er moet ook een duidelijk onderscheid gemaakt worden tussen verschillende soorten migratie. De werkloosheid van een laaggeschoolden is een relevant argument tegen de komst van laaggeschoolde arbeidsmigranten, maar het is minder relevant als argument tegen de versoepeling van de (tijdelijke) komst van managers, specialisten en andere hooggeschoolden. Er moet hierover op een zindelijke manier worden nagedacht.

Is er nood aan extra werkkrachten?

Toenemende productiviteit

De arbeidsproductiviteit is de laatste dertig jaar met ruim 2% per jaar gestegen. Als men aanneemt dat de productiviteit de komende dertig jaar maar met een bescheiden 0,6% per jaar stijgt, mag, volgens Lakeman, het aantal werkenden in verhouding tot de totale bevolking 23% lager zijn dan in 1999 om de welvaart op hetzelfde peil te houden. Zelfs in Italië waar men het meest bevolkingsachteruitgang verwacht, zou de werkende beroepsbevolking tot het jaar 2030 slechts met 22% dalen. In Italië is de stijging van de arbeidsproductiviteit dus groter dan de daling van het aantal werkenden. Zelfs het snelst vergrijzende land in Europa heeft dus geen immigranten nodig om de verworven welvaart te behouden, zo concludeert Lakeman. "Het pleidooi voor 'immigratie tegen vergrijzing' geldt voor primitieve maatschappijvormen, waar spierkracht belangrijker is dan scholing, dus voor laag ontwikkelde landbouwgemeenschappen. Die komen in West-Europa niet meer voor."[92] In de negentiende eeuw werd nationale macht nog afgemeten aan het aantal burgers. Maar dit is voorbij.

Sommige auteurs nuanceren de nood aan arbeidskrachten omdat ze zien dat de postindustriële economie en de arbeidsmarkt in een laatkapitalistische samenleving anders functioneren dan de industriële samenleving. De drang naar de grootst mogelijke productiviteit bestaat al lang, maar ze krijgt nu een extra dimensie door de (hoog)technologische mogelijkheden en de verregaande informatisering. Doorgedreven technologische ontwikkelingen en de flexibilisering van de arbeidsmarkt helpen om met minder mensen meer te bereiken.[93]

Gezien de productiviteit stijgt, zouden er in toekomst toch minder mensen nodig moeten zijn, zowel om de noden van de arbeidsmarkt te lenigen als om de noden van de verzorgingsstaat te kunnen opvangen. Hogere productiviteit betekent dat er minder werknemers nodig zijn om hetzelfde productieniveau aan te houden. Het aantal jobs zou dus in de toekomst kunnen dalen, zonder dat de economische groei daarbij inschiet. Hoe deze evolutie precies zal verlopen is echter vrij moeilijk te voorspellen. Een hogere productiviteit gecombineerd met economische groei kan ook in meer middelen resulteren voor de overheid, waardoor deels ook aan het financieringsprobleem van de sociale zekerheid kan tegemoet worden gekomen. Ook hier blijft het speculeren over welke bedragen het zou kunnen gaan.

Aan de andere kant moet men deze evolutie ook niet al te optimistisch voorstellen. Dat er minder mensen zijn, resulteert in bepaalde sectoren ook in een sterk verhoogde werkdruk. Sommige sectoren worden aan steeds zwaardere productiviteitseisen onderworpen, zonder dat daar veel technologische compensatie voor is. Ook de lonen worden niet in die zin aangepast wat de kwaliteit van de jobs niet ten goede komt. Voor bepaalde sectoren is het duidelijk dat men het nu met minder kan dan vroeger, maar voor andere geldt misschien net het omgekeerde. Sommige jobs waar nu al, maar ook in de toekomst het meest nood aan lijkt te zijn (persoonlijke diensten- en zorgsector, onderwijs en vorming), zullen nooit door de technologie vervangen kunnen worden. Ondanks de technologie en de vooruitgang zien we dat er een nood blijft bestaan aan laagopgeleide, tijdelijke en flexibele arbeidskrachten, zowel in de (informele) dienstensector als bijvoorbeeld in de agrobusiness. (cf. supra)

Grenzen aan de groei?

De demografische verschuivingen en de uitdagingen die ze met zich meebrengen zouden een goede aanleiding kunnen zijn om een ruimer debat te voeren over de toekomst van de samenleving, de economie en de verzorgingsstaat. De vraag naar welk soort maatschappij willen we eigenlijk evolueren zou aan elke andere discussie vooraf kunnen gaan. Eén van de kernvragen hierbij is of de economische groei kost wat kost bestendigd moet worden. Is economische groei het enige wat telt, en moeten alle andere beleidsopties en maatregelen hieraan ondergeschikt worden of wil men de toekomst vanuit een breder gezichtsveld tegemoet treden? Moet de bevolking groeien, enkel om aan het dictaat van de economische groei te voldoen? Alles hangt ook af wat men onder economische groei wil verstaan. We citeren een reactie van Michael Teitelbaum van de Alfred P. Sloan Foundation in New York. "Indien het hoofddoel is het maximaliseren van het Bruto Nationaal Product, dan is het aantal arbeidskrachten inderdaad belangrijk. Maar dit is (veel) minder het geval wanneer het BNP per hoofd van de bevolking of de kwaliteit van het leven centraal worden gesteld."[94] Teitelbaum maakt hier een conceptueel onderscheid dat we in de praktijk moeilijk kunnen terugvinden. De kwaliteit van het leven is immers sterk gekoppeld aan het BNP en de economische groei. Het blijkt dat de kwaliteit van het leven er niet op vooruitgaat in landen waar de economische groei negatief is (Rusland, Oekraïne en Roemenië). Toch geeft Teitelbaum een aanzet om het demografisch debat breder te voeren. De oplossingen voor demografische problemen moeten immers ook afhangen van maatschappelijke keuzes die men al dan niet wil maken.

De welvaartsstaten verkeren inderdaad in ademnood[95], en er zal sowieso een debat moeten plaatsvinden over de middelen die kunnen worden ingezet om ze een nieuwe adem te geven: alternatieve financiering van pensioenen en ziekteverzekering, activering van de bevolking en migratie zijn mogelijke deelscenario's. Wat men ook kiest, het is zinvol meer voor ogen te houden dan de eer en glorie van de markt en de economische vooruitgang.[96] De maatregels moeten niet enkel een uitdrukking zijn van de overheersing van de vrije markt. Ze moeten kaderen in een visie op een democratische samenleving waarin verantwoordelijkheid, gelijke kansen en kwaliteit van leven centraal staan.

2.9   Conclusie: een migratie- én een activeringsbeleid

Uit het verleden blijkt dat migratie wel enige demografische invloed kan hebben, maar het is nog maar de vraag in hoeverre het op zichzelf een oplossing kan zijn voor de demografische vraagstukken waar we nu mee worden geconfronteerd. De demografische gegevens tonen dat het migratiepotentieel in de komende jaren niet zal dalen. Verschillende ontwikkelingslanden hebben te kampen met overbevolking. De demografische druk moet bovendien gezien worden als een versterkende factor voor de al aanwezige sociale, economische, ecologische en politieke problemen. Migratie zal dan ook een rol blijven spelen in de toekomstige bevolkingsontwikkeling. Bovendien zorgen de demografische evoluties voor een demografisch tekort in verschillende westerse landen en zorgt de globalisering voor een toenemende vraag naar migranten zowel bovenaan als onderaan de arbeidsmarkt. Wat betreft de overbevolking, het is duidelijk dat dit niet kan worden opgelost door migratie, daar moeten andere middelen worden voor ingezet.

Vanuit het Europees oogpunt lijkt een groter immigratiecijfer in de toekomst wenselijk om tweeërlei redenen. Vooreerst zijn er de noden van de arbeidsmarkt: wegens verschillende redenen stijgt het aantal vacatures die moeilijk of niet kunnen worden ingevuld. Het gaat vooral, maar niet uitsluitend, om jobs voor specifiek en hooggeschoolden. Ten tweede is er het sociaaldemografisch aspect. Door de vergrijzing en de ontgroening komt de financiering van het sociaal zekerheidssysteem zoals dat nu functioneert in het gedrang. De verhouding tussen de actieven en de niet-actieven zal steeds meer in onevenwicht komen, het aantal nieuwkomers op de arbeidsmarkt zal niet langer de uitstroom kunnen compenseren en de vergrijzing impliceert ook extra kosten voor de verzorgingsstaat.

De situatie op de arbeidsmarkt en het sociaaldemografisch probleem houden tot op zekere hoogte verband met elkaar, zowel qua oorzaken als qua remedies. Het laag geboortecijfer en de lage activiteitsgraad spelen hierin alvast een belangrijke rol. Het inwerken op deze twee factoren zou – ten minste ten dele – aan de genoemde problemen tegemoet kunnen komen. Uit beide probleemstellingen komt ook de vraag naar meer nieuwkomers voort. Toch is het zinvol de twee domeinen afzonderlijk te behandelen. Er moeten aan de immigratie immers andere voorwaarden worden gekoppeld, naar gelang van het opzet. Bovendien kunnen naast migratie, zowel voor de arbeidsmarkt als voor de verzorgingsstaat afzonderlijk, nog andere deeloplossingen worden aangereikt. Het is ook niet zeker of de vraag naar meer nieuwkomers op de arbeidsmarkt overeenkomt met de vraag naar meer nieuwkomers om de verzorgingsstaat in evenwicht te houden. Zowel de aantallen als de categorieën van mensen die men als potentiële nieuwkomers op het oog heeft, kunnen verschillen. Als men migranten wil toelaten om aan de krapte op de arbeidsmarkt tegemoet te komen, is het strikt genomen voldoende om de specifieke werknemers die men hier kan inzetten enkel gedurende hun actieve periode naar hier te halen. Vanuit sociaaldemografisch perspectief is het echter ook interessant dat de migrant met het volledige gezin migreert en dat de betrokken vrouw een hoge vruchtbaarheid heeft zodat de immigratie kan bijdragen aan het numeriek op peil houden van de bevolking.

Als men met de toelating van nieuwkomers wil inspelen op de noden van de arbeidsmarkt, is het belangrijk dat men enkele zaken goed in het oog houdt. Vooreerst moet men een methode hebben om op een vrij onafhankelijke manier reële en objectieve tekorten vast te stellen want zolang er arbeidsreserve is, valt migratie moeilijk te verantwoorden. De komst van nieuwkomers mag niet gepaard gaan met sociale dumping van de eigen bevolking. Om dit te vermijden moet sowieso ook vaststaan dat de nieuwkomers hier aan dezelfde arbeidsvoorwaarden kunnen werken en van dezelfde sociale bescherming kunnen genieten als iedere andere legale werknemer. Hoewel de roep naar hooggeschoolden het luidst klinkt, bestaat de nood aan nieuwkomers zowel bovenaan als onderaan de arbeidsmarkt. Aan de nood aan laaggeschoolden wordt meestal minder ruchtbaarheid gegeven omdat het dikwijls om slecht betaalde en ondergewaardeerde jobs gaat. In sommige sectoren gaat het dan ook minder om een nood aan nieuwkomers dan wel om een nood aan illegale werknemers. In dit verband moeten maatregelen inzake arbeidsmigratie onvermijdelijk gepaard gaan met maatregelen op de werkvloer inzake de herwaardering van bepaalde jobs, het verbeteren van arbeidsomstandigheden en de bestrijding van zwartwerk.

Als aan de genoemde voorwaarden voldaan wordt, wordt al dan niet tijdelijke immigratie ten behoeve van de arbeidsmarkt bespreekbaar. Over de concrete modaliteiten van die migratie kan dan nog wel gediscussieerd worden, maar met het principe op zich om mensen naar hier te laten komen om op een sociaal verantwoorde manier aan een objectief tekort op de arbeidsmarkt tegemoet te komen is niets verkeerd. Velen hebben een argwaan ten aanzien van dergelijk economisch discours (ondermeer omdat ze denken dat als ze hieraan toegeven ze al teveel in de kaarten van de werkgevers zullen spelen). De argwaan is goed voorzover ze stimuleert om te zien of de genoemde voorwaarden wel in orde zijn. Maar die argwaan kan niet dienen om elke vraag naar nieuwkomers zomaar naast zich neer te leggen. Als er werkelijk tekorten zijn, moeten die op een soepele en sociaalrechtvaardige manier kunnen worden ingevuld.

Vooralsnog staat tegenover de vraag van werkgevers een werkloosheidscijfer waarin vrouwen, laaggeschoolden en allochtonen oververtegenwoordigd zijn en een vrij lage participatiegraad. Dit betekent dat er prioritair aan de activering van de bevolking moet gewerkt worden, wil men niet aan de eigen werklozen voorbijgaan. Die activering heeft nog wel wat potentieel, maar is ook niet oneindig. Voor bepaalde sectoren kan een opleiding voor laaggeschoolden en de tewerkstelling van vrouwen en allochtonen op korte termijn een oplossing zijn voor de bestaande nood aan arbeidskrachten, maar men moet er rekening mee houden dat activering niet aan alle noden tegemoetkomt. Er zijn sectoren die een groeiend tekort aan specifiek geschoolden kennen, waar ook investering in vorming niet aan tegemoet kunnen komen. De activering zal volgens prognoses bovendien haar natuurlijke bovengrens bereiken rond 2010. Op langere termijn moet men de vraag naar nieuwkomers vanuit de arbeidsmarktnoden ernstig nemen, want ondanks alle inspanningen inzake tewerkstelling, opleiding en activering zal de vraag aanwezig blijven.

Bovendien kan het ene ook aan het ander gekoppeld worden. Zo zou men bijvoorbeeld de komst van hooggeschoolden kunnen versoepelen, mits de bedrijven die de nieuwkomers tewerkstellen ook een non-discriminatie- en een aanwervingscharter ondertekenen en zich verbinden om inspanningen te doen op het gebied van vorming en tewerkstelling van de eigen bevolking. Het gaat dus niet op een activeringsbeleid als alternatief voor een immigratiebeleid te poneren. Het is geen kwestie van of-of maar van en-en.

Deze conclusie gaat ook op voor het luik betreffende de financiering van de sociale zekerheid in tijden van vergrijzing en ontgroening. Ook hier spreekt het vanzelf dat men moet investeren in een activeringsbeleid. Op korte termijn kan dit inderdaad heel wat soelaas brengen, maar het is opnieuw als oplossing op lange termijn ontoereikend ondermeer omdat men voorspelt dat de activering binnen enkele jaren haar natuurlijk plafond zal bereiken. Opnieuw dus kan migratie geen alternatief zijn voor activering of omgekeerd. Beide beleidsopties zullen noodzakelijk zijn als onderdeel van een totaalpakket aan maatregelen om de verzorgingsstaat leefbaar te houden.

Het is van belang dat men nu een (middel)lange termijnstrategie uittekent op basis van demografische prognoses. Vooralsnog is de nood aan nieuwkomers 'om de verzorgingsstaat te redden' nog niet hoogdringend. Nu meer nieuwkomers toelaten die ouder zijn dan dertig betekent zelfs dat men het aantal gepensioneerden op het ogenblik dat het effect van de vergrijzing het grootst zal zijn, nog verhoogt. Pas na 2005 zou een geleidelijke toename van meer nieuwkomers een positief effect kunnen hebben. Het is wenselijk dat men de netto-immigratie stelselmatig opdrijft, eerst met een aantal duizenden en later met enkele tienduizenden, zodat België in 2040 en daarna een netto-migratiecijfer heeft tussen de 40.000 en 50.000. Dergelijk migratiescenario pretendeert niet dé oplossing te zijn voor de problematiek van de vergrijzing, het biedt zich als een van de beleidsopties aan, een optie die moet kaderen in een breder opgezet geheel van maatregelen.

Het is belangrijk dat men de effecten van migratie ook niet overschat. Het voorgestelde scenario dient enkel om de totale omvang van de bevolking constant te houden. Als men migratie wil gebruiken om de wanverhouding tussen de actieve en gepensioneerde bevolking te herstellen, komt men op absurd grote aantallen uit. Wegens die grote aantallen kan immigratie nooit een echte oplossing zijn voor de *dependency crisis*, ze kan hoogstens een deel van de oplossing zijn. Toch moet men zich de vraag durven stellen wat immigratie kan bijdragen en hoe dit het best kan worden georganiseerd. De welvaartsstaat zal voor een stuk moeten worden hertekend en heruitgevonden. Deze taak is onafwendbaar en complex, maar het is van belang te weten in welke mate men bij deze oefening rekening moet houden met immigratie.

We kunnen als volgt samenvatten: de bestaande migratiedruk vanuit het oosten en het zuiden en de vraag naar nieuwkomers in het westen zijn niet volledig complementair. Bovendien kan noch het probleem van de ontwikkelingslanden, noch het probleem van de verzorgingsstaten exclusief door migratie worden opgelost. De demografische evoluties bieden echter wel de mogelijkheid om creatiever en positiever met migratie om te gaan. Negatief geformuleerd: er is geen enkele reden om niet wat méér immigratie naar het westen te institutionaliseren. Gezien de migratierealiteit en de mogelijkheden om hier méér mensen te laten leven, lijkt het invoeren van arbeidsmigratie alvast geen onlogische evolutie te zijn. Meer nog, vanuit sociaaldemografisch perspectief lijkt meer migratie als onderdeel van een breder opgezet beleid zelfs een noodzaak. Alleen moeten de verwachtingen niet overdreven worden. Arbeidsmigratie is niet het ei van Columbus, maar draagt wel enkel positieve elementen in zich. Deze positieve kanten kunnen pas naar boven komen in een goed gecontroleerd en weloverwogen migratiebeleid in samenwerking met de landen van herkomst.

Noch de activering, noch de migratie zijn als afzonderlijke maatregel voldoende als antwoord op de uitdaging van de verzorgingsstaat, de vergrijzing en de tekorten op de arbeidsmarkt. Ze kunnen wel elk hun steentje bijdragen in een integraal beleid dat uit verschillende beleidsopties bestaat. Een migratie- en activeringsbeleid hoeven elkaar helemaal niet uit te sluiten, integendeel.

Noten

[1] Chaliand e.a., 1994.
[2] *Report on the International Conference on Population and Development, Cairo, 5-13/09/ 1994, United Nations, A/Conf.171/13.* (http://www.undp.org/popin/icpd2.htm)
[3] Öberg, 1993, 209-210.
[4] Skeldon, 1997, 201; Weiner, 1995, 11, 26-27; Teitelbaum en Russel, 1997.
[5] Teitelbaum, 1992; Wets, 1999, 190-191; Vandaele, 1999, 45-46; Stalker, 2000, 94.
[6] Wets, 2000, 253-254.
[7] http://europa.eu.int/comm/eurostat
[8] Lesthaeghe e.a., 1998, 56-61; zie ook Lesthaeghe in Stichting Gerrit Kreveld, 2000.
[9] Coomans, 1999, 3, 11, 13 e.v.. Over het *IPTS* cf. http://www.jrc.es/welcome.html of http:// futures.jrc.es.
[10] Van Dalen, Huisman en Van Imhoff, 1999.
[11] Holderbeke, 1997, 65.
[12] Holderbeke, 1997, 61-67.
[13] Lesthaeghe e.a., 1998, 122-123.
[14] Hollifield, 1992; Cross en Waldinger, 1997; Doomernik en Penninx, 1999.
[15] *Migrant News*, Juli 1999.
[16] SOPEMI, 1999, 138.

[17] Sociaal en cultureel planbureau, 1999; SOPEMI, 1999, 180-182; Gowricharn, 1996.

[18] Sinds eind 1997 publiceert de VDAB-studiedienst geregeld werkloosheidscijfers naar etnie. VDAB (1998), *Werkloosheid en tewerkstelling van allochtonen in het Vlaams Gewest*, VDAB, Brussel;.http://vdab.be/trends/topic9911.shtml. Zie ook http://www.antiracisme.be/NL/cijfers/arbeid.htm; RVA, *Geografische spreiding van de werkloosheid op 31-12-98.*

[19] Tussen 1977 en 1997 zou de VS 36 miljoen nieuwe jobs gecreëerd hebben, 86% ervan in de private sector, terwijl de EU in dezelfde periode er ongeveer 5 miljoen heeft gecreëerd, waarvan slechts 20% in de private sector (Economist, 15-21 februari 1997). Dit zegt nog niets over het aantal informele jobs. Onder streng gereguleerde arbeidsmarktcondities zal dit hoger liggen dan bijvoorbeeld in de VS. (Cross en Waldinger, 1997)

[20] http://www.vev.be, WAV, 1999, 225.

[21] Hoewel er bijvoorbeeld ook een kwantitatief tekort aan verplegend personeel is, kan een deel van de oplossing voor die sector ook liggen in de verbetering van het statuut en de opwaardering van het beroep.

[22] WAV, 1999, 218.

[23] http://www.vev.be/infotheek/teksten/arbsb018.htm; Federaal Planbureau, 1999, 61.

[24] WAV, 1999, 237-240.

[25] EC Commission (1991), *Employment in Europe 1991*, EU, Brussel; zie ook Salt en Ford, 1993, 294-295.

[26] Een tekort dat volgens de *Corporation* alleen door immigratie op te lossen is. *De Morgen*, 21-10-2000.

[27] Muus, 1993, 158. Dit pleidooi wordt in België overgenomen door Guido Deraeck, 1994, 150-151.

[28] Findlay, 1993; Stalker, 1994, 36-39; Stalker, 2000, 109 e.v..

[29] Harris, 1995.

[30] VEV, 2000, 3.

[31] WAV, 1999, 216-217.

[32] WAV, 1999, 218-221; De Beer, 1999, 156.

[33] De Beer, 1999, 172-176.

[34] Sassen, 1999, 99-119; 1991; 1996a; 1999b. Zie ook Castells, 1989.

[35] Weiner, 1995, 205; Ramakers, 1996, 12.

[36] Sassen, 1999, 100. Ze stelt zelfs dat de beleidsmakers moeten ophouden de informele economie als een abnormaal verschijnsel te behandelen. Zij moeten die informele economie gaan zien als een noodzakelijk uitvloeisel van het huidige kapitalisme. Het criminaliseren van en het exclusief repressief optreden tegen de informalisering wordt door Sassen niet als het meest doeltreffende beleid beschouwd. (Sassen, 1999, 102-119)

[37] Uit onderzoek begin de jaren '80 blijkt dat veel illegale thuiswerkers in Nederland Nederlandse staatsburgers waren, en dat veel arbeiders in de clandestiene fabrieken van Emilia-Romagna in Italië Italiaanse staatsburgers waren. cf. RENOOY, P.H. (1984), *Twilight Economy: A Survey of the Informal Economy in the Netherlands*, Economische faculteit, Universiteit Amsterdam; bijdrage van CAPECCHI in PORTES, A. e.a. (1989), *The informal Economy: Studies in Advanced and Less Developed Countries* (aangehaald in Sassen, 1999, 104).

[38] Weiner, 1995, 205. Hierdoor kan Weiner stellen dat noch de vraag naar arbeid, noch de structuur van de arbeidsmarkt de migratiestromen bepalen. Het zijn vooral de verschillende mogelijkheden voor de toegang tot het grondgebied en de toegang tot de arbeidsmarkt die het verschil maken. Weiner verwijst naar Japan dat in tegenstelling tot Europa en ondanks de expansie van haar vrije markt geen gastarbeidersbeleid heeft gevoerd. De strenge controles zorgen ervoor dat Japan relatief weinig asielzoekers en illegalen op het grondgebied heeft. De informele economie is er nochtans even manifest aanwezig als in de andere hoogontwikkelde landen. Maar door de globalisering is ook Japan niet aan een stijgend aantal legale en illegale immigranten ontsnapt. (Sassen, 1999a, 13) Meer dan Weiner en Straubhaar (1986 en 1988) blijft Sassen beklemtonen dat de vraag naar arbeidskrachten (los van het gevoerde toelatingsbeleid) de migratiestromen (legaal of illegaal) bepaalt. (Sassen, 1999b; zie ook Harris, 1995.)

[39] Vandaele, 1999, 95.

[40] Lof, 1998, 38. Zie ook Entzinger, 1994, 158-161.

[41] Vos, 1995; Ramakers, 1996; Leman, 1994; 1995; KCM, 1992; Deneve, 1995.

[42] OECD, 1994, 38.
[43] Stalker, 2000, 131-135. Zie ook Massey e.a., 1993, 440-444.
[44] Böhning, 1995.
[45] Ramakers, 1996, 18-19, 33.
[46] Voor het effect van de bevolkingsveroudering op de sociale uitgaven cf. Lestheaghe, 1998, 91 e.v..
[47] Van der Wijst en Zwiers, 1999; Bogaert, 1999.
[48] Schoenmaeckers, 2000; Roseveare e.a., 1996.
[49] Lesthaeghe e.a., 1998, 102, 194; De Ridder, 2000.
[50] J.-L. Dehaene in Bogaert, 1999, 179-189, 184-185.
[51] Deleeck, 1991, 129-136.
[52] Lesthaeghe e.a., 1998, 16.
[53] Deleeck, 1991, 56-58.
[54] *De Morgen*, 31 mei 2000.
[55] Vandenbroucke beklemtoont wel dat 'activering' als sleutelconcept niet enkel dient als middel om de sociale uitkeringen op peil te houden zonder de lastendruk te verhogen. Er moet inderdaad iets gebeuren aan de scheefgetrokken ratio inactieven/actieven, maar dat mag niet de enige motivatie zijn om zich zorgen te maken over de te lage activiteitsgraad. Het aanmoedigen van maatschappelijke participatie moet een integraal deel en doel vormen van een ruimer sociaal beleid. De hoofdmotivatie om maximale kansen te creëren voor maatschappelijke participatie ligt in de strijd voor radicale gelijkheid van kansen. cf. Vandenbroucke, 2000, 35-38. Hiermee sluit Vandenbroucke nauw aan bij het standpunt van het Centrum Sociaal Beleid (Universiteit Antwerpen) rond Bea Cantillon. Ook zij schrijven dat activering nodig is om de lasten van de vergrijzing draaglijker te maken, maar ze leggen vooral de nadruk op het feit dat arbeidsparticipatie een belangrijk middel is voor maatschappelijke en sociale integratie. In een geïndividualiseerde samenleving houdt de afwezigheid van 'werk' het gevaar in van sociale uitsluiting en verlies van aansluiting bij de dominante levensstijl en cultuur van de samenleving. cf. Cantillon e.a., 1999, 252-253.
[56] Blöndal en Scarpetta, 1998; Lesthaeghe e.a., 1998, 125-127.
[57] Andries, 1999.
[58] cf. J.-L. Dehaene in Bogaert, 1999, 179-189, 186-187.
[59] Deleeck, 1991, 59.
[60] Ook het activeren van jongeren zou een mogelijke denkpiste kunnen zijn, maar vanuit de politiek correcte opvatting over onderwijs is het vrij utopisch te denken dat er opnieuw aan de leerplicht zou worden gesleuteld.
[61] Akel, 1998, 151-152.
[62] Federaal Planbureau, 1999, 58.
[63] Lesthaeghe e.a., 1998, 125; Cantillon e.a., 1999, 46-50.
[64] Hjarnoe, 1996, 20.
[65] Cantillon e.a., 1999, 38-42; Lesthaeghe e.a., 1998, 125.
[66] Harris, 1995, 182 e.v.; Doomernik e.a., 1996, 68.
[67] UNDP, 2000.
[68] http://www.popin.org/pop1998.
[69] UNDP, 2000, 95.
[70] Lesthaeghe, 2000, 19-20; Lesthaeghe in Stichting Gerrit Kreveld, 2000.
[71] Ook andere studies tonen aan dat er moeilijkheden opduiken als men met migratie de leeftijdsstructuur wil beïnvloeden: BODART, P., DUCHÊNE, J. e.a. (1977), *Migrations et politiques démographiques. Quelques résultats de modèles avec consignes*, in *Population et Famille* 40, 1, 77-96 en BLANCHET, D. (1988), *Immigration et régulation de la structure par âge d'une population*, in *Population* 43, 2, 293-309.
[72] Berekeningen van Lesthaeghe. De getallen sluiten aan bij OESO-onderzoek van begin de jaren negentig. (Wattelar en Roumains, 1991, 62) Volgens hun berekening zou België vanaf 2025 elk jaar 40.000 nieuwkomers moeten opnemen om de bevolking numeriek gelijk te houden. Om de afhankelijkheidsgraad op drie te houden zouden België en Oostenrijk 170.000 nieuwkomers per jaar nodig hebben, Spanje en Canada elk 700.000. Volgens Wils (1991) zou Europa ongeveer 1.5 miljoen migranten per jaar moeten toelaten als men door migratie de Europese bevolking met 2% wil doen stijgen.

[73] Lebras, 1989; Stalker, 1994, 41-60.

[74] zie ook OECD, 1991, hoofdstuk III; Kahn, 1994; Coleman, 1995, 155; Stalker, 2000, 136. De cijfers voor België wijzen erop dat die aanpassing toch niet zo heel snel gaat, hoewel de tendens wel merkbaar is. In Antwerpen is het aantal geboorten per duizend inwoners bij de vreemdelingen tussen 1983 en 1994 wel met 34,6% gezakt, maar het aantal geboorten per duizend inwoners is nog altijd hoger bij vreemdelingen dan bij Belgen. In 1994 werden nog 19 geboorten per 1.000 vreemdelingen genoteerd, tegenover 10 bij de Belgen. In de toekomst kan een verdere daling worden verwacht. Men verwacht wel dat het geboortecijfer bij mensen van Turkse en Marokkaanse afkomst voorlopig zal stagneren tussen de 2.8 en 3. In het algemeen toont de leeftijdspiramide van de Antwerpse bevolking een opvallend jonge leeftijdsstructuur bij de allochtonen, tegenover een sterke veroudering bij de autochtonen. Toch is ook de verouderingsratio bij de vreemdelingen aan het stijgen. (Ben Abdeljelil en Vranken, 1996, 60-62, 81-86, 89-93, 109-110, 124-139.)

[75] Van Imhoff en Van Nimwegen, 2000; Poulain, 1999, 40; Kuijsten, 1995, 283-305; Winkelmann en Zimmermann, 1993, 255-283; Lesthaeghe, 2000, 19; Lesthaeghe e.a., 1998, 64-65.

[76] Lesthaeghe, 2000, 10-12.

[77] Zie ook Coleman, 1992.

[78] Lesthaeghe e.a., 1998, 64; Schoenmaeckers, Lodewijckx en Gadeyne, 1999, 901-928. De daling van de vruchtbaarheid manifesteert zich ook in de herkomstlanden. Voor meer gegevens zie ondermeer: LODEWIJCKX, E. (1994), *Turkse en Marokkaanse vrouwen: Gezinsvorming in Vlaanderen en Brussel en in de herkomstlanden*, in *Bevolking en Gezin* 1, 53-78; PAGE, H. en SEGAERT, A. (1994), *Voorkeuren inzake gezinsgrootte en -samenstelling bij Turkse en Marokkaanse vrouwen*, Working papers etnische minderheden, 3, Vakgroep bevolkingswetenschappen universiteit Gent en Centrum voor Sociologie VUB, Gent/Brussel; WIJEWICKREMA, S. en LESTHAEGHE, R. (1980), *Nuptialiteit en reproductie bij de Moslimminderheden in België*, in *Tijdschrift voor Sociologie*, 11, 5-6, 339-361; BLANCHET, D. (1988), *Immigration et régulation de la structure par âge d'une population*, in *Population* 43, 2, 293-309.

[79] Ben Abdeljelil en Vranken, 1996, 120-122, 147.

[80] Poulain, 1999, 40; Lesthaeghe e.a., 1998, 65.

[81] Van Imhoff en Van Nimwegen, 2000; Van Nimwegen, 2000.

[82] Coleman, 1992, 413.

[83] Dit was ook de argumentatie waarmee gewezen Koninklijk Commissaris voor het Migrantenbeleid Paula D'Hondt geen afwijking van de immigratiestop wou toestaan. 'Waarom Hongaarse jonge vrouwen als verpleegkundigen aantrekken, terwijl veel Marokkaanse meisjes die in België wonen, in aanmerking komen voor een opleiding in de verpleegkunde?' KCM, 1990, 208 en D'Hondt, 1991.

[84] SOPEMI, 1999, o.a. 14, 44-46.

[85] Ben Abdeljelil, 2000.

[86] *Migration News*, 6 (1999) 5.

[87] *De Morgen*, 7-10-2000, 63.

[88] Cross en Waldinger, 1997.

[89] VEV, 2000.

[90] WBS, 1993, 32. Zie ook Gowricharn, 1996

[91] Lesthaeghe, 2000, 22-24.

[92] Lakeman, 1999, 150-151.

[93] Van Nimwegen, 2000.

[94] Teitelbaum wordt instemmend geciteerd door Schoenmaeckers (2000, 2000a).

[95] Vandenbroucke, 2000, 29-31.

[96] Vandenbroucke, 2000, 38.

3 Argumenten voor migratie vanuit economische theorieën

3.1 Liberalisme

Het neoliberaal pleidooi voor meer migratie

Verschillende voorstanders van meer migratie van werkkrachten doen expliciet of impliciet een beroep op de (neo)liberale logica. Geregeld verschijnen er in vrije markt-fanzines als *The Economist* of *The Washington Post* publicaties die het opnemen voor een vrijere migratie. De redenering luidt als volgt: wie het liberale marktdenken consequent doordenkt, kan niet volstaan enkel de vrije beweging van het kapitaal te promoten.[1] Ook de arbeid moet zich aan het spel van de markt confirmeren en dus vrij(er) kunnen bewegen. Dit is niet enkel een zaak van principes, een vrijgemaakte arbeidsmarkt zou ook het economisch systeem ten goede komen. Volgens de (neo)liberalen kan de economie maar optimaal groeien als er ook plaats is voor mondiaal vrij verkeer van arbeid. Sommigen pleiten ook voor meer migratie omdat ze naar een echt dynamische en flexibele economie willen evolueren in een maatschappij die zich ontdaan heeft van de rigide regels op het gebied van sociale zekerheid, arbeidsvoorwaarden en vestigingseisen. Volgens de Nederlandse econoom Ed Lof blijven de Europese werknemers en de overheden te krampachtig vasthouden aan de verworven rechten waardoor de werkgevers zich niet kunnen of mogen richten tot arbeidskrachten van buiten de EU die zich meer flexibel willen opstellen. Meer immigratie moet bovendien voor verjonging zorgen, want door de vergrijzing ontbeert de economie dynamiek, initiatief en nieuwe impulsen. Volgens Lof ontstaat op die manier een renteniersnatie waarin risicomijdend gedrag en een afkeer van verandering de norm is.[2]

Conform de liberale logica moeten migranten dus niet gezien worden als gastarbeiders die tijdelijk de open plaatsen opvullen; migranten zijn een bron van groei, vitaliteit en dynamiek. Er moet net als in de VS een 'markt voor immigranten' worden geïnstalleerd zodat het 'migratietalent' nieuwe impulsen aan het gastland kan geven. Het is de welvaartsstaat die de migratie een slechte naam gegeven heeft, in een open en liberaal systeem zou moeten blijken dat migratie in het voordeel is zowel van de gastlanden als van de landen van herkomst. De getalenteerde migrant zal wel zijn niche vinden in de economie van het gastland zonder de betutteling van de overheid. 'Laat de markt maar beslissen wie na een aantal jaren een permanente verblijfsvergunning en eventueel een Europees paspoort krijgt, wie wil terugkeren met of zonder spaarcenten, en wie zijn familie wil laten overkomen.'[3]

Aanhangers van de neoklassieke economische theorie (het model van Heckscher-Ohlin-Samuelson)[4] geloven in *factor price equalization*.[5] Dit betekent dat de vrije markt ook voor meer gelijkheid zou zorgen. De theorie gaat ervan uit dat de arbeidskrachten van de lage- naar de hogelonenlanden verhuizen en dat het kapitaal de omgekeerde richting uitgaat om in de lagelonenlanden in de productie van arbeidsintensieve goederen te investeren. Het vrij verplaatsen van goederen, mensen en kapitaal over nationale grenzen zou automatisch in een optimale allocatie resulteren. Door het vrij verkeer van personen zou het arbeidsoverschot in de ontwikkelingslanden afnemen, waardoor de lonen er kunnen stijgen en de productie door de toenemende koopkracht een impuls krijgt. In de rijke landen komen de lonen juist onder druk te staan. Zo zou er een gelijkschakeling van prijzen en lonen moeten plaatsvinden waardoor bovendien ook de migratie vanzelf zou ophouden.

Een mooie theorie, maar het is moeilijk uit te maken of ze ook effectief in de praktijk plaatsvindt. We kunnen de test nu niet uitvoeren, aangezien enkel kapitaal en goederen relatief vrij circuleren en de arbeidsmigratie nog sterk aan banden is gelegd. Het is bovendien bijzonder moeilijk de effecten van potentiële migratie te berekenen. Er zijn zeer veel factoren waarmee men rekening moet houden. Immigranten kunnen in theorie de lonen matigen omdat ze het aanbod aan werknemers doen stijgen, maar als de migranten niet dezelfde jobs innemen als de autochtone bevolking zal het effect gering zijn. Soms brengen migranten ook nieuw kapitaal aan zodat het effect op de lonen complex wordt. Toch zijn er studies die zich aan deze oefening hebben gewaagd en sommige concluderen dat de strenge migratiewetten nadelig zijn, ook voor de ontwikkelingslanden zelf. Het *Human Development Report* van de *UNDP* van 1992 vergelijkt de globale economische welvaart nu met de welvaart in een systeem met open grenzen. De studie stelt dat de ontwikkelingslanden $250 miljard ontberen door de onvolledige toegang tot de arbeidsmarkt door de migratiewetten.[6] Ook de economische berekeningen van de Amsterdamse emeritus hoogleraar Wouter Tims ondersteunen het pleidooi voor meer vrije migratie. Ook hij gaat uit van het vrije marktmechanisme en komt tot de conclusie dat het huidige immigratiebeleid tot grote welvaartsverliezen leidt en dat vrije migratie op den duur zowel goed uitpakt voor de herkomstlanden als de bestemmingslanden.[7] Ook in een studie van de *Indira Ghandi Institute of Development Research* (India) schat men dat de immigratiebeperkingen de globale groei tegen 2000 ongeveer $1000 miljoen gekost zullen hebben.[8]

Voor het verleden kan men nagaan wat de impact van de migratie was op de lonen en de werkgelegenheid. De econoom-historicus Jeffrey Williamson heeft de *price equalization* hypothese onderzocht van 1870-1985 voor Australië, Argentinië, Canada, de VS, België, Denemarken, Frankrijk, Duitsland, Groot-Brittannië, Ierland, Italië, Nederland, Noorwegen, Spanje en Zweden.[9] Williamson ziet twee periodes van convergentie: 1870-1913 en 1960-1985. De convergentie in deze laatste periode vindt niet alleen plaats tussen de landen van de Nieuwe Wereld en de landen van de Oude Wereld, maar ook binnen Europa. Dit had te maken met de uitbouw van de vrijhandel, een goede investeringspolitiek en de economische groei in Europa. Migratie had slechts weinig invloed op deze tendens. Het omgekeerde is waar: de convergentie tussen de landen heeft de migratie sterk beïnvloed. Zo werden verschillende landen in Zuid-Europa door de economische groei immigratie- in plaats van emigratielanden. In Turkije is de invloed van de emigratie misschien nog het duidelijkst. In 1973 migreerde 6% van de arbeidskrachten. Dit had toch enige invloed op de lonen en de tewerkstelling.

Voor de periode tussen 1870 en 1910 concludeert Williamson wel dat de loon-convergentie voor ongeveer 70% te wijten is aan de massamigratie van die tijd. In bepaalde landen was de emigratie zo groot dat de effecten ervan niet konden uitblijven. Tussen 1846 en 1924 migreerde 22% van de Zweden en 41% van de Britse eilanden. Die emigratie heeft een rol gespeeld in de substantiële stijging van de lonen in Zweden en Ierland. Tussen 1870 en 1910 heeft de immigratie ook het stijgen van de lonen in de gastlanden afgeremd. Williamson besluit dat immigratie de lonen kan doen zakken, maar dit niet noodzakelijk het geval is. Voor de migratie vanaf de jaren vijftig is dat effect minder duidelijk en zoals de zaken er nu voorstaan lijkt het er sterk op dat sociaal-politieke factoren zullen verhinderen dat de migratie nog van die omvang zal zijn dat ze ook werkelijk een invloed kan hebben op de economie en de arbeidsmarkt.[10]

Samengevat zijn er drie denkpistes die door de liberale economen worden gebruikt in hun pleidooi voor meer migratie. Ze lopen dikwijls door elkaar. Ten eerste vinden liberale economen dat wie voor een vrije markt pleit, ook voor de vrije beweging van de arbeid moet opkomen. Op grond van de liberale principes kan een pleidooi voor vrijere migratie moeilijk door een consequente liberaal aangevochten worden. Wie op allerlei vlakken voor open grenzen en een vrije wereldhandel pleit, kan zich moeilijk keren tegen meer migratie. Leve de vrije markt *ergo* leve de vrije migratie. Ten tweede gaan economen er dikwijls vanuit dat vrije migratie zichzelf opheft omdat het spel van vraag en aanbod automatisch naar een evenwichtig optimum evolueert. Het vrij ver-plaatsen van goederen, mensen en kapitaal over nationale grenzen zou automatisch resulteren in een gelijkschakeling van prijzen en lonen tussen de landen waardoor, eenmaal een evenwicht is bereikt, de migratie vanzelf zou ophouden. Maar de argu-mentatie van de economen is er niet op de eerste plaats om aan te tonen dat migratie in een echt vrije economie vanzelf zal verdwijnen. Hun grootste bekommernis gaat uit naar het feit dat migratie niet strijdig is met economische groei in een liberaal systeem. Dit is de derde argumentatielijn. Economen beschikken over cijfers waarmee ze kun-nen aantonen dat de globale economie beter af zou zijn als meer migratie wordt toege-laten. Sommigen proberen ook aan te tonen dat vrijere migratie zowel in het voordeel zou zijn van de emigratie- als van de immigratielanden.

Beperkingen van het liberaal discours

Lucas en Stalker wijzen erop dat de *factor price equalization* theorie onvoldoende uitgaat van de reële wereld. De auteurs geven verschillende factoren aan waar de theorie geen rekening mee houdt: de tijd, de graad van productiviteit en de aan- of afwezigheid van natuurlijke grondstoffen, van degelijk onderwijs, van transportmo-gelijkheden en van technische infrastructuur. Wie ook deze factoren in rekening brengt, kan vrij gemakkelijk een context uitdenken waarin de hogelonenlanden de productie van de arbeidsintensieve goederen niet uitvoeren en vice versa.[11] Voor de uitbouw van een sociaal migratiebeleid moet men meer in ogenschouw nemen dan enkel de econo-mische balansen. Het argument van de *factor price equalization* blijkt slechts geldig binnen een doorgedreven liberaal economisch systeem, dat op alle gebieden de spelregels en de dictaten van de vrije markt wil volgen. Over de effecten en de implicaties van die vrijgemaakte markt op sociaal, cultureel of politiek gebied wordt door de neoliberale auteurs niet gesproken. Het statuut van migranten, de sociale bescherming, hun rechten en hun plichten doen blijkbaar maar weinig terzake. Zo geeft een vrije marktsysteem nogal wat gevolgen voor de organisatie van en de toegang tot de bestaande sociale voorzieningen en daar gaat men dikwijls te snel over. De (potentiële) migranten worden in de berekening herleid tot een louter economische factor. Er is niets tegen dat migratie wordt opgenomen in economische analyses, berekeningen en hypotheses, maar de benadering van migratie kan hiertoe niet worden gereduceerd. In de VS heeft men ooit het voorstel gedaan om de loonbarema's los te laten en alles over te laten aan het spel van vraag en aanbod op de internationale arbeidsmarkt. Bedrijven zouden dan vrij spel krijgen om mensen uit het buitenland aan te trekken om ze in de VS tegen een lager loon dan het gemiddelde tewerk te stellen. Dit gaat ongetwijfeld te ver. De politiek moet zorgen dat het pleidooi vanuit de vrije markt voor vrijere migratie gelinkt wordt aan de sociale bescherming.

Het liberaal kapitalistisch geloof in het 'opengooien van de markt' kan ook op efficiëntie worden betwist. Het is nog onvoldoende bewezen dat de vrijhandel de migratiedruk zal doen verminderen, in sommige gevallen is zelfs het tegendeel waar, althans op korte termijn. De evolutie naar een liberale economie biedt voordelen, de vraag is naar wie die voordelen gaan. Als er al sprake is van voordeel voor de landen van herkomst, wie precies wordt er dan beter van? Investeringen gebeuren immers niet met het oog op armoedebestrijding en het verminderen van het migratiepotentieel maar met het oog op winst. Voor een deel van de bevolking kan het voor nefaste verschuivingen zorgen in het lokale economisch systeem. Door de industrialisering en het promoten van de vrijhandel kunnen de import- en exportverhoudingen in de war worden gebracht. Dit kan gepaard gaan met een vermindering van het aantal leefbare jobs, vooral in de landbouw. Daarom pleit Stalker ervoor de markten zeer geleidelijk open te stellen voor buitenlandse investeringen en internationale handel. Op lange termijn is het niet verstandig om inefficiënte landbouw en industrie in leven te houden, maar men moet er wel rekening mee houden dat concurrentie en vrijhandel directe desastreuze gevolgen kunnen hebben.[12] Door de interne verschuivingen in de economie ontstaat dikwijls een plattelandsvlucht. Men stelt echter vast dat mensen makkelijker immigreren naar het buitenland als ze al eens de stap gezet hebben van hun vertrouwde plattelandsdorp naar de anonieme grootstad. De industrialisering heeft veel mensen naar de stad gelokt, maar het lot dat de plattelandsvluchters daar te wachten stond, is niet altijd even rooskleurig. Dergelijke tendens kan de migratiedruk verhogen.[13] Bovendien zullen zij die in een nieuwe job zijn tewerkgesteld, een hoger loon hebben en mobieler worden. Algemeen wordt aangenomen dat men ook op dit punt (het promoten van de vrijhandel) rekening moet houden met een *migration hump*. Pas als de ontwikkelingen duurzaam blijken, zullen mensen inzien dat thuisblijven een wenselijke optie is, maar in het begin zal de migratie(druk) onvermijdelijk stijgen.

Ook Weiner zorgt voor een kritische noot: een wereld zonder grenzen zou idealiter wel iedereen kunnen bevoordelen, maar deze wereld zonder grenzen bestaat nu niet en dit betekent dat landen die wel vrije migratie toelaten hun eigen ondergang riskeren. Weiner is sceptisch ten aanzien van de al te rechtlijnige en eenzijdige redenering dat open grenzen voor goederen, kapitaal en productiemiddelen ook open grenzen voor mensen moet betekenen. Hij waarschuwt voor de nefaste idee om arbeid en kapitaal zomaar op één hoop te gooien.[14] De logica van de vrijhandel is gebaseerd op het feit dat er telkens een evenwicht gevonden wordt door de wet van vraag en aanbod en de invloed van de handelsbalans. Maar het is onduidelijk of die mechanismen ook betrekking hebben op de realiteit van de vrije migratie van mensen over nationale grenzen heen. Weiner contesteert ook tot op zekere hoogte de vooropstelling van de genoemde neoklassieke economische theorie dat als men de grenzen opent, de migratie vanzelf gereguleerd zal worden. Dat de vrije handel op de duur de migratie kan vervangen, is voor hem niet afdoende aangetoond.

Maar het vrij verkeer van goederen en kapitaal is ook nog op andere punten verschillend van het vrij verkeer van mensen. Mensen zijn als geen ander in staat om de cultuur, de samenleving en de politieke gemeenschap indringend te wijzigen. Goederen kunnen de nationale identiteit en de sociaal-culturele patronen niet zo sterk wijzigen als mensen dat kunnen. Migranten worden hierdoor al dan niet terecht als een bedreiging ervaren voor de nationale identiteit. Migranten verschillen ook van goederen en kapitaal omdat ze als individuen of als groep drager zijn van rechten waar men rekening moet mee houden.[15] Het gaat niet op enkel een economische kostenbatenanalyse te maken zonder de culturele en sociale factoren in rekening te brengen. Of zoals de boutade van een Zwitserse novellist het zegt: *we asked for workers and we got people instead.*

Het onderscheid tussen goederen en mensen verduidelijkt ook waarom op politiek vlak de vrije beweging van goederen volledig anders ligt dan de vrije beweging van mensen. Op het gebied van de vrijhandel volgen de betrokken mensen en groepen hun marktinteresses en hun economische belangen; op het gebied van het migratiebeleid worden de marktinteresses (de kosten en de baten van migratie) overschaduwd door andere argumentaties die politiek, ideologisch, historisch en sociocultureel gekleurd zijn. De discussie binnen de OESO-landen over migratie gaat inderdaad niet over de economische voordelen en de vrije markt, het gaat veel meer over rechten van mensen, rechten van gemeenschappen, het belang van nationale identiteiten en illegale migratie. Economen kunnen pleiten voor vrije handel en voor vrije migratie, louter op basis van een economische argumentatie. Het argument dat het opnieuw toelaten van arbeidsmigratie, de informele en illegale migratie zou kunnen stimuleren is voor *The Economist, 'a risk that Europe should be ready to take'.*[16] Men is echter te kwader trouw als men alle niet-economische elementen links laat liggen. Men kan toch niet doen alsof migratie geen culturele, maatschappelijke en politieke impact heeft op een samenleving. Economen die enkel de economische logica in rekening brengen en zich op die argumentaties blindstaren, verliezen andere wezenlijke elementen uit het oog waardoor hun oordeel over migratie dikwijls te eenzijdig is.

3.2 De globaliseringstheorie

Twee theorieën over internationale betrekkingen

Veelal wordt migratie bestudeerd vanuit het landenperspectief, juist omdat het gaat over de relatie tussen individuen en staten. Migratie wordt aldus benaderd vanuit het 'politiek realisme' of 'neorealisme'. Deze benaderingswijze is de oudste theorie van internationale betrekkingen.[17] Men gaat er vanuit 1) dat staten de belangrijkste actoren zijn op het internationale forum, 2) dat staten op zoek zijn naar macht en 3) dat ze handelen als rationele units. Als migratie vanuit deze invalshoek wordt benaderd, kent men een grote invloed toe aan de nationale politiek. Alles hangt af of de staten beslissen hun grenzen te sluiten dan wel migranten toe te laten. De arbeidsmigratie van Turkije naar Europa, vóór 1974, is te verklaren vanuit dit perspectief. Er zijn toen bilaterale akkoorden gesloten tussen het gastland en het rekruteringsland. Ook voorzover migratie als een bedreiging ervaren wordt voor een samenleving en er daarom aangepaste regelingen worden getroffen, past migratie(beleid) in het klassieke schema. Het migratie- en asielbeleid van de verschillende lidstaten van de EU en van de EU zelf is het resultaat van dergelijke benadering. Deze benadering heeft echter haar beperkingen, voorzover hoofdzakelijk politieke beslissingen als doorslaggevend worden beschouwd en de economische analyse ontbreekt. Men heeft ook te weinig oog voor de supranationale en structurele dynamiek waar natiestaten niet direct vat op hebben.

Naast het politiek realisme is er een andere theorie van internationale relaties die zich wel inlaat met dat supranationale niveau, namelijk de globaliseringstheorie. De globalisering betreft 'het mondiaal worden van uiteenlopende verhoudingen: politieke machtsverhoudingen, economische relaties en praktijken en ten slotte ook culturele relaties'.[18] Globalisering zet een stap verder dan internationalisering omdat het een organisatieniveau impliceert dat de natiestaten overstijgt. In tegenstelling tot de neorealistische theorie staan de natiestaten als actoren op het internationale forum niet langer centraal. De macht van de naties is verzwakt en men heeft nu vooral aandacht voor trans- en supranationale instanties zowel op economisch, cultureel, politiek als juridisch vlak. Tot nog toe vindt de globalisering hoofdzakelijk plaats in de economie: het toenemend belang van vrijhandelszones, kapitaalstromen, multinationale concerns, IMF en de WTO zijn hier exponenten van. Over de globalisering op het cultureel vlak bestaan uiteenlopende meningen: sommigen zijn ervan overtuigd dat we naar een monoculturele wereld evolueren omdat die ons opgedrongen wordt, anderen vinden dat het cultuurimperialisme veelal overschat wordt en zijn de mening toegedaan dat het met de homogenisering en het verdwijnen van de culturen nog niet zo een vaart loopt als ons dikwijls wordt voorgehouden.[19] De globalisering op politiek en juridisch vlak staat nog in de kinderschoenen, ondermeer omdat de natiestaten zich nog aan deze laatste boeien vastklampen om niet alle zeggingskracht te verliezen.

De grootschaligheid, de onvoorspelbaarheid en de toenemende diversiteit die in de mondiale samenleving vervat zitten, brengen ook angst en onzekerheid met zich mee. De burgers krijgen de indruk dat de overheid meer dan vroeger de controle verliest over allerlei maatschappelijke evoluties, niet het minst over de migratie. De wereld is wel ons dorp geworden, maar ons dorp is ook de complexe wereld geworden en die is niet altijd even overzichtelijk. Allerlei gebeurtenissen en omwentelingen ver weg kunnen ook hier directe gevolgen hebben. Veel mensen vinden het ook bedreigend te zien dat niet iedereen er dezelfde waarden, traditie en levensstijl op nahoudt en meer nog dat die andere culturen ook hier vaste voet krijgen. De multiculturele samenleving ondergraaft verschillende evidenties. Deze angst en onzekerheid die hiermee gepaard gaat, ondersteunt de vraag naar een strikte en restrictieve migratiecontrole. Deze trend is het gevolg van een soort nostalgie naar een eenvoudiger wereld waar de mensen zich veilig voelen in een homogene en overzichtelijke samenleving.[20] De migratiecontrole probeert iedereen op zijn eigen 'domein' te laten blijven. Men streeft ernaar dat elk zoveel mogelijk in zijn eigen land blijft, want dat zou de minst bedreigende situatie zijn. Maar de politiek en de natiestaten hebben al veel aan invloed en controle verloren door de toenemende globalisering, en dit geldt ook op het vlak van migratiecontrole.[21] Toch proberen de staten zich aan de migratiecontrole vast te houden. Ze willen kost wat kost controle over de beweging van mensen.[22] Als mensen vrij kunnen bewegen, over de grenzen heen, zou de staat immers nog een groot stuk legitimiteit verliezen.

Migratie als wezenlijk onderdeel van de globalisering

De globalisering wordt dikwijls als een 'nieuw' en 'niet te controleren' evolutie voorgesteld en bovendien wordt het begrip niet enkel descriptief maar ook normatief gebruikt, in die zin dat het een goede evolutie is die in ieders voordeel zal zijn.[23] Met dit containerbegrip wordt de laatste tijd alles en nog wat 'verklaard': van de evoluties op de beurs, de ecologiecrisis tot allerlei conflicten en oorlogen. Ook het migratiefenomeen krijgt een plaats in het globalisatieproces. Voor een belangrijk deel is migratie immers het gevolg van de vrije, versnelde en zeer intense wereldhandel, de nieuwe communicatie en de toegenomen transportmogelijkheden. Waar grenzen verdwijnen ten gunste van het mondiaal verkeer van goederen, diensten en kapitaal, en het intercontinentale vervoer goedkoper wordt, zal ook de mobiliteit van mensen toenemen.[24]

De globaliseringstheorie beschouwt migratie niet langer als een functie van politieke beslissingen. Gegeven de economische internationalisering en de geopolitieke gevolgen van vroegere koloniale patronen, ligt de verantwoordelijkheid voor de modaliteiten van de immigratie zeker niet uitsluitend bij de immigrant zelf. Dit geldt zeker voor de steeds groter wordende beweging van hooggeschoolden in de internationale economie. De complexiteit en de geografische verspreiding van de economische netwerken en de industriële infrastructuur werkt onvermijdelijk migratie in de hand. De toenemende migratie van hooggeschoolden is dikwijls niet het resultaat van persoonlijke aspiraties, maar wordt veroorzaakt door de huidige organisatie van de economie.[25] Eind de jaren zeventig al schreef Piore (1979) dat migratie een onvermijdelijk onderdeel is van de economische structuur van ontwikkelde landen.

De migratie houdt ook verband met het beleid van het gastland in het verleden.[26] Zo blijkt er een geografisch patroon te bestaan: belangrijke gastlanden krijgen over het algemeen immigranten uit hun (economische) invloedssfeer. De kolonisatie en de gevolgen van de dekolonisering illustreren dat. Tijdens de kolonisering is de wereld geëuropaniseerd, maar door de dekolonisatie is een proces van mondialisering van Europa op gang gekomen.[27] Mede door de komst van veel immigranten uit de voormalige koloniale gebieden is Europa een multiculturele samenleving geworden. Het dekolonisatieproces luidde het einde in van de Europese hegemonie over de wereld. De rest van de wereld fungeerde niet langer als het opvanggebied van de overtollige Europese bevolking en energie. Door de gevolgen van de industriële revolutie in de andere landen, de uitbreiding van de transportmogelijkheden en de mobiliteit, werd Europa integendeel zelf een immigratiecontinent.

Meestal aanvaardt men enkel dat de historische en economische connecties kunnen leiden tot kapitaalverkeer, en heeft men te weinig ingecalculeerd dat dit ook tot een verkeer van mensen leidt. Veel migranten kunnen zeggen: *we are here because you were there*. Bovendien wordt beargumenteerd dat het kapitalisme altijd nood zal hebben aan mensen die in oncomfortabele en flexibele condities willen werken, terwijl de leden van de moderne geïndustrialiseerde wereld deze jobs aan zich laten voorbijgaan. De mensen zijn immers beter geschoold, ze hebben hogere aspiraties of kunnen op de sociale voorzieningen terugvallen. Om deze redenen moet immigratie als een beheersprobleem worden beschouwd eerder dan als een crisisfenomeen.[28] Migratie wordt door de theoretici van de globalisering (Sassen, Portes)[29] als inherent beschouwd aan het huidige stadium van het kapitalistisch systeem. Door de mondialisering van economie en kapitaal, de tanende rol van de staat en de opvatting dat migratie een wezenlijk onderdeel is van het huidige systeem, moeten de staten hun rol in het migratiebeleid herdenken.

Vanuit de globaliseringsthesis bekeken zijn de grootschalige internationale migraties ingebed in ingewikkelde economische, sociale en etnische netwerken. Volgens Sassen is het daarom lang nog niet zo zeker dat het openstellen van de grenzen met de dramatische beelden van een massale invasie gepaard zouden gaan. Onderzoek naar vroegere historische perioden, toen er nog geen toezicht bestond, laat zien dat de meeste mensen in die tijd niet uit armere streken wegtrokken naar rijkere, hoewel er in Europa kansen genoeg waren, ook binnen een redelijke reisafstand.[30] Ook bij de val van de Berlijnse muur en het uiteenvallen van de Sovjet-Unie stonden de media vol van de meest wilde veronderstellingen over de migratie van daaruit. Het is achteraf gezien allemaal meegevallen. Er is wel veel migratie op gang gekomen, maar dan vooral tussen de verschillende staten van de voormalige Sovjet-Unie zelf. Nog volgens Sassen wordt de migratie door de overheden teveel opgevat als het gevolg van de individuele handelingen van emigranten.[31] De verantwoordelijkheid voor het immigratieproces wordt al te exclusief bij het individu gelegd en maakt het individu zodoende tot doelwit voor de uitoefening van het overheidsgezag. Migratie wordt in dergelijke opvatting als een vorm van liefdadigheid tegenover de immigranten beschouwd.[32] Bovendien heeft ook het individualisme in het tijdperk van de globalisering geen terrein moeten prijsgeven. Solidariteit heeft het moeilijk in een wereld die door competitie overheerst wordt.

De globalisering lijkt elke collectiviteit, elke vorm van interactie tussen mensen die geen markttransactie is, onder druk te zetten. Individuen wegen af waar ze zich in de globale arbeidsmarkt het best ten dienste kunnen maken (*human capital* theorie). In die zin is 'arbeidsmigratie meer dan ooit een kind van deze tijd'.[33] Dat individualisme maakt ook duidelijk dat noties als *brain drain*, solidariteit met de overheid die in de opvoeding en onderwijs geïnvesteerd heeft, en landsverraad omdat men zijn land en volk in de steek laat, voor de betrokken mensen helemaal niet spelen.

Migratie en vrije markt als twee kanten van dezelfde medaille die globalisering heet

De globaliseringstheorie draagt verschillende elementen in zich van het systeemdenken en is neomarxistisch georiënteerd. Toch zijn er ook gelijkenissen met de benadering van migratie door de neoklassieke en meer liberale economische theorie.[34] Beide benaderingen verklaren de migratie grotendeels vanuit de dualiteit in de internationale economie. Zolang er tegenstellingen zullen bestaan tussen landen op het gebied van de arbeidsmarkt, de lonen en de welvaart is migratie onvermijdelijk. Beide theorieën verschillen wel in hun toekomstperspectief. Volgens de neoklassieke economen zal de migratie vanzelf verdwijnen omdat het economisch systeem evolueert naar een optimum in de verhouding tussen vraag en aanbod, niet alleen voor goederen en grondstoffen maar ook voor de arbeidskrachten. Volgens de globalisatietheorie daarentegen zal de migratie niet verminderen, wel integendeel: de migratie is structureel verankerd in de huidige ontwikkeling van het wereldsysteem. De tegenstellingen tussen de verschillende nationale economieën en arbeidsmarkten zullen niet verdwijnen, de vraag naar goedkope flexibele arbeidskrachten zal niet verminderen en de drempels voor migratie worden kleiner. De migratie wordt meer dan ooit een factor waar men niet meer omheen kan en waar elk beleid rekening zal moeten mee houden.

Een tweede element dat gemeenschappelijk is in de benadering van het migratiefenomeen door de neoklassieke economische theorie en de globalisatietheorie is de minimale rol die men voor de nationale staten en de politiek op dat niveau weggelegd ziet. Staten hebben maar een zeer marginale macht wat betreft het structureren en beheersen van de migratie. Op dit punt zijn deze theorieën volledig tegengesteld aan de genoemde realistische theorie waarin de staten de hoofdrol opeisen in het internationale gebeuren, ook wat betreft de migratie. Volgens de globalisatietheorie en de klassieke economische benadering moeten de staten hun beleid aanpassen aan de ontwikkelingen van de internationale markten. Ook wat betreft de migratie moeten staten zich voegen naar de internationale realiteit die hen grotendeel wordt gedicteerd. In een gemondialiseerde wereld beslissen staten niet langer of ze al dan niet hun grenzen openen. Willen ze niet verworden tot de Don Quichots van de laatmoderne mondiale samenleving, dan kunnen ze niet anders dan de beweging van hoog- en laaggeschoolde werkkrachten te aanvaarden en hun beleid aan deze realiteit aan te passen.

Het was te voorspellen dat de staten zich niet zouden neerleggen bij deze internationale evoluties waarin zij steeds meer aan de kant geschoven worden. Het lijkt erop dat de natiestaten zelf nog niet goed weten welke positie ze willen innemen en welke rol voor hen nog is weggelegd in het wereldgebeuren. Zij worden hoe dan ook geconfronteerd met de globalisering. Deze van de economie bevindt zich al in een gevorderd stadium. Door de globalisering van de economie hebben de afzonderlijke staten aan belang en soevereiniteit moeten inboeten, maar op andere gebieden is wel nog iets te redden voor de staten. Bijvoorbeeld op het gebied van de regulering van migratie menen de staten dat ze een belangrijke rol op zich kunnen nemen, alle globaliseringstheorieën ten spijt. Als het over migratie gaat, verschijnen de staten opnieuw in hun oude glorie en houden ze vast aan het soevereine recht om de eigen grenzen te controleren. De vrije handel en de migratie kunnen als twee kanten van dezelfde medaille worden beschouwd, maar worden volledig anders benaderd door de natiestaten. De logica die van toepassing is op de vrijhandel is het spiegelbeeld van de logica die gangbaar is ten aanzien van migratie.[35] Het zijn de rijke landen die aandringen bij de ontwikkelingslanden om hun markten open te gooien terwijl de armere landen eerder sceptisch zijn en vrezen voor toenemende afhankelijkheid. Wat betreft migratie geldt precies het omgekeerde: arme landen willen hun arbeidskrachten uitvoeren omdat dit de werkloosheid drukt en omdat men dan het voordeel heeft van het teruggezonden geld; de rijke landen daarentegen houden angstvallig hun grenzen gesloten.

Mondialisering leidt tot een denationalisering van belangrijke economische instellingen; aan de andere kant blijkt dat de migratieproblematiek, ook een gevolg van de globalisering, juist voor een nationalisering van de politiek zorgt.[36] Enerzijds verliest de natiestaat aan impact door de economische globalisering, anderzijds moet ze zich precies door een gevolg van de globalisering (m.n. migratie) opnieuw zeer sterk profileren. Het discours van 'minder staat' is dus dubbel, want wanneer het om het vrij verkeer van mensen gaat, treedt de staat misschien wel meer regulerend op dan ooit tevoren.

Deze poging tot regulering en controle is volgens de theoretici van de globalisering voor een groot stuk een achterhoedegevecht. Migratie maakt nu eenmaal deel uit van de huidige fase in de ontwikkeling van het wereldsysteem en de naties staan daar vrij machteloos tegenover. Vandaar de minachting vanuit deze hoek voor de restrictieve migratiepolitiek van de EU. Het probleem met deze benadering is evenwel dat de politiek nu volledig buitenspel gezet wordt alsof die geen enkele zeggingskracht meer zou hebben. Dit is al even eenzijdig als de klassieke (neo)realistische theorieën die de politiek en de naties alle macht geven. Toch kan de politiek ook in het globaliseringsproces een plaats krijgen. Ondermeer de EU en de VN doen een eerste poging op dat gebied. Ook het toenemend belang van de mensenrechten in internationale onderhandelingen en het gezag van het Europees Hof voor de Rechten van de Mens in Straatsburg wijzen erop dat de globalisering meer in haar marge kan hebben dan de economie alleen. Enkele sociologen zijn al uitvoerig ingegaan op het burgerschap in tijden van globalisering en de daarbij horende migraties. Het burgerschap op basis van de natiestaten is achterhaald, er moet een nieuw concept worden uitgedacht, over de grenzen heen. Gegeven de dynamiek van de globalisatie en de migratie die er inherent aan is, is de uitwerking van een transnationaal of postnationaal burgerschap onvermijdelijk.

Meestal worden de mensenrechten hierbij als leidraad genomen.[37] Ook vanuit het discours van het postnationaal burgerschap wordt erop aangedrongen dat staten zich niet langer vastklampen aan hun archaïsche verworvenheden.

De mythe van de globalisering

Als de natiestaten verder nog een rol willen spelen, zullen ze zich hoe dan ook moeten aanpassen aan de globalisering. Het feit dat staten hierbij bepaalde zaken zullen moeten loslaten, betekent geenszins dat ze in de toekomst niets meer te zeggen zouden kunnen hebben. Ze moeten zich als gesprekspartner aandienen in de discussie over een beleid voor de toekomst, maar ze moeten aanvaarden dat ze niet als enige rond de tafel zullen zitten. In de jaren negentig heeft er zich immers een drievoudige beweging voorgedaan op het gebied van de migratiecontrole. Er is een evolutie naar het internationale forum toe (internationale verdragen, EU-regelgeving), er is een decentralisatie naar lokale autoriteiten toe (gemeenten, OCMW) en tot slot is er een groeiende verantwoordelijkheid voor niet politieke actoren (vervoersmaatschappijen, veiligheidsdiensten, werkgevers).[38] Maar hoe dan ook, in de nieuwe liberale wereldorde moet wel degelijk plaats worden gemaakt voor politiek, ook op het niveau van de natiestaten. Wie dat ontkent, laat zich vangen door wat James Hollifield de 'mythe van de globalisatie' noemt. Zonder de centraal georganiseerde interventie van de liberale staten kan de natuurlijke vrijheid van de globale economie niet blijven bestaan. Globalisering is een mythe voorzover het de inbreng van de politiek ontkent.[39]

Volgens de globaliseringsthese zal de rol van de staten en de politiek sterk verminderen. Deze evolutie is nu al zichtbaar en op descriptief niveau heeft de these dan ook belangrijke verdiensten, maar dikwijls is de beschrijving te eenzijdig. De globaliseringstheorie heeft te weinig oog voor de macht die de staten wel nog behouden. Het aantal internationale overeenkomsten, verdragen en instituties stijgt wel, maar ze hebben soms maar weinig zeggingskracht. Bovendien wordt nog steeds zeer veel rekening gehouden met nationale belangen en gevoeligheden, waardoor ze minder internationaal zijn dan op het eerste gezicht lijkt. De globalisering is niet alleen als normatief ideaal een mythe, de facto blijkt ook dat de globalisering, vooral op politiek en juridisch vlak nog minder ver reikt dan men het soms laat uitschijnen.[40] De zwakte van de globaliseringstheorie bestaat bovendien hierin dat het de aan de gang zijnde evoluties zomaar lijkt te aanvaarden. Men doet dit vanuit een geloof in een economisch determinisme. Net als de marxisten geloofden dat het kapitalisme zichzelf noodzakelijk zou opheffen door middel van de revolutie, zo geloven veel theoretici nu dat globalisering en alle gevolgen ervan onvermijdelijk zijn. Het marxistisch deterministische schema van het verloop van de geschiedenis, wordt vervangen door een ander al even deterministisch schema, namelijk dat van de globalisering. Dit betekent dat men zomaar aanvaardt dat de invloed van nationale staten vermindert. Het betekent ook dat men de vrije economie zijn werk laat doen en dat alle andere sectoren van de samenleving het dictaat van de economie moeten volgen.

Zonder de realiteit van de globalisering te willen ontkennen, is het duidelijk dat we deze evolutie niet zomaar moeten slikken. De politiek moet niet zomaar achter de economie aanhollen. De globaliseringthese schiet tekort waar ze niet gelooft dat het economisch determinisme tot op een zekere hoogte doorbroken kan worden. De benadering biedt geen middelen om de globalisering die ook enkele negatieve kanten in zich draagt tegen te gaan. Het is niet omdat migratie een exponent is van de globalisering dat er niets aan gedaan kan worden. De globaliseringthese moet ons leren dat migratie niet uit te bannen is. Het kan ook bepaalde achterliggende structuurelementen van de migratie verduidelijken. Maar met deze elementen kunnen we toch niet besluiten om enkel als kijklustige aan de kant te blijven staan. Er zijn wel degelijk middelen om op bepaalde migratiestromen in te werken, ze beter te controleren en ze te koppelen aan noties van sociale rechtvaardigheid, zowel binnen de eigen samenleving als op internationaal vlak. De migratie moet gemanaged worden op basis van een voorafgaande reflectie op de vraag naar welke mondiale samenleving we willen evolueren. Het inzicht dat het kapitalisme niet meer zonder migratie lijkt te kunnen, moet aangegrepen worden om het debat te voeren over de modaliteiten van die migratie. De politiek moet niet zomaar aan alle economische noden en evoluties toegeven, er zijn nog verschillende andere elementen die zeker even belangrijk zijn. Ook de culturele, maatschappelijke en politieke impact van migratie op een samenleving moet in rekening worden gebracht. Economie en globalisering zijn een onderdeel van de samenleving, wie echter een maatschappelijk project wil uitbouwen met en in die samenleving, zal met meer elementen rekening moeten houden. Wie vindt dat de kwaliteit van samenleven niet zomaar aan haar lot kan worden overgeleverd, moet erin geloven dat de globalisering niet zonder meer het laatste woord heeft, maar dat mensen de samenleving moeten maken.

Gezien de migratierealiteit en de globalisering moet de politiek, liefst op Europees en internationaal niveau, de touwtjes naar zich toetrekken en een actiever migratiebeleid uitwerken. De globalisering heeft de macht van de natiestaten op veel punten ingekrompen, maar dat betekent niet dat we moeten evolueren naar een tijdperk waarin de politiek helemaal geen zeggingskracht meer heeft. De politiek moet op bepaalde punten opnieuw op de voorgrond treden, op inter- of transnationaal niveau. Als dat niet gebeurt, bestaat de kans dat men zichzelf aan de kant zet en zo een vrijgeleide geeft aan patronaat en andere (soms malafide) belangengroepen om de migratiestop verder te omzeilen of verder af te bouwen op een asociale en a-solidaire wijze. Veel politici leiden echter aan pleinvrees als het over migratie gaat. Dit is jammer aangezien het gevolg hiervan zou kunnen zijn dat de arbeidsmigratie (die er al is of die nieuw georganiseerd zal worden) minder sociaal zal zijn dan wanneer men nu zelf initiatieven zou nemen op dat vlak.

Noten

[1] Hollifield, 1992a, 572-573.
[2] Lof, 1998, 21-23.
[3] Emmer en Obdeijn, 1998, 18.
[4] cf. HECKSCHER, E.F. (1950), *Readings in the theory of international trade*, R.D. Irwin,

Homewood; OHLIN, B. (1933), *Interregional and international trade*, Cambridge University Press, Cambridge; SAMUALSON, P.A. (1948), *International trade and the equalization of factor prices* in *The Economic Journal*, 163-184, juni.

5   Schmitt-Rink, 1992; Straubhaar, 1988, 19-20.

6   UNDP (1992), *Human Development Report 1992*, Oxford University Press, 57-66. cf. Wets, 1999, 170.

7   Tims, 1990; Fisher, e.a. 1991. Zie ook KEMP, M. (1993), *The welfare gains from international migration*, in *Keio Economic Studies* 30, 1-5.

8   Wets, 1999, 171.

9   WILLIAMSON, J. (1995), *The evolution of global labour markets since 1830: background, evidence and hypotheses*, in *Explorations in economic history* 32 en ID. (1996), *Globalisation, convergence, and history*, in *The Journal of economic history* 56, nr. 2. We volgen de bespreking van Stalker, 2000, 11-17.

10 Stalker, 2000, 91.

11 Lucas, 1999, 122-124; Stalker, 2000, 35-57.

12 Stalker, 2000, 48-49, 57.

13 Teitelbaum, 1992; Wets, 1999, 190-191; Vandaele, 1999, 45-46.

14 Weiner, 1999, 204. Hiermee zit Weiner op dezelfde lijn als het klassieke liberalisme van Adam Smith tot John Stuart Mill. Ook zij zien in dat er een grondig verschil is tussen het vrij verkeer van goederen en kapitaal, en het vrij verkeer van mensen. Om de migratiebeperkingen te rechtvaardigen valt het liberalisme terug op mercantilisme. (Hollifield, 1992a, 572)

15 Brubaker, 1989; Hammar, 1990; Layton-Henri, 1990; Bauböck, 1994; Sassen, 1996; 1999b, 144-149; Jacobson, 1996; Castles, 2000 en 2000a. Voor meer info over de *Human rights of migrant workers*: http://www.december18.net/frontpage.htm, http://www.unhchr.ch/html/menu3/b/m_mwctoc.htm.

16 *The Economist*, 06-05-2000, 15-16, 21-25.

17 Hollifield, 1992a, 569-570; 1998. Zie ook KEOHANE, R.O en NYE, J.S. (eds.) (1972), *Transnational relations and world politics*, Harvard university press, Cambridge (Mass.) en KEOHANE, R.O. (ed.) (1986), *Neorealism and its critics*, Columbia university press, New York.

18 René Boomkens in de inleiding van Sassen, 1999, 9.

19 Stalker, 2000, 8. Zie ook PINXTEN, R. (1994), *Culturen sterven langzaam. Over interculturele communicatie*, Antwerpen, Hadewijch.

20 Richmond, 1994, 121 en Foblets, 1999, 296.

21 Sassen, 1996.

22 Guiraudon en Lahav, 2000, 164; Joppke, 1998; Brochman, 1998; Brochmann en Hammar, 1999; Baldwin-Edwards en Schain, 1994; Freeman, 1994 en 1995; Cornelius e.a., 1995; Miller, 1994.

23 Voor enkele kanttekeningen hierbij cf. Stalker, 2000, 1-10. Men kan zich alvast afvragen waarom men de inspanningen levert om een restrictieve migratiepolitiek te ontwikkelen, als de globalisering, zoals dikwijls voorgesteld door haar apologeten, toch een positief en oncontroleerbaar gebeuren is.

24 In dat verband moet op de paradoxale situatie binnen de EU gewezen worden: aan de ene kant zijn er de inspanningen voor het vrij verkeer, aan de andere kant zijn er de beperkende restrictieve regelingen voor de immigratie. Richmond, 1994, 64; Dowty, 1987; Gibney (ed.), 1988.

25 Salt en Fort, 1993, 206-207; Stalker, 1004 en 2000.

26 Sassen, 1998.

27 Obdeijn, 1998, 93. Dit geldt in mindere mate voor België want in België zijn er relatief weinig immigranten uit de kolonie. De Kongolezen hebben immers nooit het Belgisch staatsburgerschap gekregen.

28 Sassen, 1999, 67, 77; Vandaele, 1999, 61, 113.

29 PORTES, A. (ed.) (1995), *The economic sociology of immigration : essays on networks, ethnicity, and entrepreneurship*, Russel Sage Foundation, New York; KINCAID, A.D. en PORTES, A. (eds.) (1994), Comparative national development : society and economy in the new global order, University of North Carolina, Chapel Hill (N.C.); PORTES, A. e.a. (eds.) (1989), *The informal economy : studies in advanced and less developed countries*, John Hopkins university press, Baltimore. Voor Sassen cf. bibliografie.

[30] Sassen, S., *Immigration Policy in a Global Economy*, Twentieth Century Fund, New York aangehaald in Sassen, 1999, 67, 77.

[31] Sassen, 1998, hoofdstuk II; 1999, 69-70.

[32] Sassen, 1999, 85.

[33] Vandaele, 1999, 14, 60-61.

[34] Hollifield, 1998.

[35] Hollifield, 1998.

[36] Sassen, 1999, 64 e.v.; Sassen, 1999a, 19; Adelman, 1999, 98; Stalker, 2000, 1, 9-10, Vandaele, 1999, 58 e.v..

[37] Sassen, 1996; Bauböck, 1994; Soysal, 1994; Jacobson, 1996 en Castles, 2000.

[38] Guiraudon en Lahav, 2000, 176-188.

[39] Hollifield, 1998.

[40] Guiraudon en Lahav, 2000, 167-168.

4. Het pleidooi voor arbeidsmigratie vanuit een ongenoegen met het huidige beleid

4.1 Arbeidsmigratie als middel om de economische motieven om te migreren ernstig te nemen

Het onderscheid tussen vluchtelingen en migranten en tussen gedwongen en vrijwillige migratie is niet altijd even duidelijk. Er zijn maar weinig mensen die zomaar have en goed verlaten, volledig uit vrije wil. Migreren heeft altijd goede redenen en die kunnen objectief en/of subjectief zijn.[1] Veelal gaat het om verschillende redenen die elkaar versterken. De jongste tijd hoort men vaak spreken over 'economische vluchtelingen'. Zij verschillen van de arbeidsmigranten in die zin dat ze niet ingaan op een officiële vraag van de arbeidsmarkt, maar zelf initiatief nemen om te vertrekken naar een ander land, in de hoop er wat geld te kunnen verdienen en een beter bestaan op te bouwen.

Zeer veel mensen migreren, op zoek naar een beter leven, maar de economische motieven worden bijna nooit serieus genomen: nergens staat op papier dat mensen die 'exclusief' op de vlucht zijn wegens economische redenen moeten toegelaten worden. We zetten exclusief tussen aanhalingstekens omdat dit moeilijk letterlijk gelezen kan worden. Meestal zijn verschillende determinanten aan het werk. In veel gevallen is de slechte economische situatie onmogelijk te scheiden van politieke, sociale en klimatologische omstandigheden. Het onderscheid tussen conventievluchtelingen en economische vluchtelingen is tot op zekere hoogte artificieel en daarom volgens sommigen onhoudbaar. Iemand die het land verlaat omdat het er financieel moeilijk haalbaar is, kan nergens heen. Iemand die zich in dezelfde omstandigheden eerst aansluit bij een verboden vakbond die strijdt voor meer sociale rechtvaardigheid en al verschillende keren in botsing is gekomen met de overheid, maakt meer kans. De grondoorzaken waarvoor men vlucht zijn echter dezelfde, alleen de omstandigheden en concrete modaliteiten verschillen.

Op 2 augustus 1999 werden op Zaventem in het wielruim van een Sabena-toestel twee lijken gevonden van twee jongeren uit Guinee. Yaguine Koita en Fodé Tounkara werden pas ontdekt na verschillende tussenlandingen en waren omgekomen door zuurstoftekort en vorst. Ze hadden een brief bij zich aan de Europese excellenties die de problematiek van de economische vluchtelingen schrijnend naar voren bracht. Uit deze brief blijkt dat er geen duidelijke scheiding is tussen vrijwillig en gedwongen vertrek, waardoor ook het onderscheid tussen economische en socio-politieke determinanten in veel gevallen twijfelachtig wordt.

Het asielbeleid houdt zich aan de Conventie van Genève. Dit betekent dat economische motieven geen recht geven op bescherming. Het conceptuele onderscheid tussen conventievluchtelingen en andere vluchtelingen is theoretisch en bevindt zich op 'een glijdende schaal'.[2] Dit zal het beleid ook wel toegeven, maar toch denkt men dat men het onderscheid in de praktijk kan handhaven. De migratierealiteit biedt voldoende elementen en argumenten die de exclusieve bescherming van conventievluchtelingen kunnen rechtvaardigen. De meeste economische vluchtelingen behoren immers niet tot de meest hulpbehoevenden, want de echt economisch zwakkeren die kunnen niet vluchten. De praktijk leert ook dat veel economische vluchtelingen vooral gedreven worden door de pullfactoren (ook al is dit niet noodzakelijk zo) terwijl de conventie-vluchtelingen door pushfactoren tot migratie gedreven worden. Vanuit die vaststellingen vindt het beleid het onderscheid dat ze maakt wel gerechtvaardigd.

Niet iedereen is het eens met het onderscheid dat het beleid hanteert. 'Wat maakt het tenslotte uit of je leven door oorlog of politieke vervolging direct in gevaar is, of je er diep van overtuigd bent dat je in de gegeven sociale en economische omstandigheden geen minimaal menswaardig bestaan kan leiden?' zo vraagt Ludo Abicht zich af.³ Enzensberger beschouwt het onderscheid tussen economische en conventievluchtelin-gen al als een soort anachronisme: het valt immers moeilijk te ontkennen dat de verpau-pering van hele continenten politieke oorzaken heeft.⁴ Dergelijke critici hekelen eigen-lijk het 'ethisch dualisme' dat volgens hen uit het discours van veel beleidsmakers spreekt.⁵ Dit ethisch dualisme wordt dikwijls, al dan niet bewust, door de berichtgeving in de pers en media bevestigd. Het gewraakte dualisme zou een illegitiem en verouderd onderscheid instandhouden tussen de 'goede' vluchtelingen die onder de Conventie vallen aan de ene kant en de economisch 'slechte' vluchtelingen aan de andere kant. Deze laatsten zijn niet welkom. Wie het toch waagt, moet daar dikwijls zwaar voor boeten: opsluiting, een uitwijzingsbevel en soms gedwongen repatriëring, stigmatise-ring en criminalisering. De enige zonde waarvoor ze moeten boeten is dat ze op zoek zijn naar een beter leven in het rijke westen.

Het gebrek aan alternatief voor de economische vluchtelingen is voor sommigen een argument om naast de asielprocedure een toegang mogelijk te maken. (cf. infra) Enkel en alleen omdat er in Europa vooralsnog voor economische vluchtelingen geen plaats is, moet men zich verschuilen in containers in schepen, illegaal met vrachtwa-gens meeliften, levensgevaarlijke tochten ondernemen in de meest gammele bootjes, enzovoort.

Zij die ervoor pleiten dat ook de economische motieven gehonoreerd zouden wor-den, doen dit vanuit een morele bekommernis. Vanuit een puur ethisch standpunt is het immers moeilijk om te legitimeren dat economische vluchtelingen niet worden toegela-ten en dat economische motieven niet voldoende zijn voor immigratie. Het valt moreel niet te rechtvaardigen dat iemand puur op basis van geboorte minder kansen krijgt dan iemand anders. Dit is discriminatie en druist in tegen elke elementaire notie van recht-vaardigheid en solidariteit. Het is toch niet abnormaal of misdadig dat men zijn land verlaat uit armoede of omdat men denkt zijn situatie te kunnen verbeteren? Vanwaar dan het recht om een Afrikaan te verhinderen een poging te ondernemen om zijn lot te verbeteren door te migreren naar Europa? Deraeck verwijst naar een lezing uit 1992 van Sadako Ogata, de toenmalige Hoge Commissaris voor de Vluchtelingen van de VN, waarin zij ervoor pleit dat er naast een beschermend beleid voor mensen die op de vlucht zijn voor oorlog en vervolging, ook een serieus nieuw migratiebeleid moet komen voor het probleem van mensen die om economische en sociale redenen hun land verlaten.[6] Sommigen menen dat arbeidsmigratie voor een deel aan de genoemde ethische bekommernis tegemoet zou kunnen komen.

Maar de ethiek botst, zoals dat wel meer gebeurt, met de realiteit. Het meest wenselijke is niet in overeenstemming te brengen met het concreet haalbare. Het is een illusie dat het invoeren van arbeidsmigratie aan de noden van alle economische vluchtelingen tegemoet zal kunnen komen. Praktisch gezien is het onmogelijk iedereen te helpen door toelating. In januari 1997 bestond er voor de VS een wachtlijst van 3,6 miljoen om binnen de vooropgestelde quota permanent naar de VS te kunnen immigreren.[7] Men kan als land onmogelijk aan de migratieverlangens van alle individuen voldoen. Voor Hans Dijkstal, de voormalige minister van Binnenlandse Zaken in Nederland, betekende het afwijzen van Europa als immigratiecontinent in wezen de erkenning dat niet elke vorm van individuele nood bij ons in het westen kan worden opgelost: de economische omstandigheden kunnen mensen in nood brengen, toch kan die nood van mensen niet altijd doorslaggevend zijn voor hun toelating.[8] Toon Vandevelde is zich bewust van die beperking maar schuift de denkpiste daarom nog niet opzij. Het toelaten van meer migratie, ook op basis van economische motieven, is volgens hem een vorm van solidariteit met enkele van de velen die het minder goed hebben en die daaraan iets willen veranderen door migratie. Het zou een concrete oplossing zijn voor *een aantal* mensen, maar Vandevelde beschouwt het ook als een symbolisch teken dat we de grote nood van velen niet langer zomaar ignoreren.[9]

Hoe kunnen we die argumentatielijn beoordelen? Het is inderdaad zo dat enkel de asielprocedure en de familiemigratie als mogelijkheden voor migratie bestaan, en dat hierdoor de motieven van andere migranten, de zogenaamde economische vluchtelingen niet serieus worden genomen. Het valt moeilijk te ontkennen dat ze dikwijls in een wel zeer eenzijdig negatief daglicht komen te staan. Ze worden (overigens niet alleen door het Vlaams Blok) als 'profiteurs' beschouwd die onterecht hun voordeel komen zoeken in Europa. Het zijn gelukzoekers die met onzuivere motieven een beroep doen op het asielrecht en zich heel goed bewust zijn van de hier bestaande sociale voorzieningen waarvan ze kunnen profiteren. Ze worden afgeschilderd tegen een achtergrond van marginaliteit en criminaliteit.

Tegen dit beeld van economische vluchtelingen wordt terecht gereageerd. Alles wat met migratie te maken heeft, baadt in een negatief discours waardoor allerlei doembeelden in het leven geroepen worden en veel debatten op voorhand verziekt zijn. Het invoeren van arbeidsmigratie zou als een hefboom kunnen dienen om de migratie wat uit de negatieve sfeer te lichten. Door een deur te openen voor arbeidsmigratie zouden de economische motieven om naar Europa te komen bovendien niet langer als noodzakelijk illegitiem worden opzijgeschoven en zouden de economische motieven beter op hun merites kunnen worden beoordeeld.[10] Maar het is onjuist te denken dat door het invoeren van arbeidsmigratie men tegemoet kan komen aan de noden van alle economische vluchtelingen. Arbeidsmigratie is sowieso beperkt en zal afgestemd worden op de noden en het draagkracht van de gastlanden. Het kan dan enkel dienen als de druppel op de hete plaat die het geweten wat moet sussen.

Arbeidsmigratie heeft niets te maken met het recht op bescherming en de plicht tot asiel, het moet eerder beschouwd worden als een overeenkomst tussen de werkgevers, de betrokken overheden en de migranten. Wie echt vindt dat de economische motieven ook een voldoende reden moeten zijn om het recht op bescherming via asiel te bekomen, moet niet pleiten voor arbeidsmigratie maar voor een uitbreiding van de Conventie van Genève. Dit zal een enorme inspanning vragen en is politiek gezien moeilijk haalbaar. De vraag is of het ook wel zo wenselijk is dat de Conventie op die manier wordt uitgebreid.

4.2 Arbeidsmigratie als middel om de asielprocedure te ontlasten en als element in de strijd tegen de illegale migratie

De asielprocedure en -instanties zijn overbelast

Vanaf eind de jaren tachtig is het aantal asielaanvragen enorm gestegen waardoor de druk op de asielinstanties sterk is toegenomen. De asielproblematiek was de voorbije jaren in België en andere landen van de Europese Unie bij herhaling een politiek item. Zowel het aantal asielaanvragen als de manier waarop met de aanvragen werd omgegaan, hebben bij sommigen de indruk gewekt dat de toegangspoort voor migratie te nauw is. Slechts een klein percentage van het aantal asielzoekers is ook als vluchteling erkend op basis van het verdrag van Genève. Hieruit blijkt dat de meeste asielzoekers de asielprocedure dus (oneigenlijk) gebruiken in de hoop zo een verblijfsvergunning voor langere tijd te bekomen of voor korte tijd legaal in het gastland te kunnen verblijven. Sommige stellen dat zolang het aanvragen van asiel zowat de enige legale toegangsweg tot Europa is, misbruik onvermijdelijk zal zijn. Men voorspelt zelfs nog een toename van het aantal asielaanvragen, als het huidige migratiebeleid niet verandert.[11] Daarom wil men een extra deur openen naast de bestaande asielprocedure en de familiemigratie om migratieaanvragen te behandelen en om meer migranten toe te laten. Ook economische vluchtelingen zouden zo een kans maken hun lot in het westen te beproeven. Door de ontlasting van de asielprocedure zou het immigratiebeleid doorzichtiger kunnen worden gemaakt, zowel voor de potentiële migranten als voor de inwoners van het gastland.[12] Mensen die willen migreren maar niet in aanmerking komen voor de asielprocedure of familiemigratie weten meteen waar ze aan toe zijn: geen asiel aanvragen, geen deals met al dan niet malafide arrangeurs en mensensmokkelaars, geen schijnhuwelijk, maar hun kans wagen in het systeem van de arbeidsmigratie.

Volgens sommigen is het openen van een alternatief naast de asielprocedure ook de enige manier om het asielrecht in de toekomst te vrijwaren.[13] De procedure zit immers (over)vol, hoofdzakelijk met mensen die er niet thuishoren en waarvan men zegt dat ze de procedure 'misbruiken'. Het globaal erkenningspercentage in België bedroeg in

1998 12,8%, in 1997, 11,2%, in 1996 10,3% en in 1994 5,9%.[14] Volgens critici kan de asielprocedure in de huidige omstandigheden en met de middelen die nu voorhanden zijn enkel rechtvaardig worden georganiseerd als ze niet wordt overvraagd. Door de toegenomen druk op de bestaande asielprocedure voelt men zich genoodzaakt om een restrictief beleid te voeren, waar ook de echte vluchteling het slachtoffer van is. Doordat men de muren van het Fort Europa zo hoog en stevig optrekt, wordt het voor iedereen onmogelijk Europa binnen te komen, ook voor de vluchteling.

Het is twijfelachtig en nog steeds niet aangetoond dat de bovenstaande redenering klopt. Landen met een immigratiesysteem blijven dikwijls ook geconfronteerd met een groot aantal asielzoekers waarvan maar een kleine minderheid als vluchteling wordt erkend. Vandaar dat het op de eerste plaats belangrijk is dat men de asielproblematiek als een eigenstandig probleem beschouwt, dat voor zichzelf en intern naar een oplossing moet zoeken, los van het feit of er al dan niet een beleid voor arbeidsmigratie wordt uitgevoerd. Het nabije verleden toont aan dat het mogelijk is de asielinstanties vlot te laten werken als men bereid is op dat terrein enkele maatregelen door te voeren. We gaan hier nog even verder op in.

Uit een analyse van het aantal asielzoekers per EU-land, de herkomst van de asielzoekers en hun relaas blijkt dat de instroom van asielzoekers sterk wordt bepaald door pullfactoren in het onthaalland (cf. supra) In 1999 was ongeveer 70% van de asielzoekers uit de ex-Sovjet-Unie en Oost-Europa afkomstig. Hoewel dit moeilijk te achterhalen is, kan men vermoeden dat de duur van de asielprocedure, de wijze van de organisatie van het onthaal, de mogelijkheid om financiële steun te bekomen, de mogelijkheid tot legale of illegale tewerkstelling en de aanwezigheid van netwerken voor de organisatie van de migratie dikwijls een meer doorslaggevende rol spelen dan de pushfactoren die te situeren zijn in het land van herkomst, met uitzondering voor een aantal bijzondere situaties of brandhaarden (de problematiek van de Roma, de burgeroorlogen in Bosnië-Herzegovina, Kosovo of Rwanda).

In België is er in de jaren negentig op twee momenten sprake geweest van een situatie waarbij het aantal asielzoekers sterk is toegenomen en de bevoegde instanties niet meer in staat bleken de dossiers binnen redelijke termijn te behandelen. Na 1988 is het aantal asielaanvragen per jaar gestegen van 4.474 tot 26.414 in 1993. In dat jaar heeft de minister van Binnenlandse Zaken L. Tobback enkele maatregelen genomen, waaronder de toekenning van bijkomend personeel aan de betrokken instanties, het oprichten van detentiecentra en het invoeren van de notie 'kennelijk ongegrond'. Na 1993 is het aantal aanvragen snel afgenomen (14.564 in 1994 en minder dan 12.000 in 1995). De daaropvolgende jaren werden de meeste nieuwe asielaanvragen binnen korte termijn behandeld en werd de in 1992 en 1993 opgelopen achterstand zo goed als volledig weggewerkt. In die periode bleken de asielinstanties in staat om de instroom van asielzoekers op een behoorlijke manier te verwerken. Maar vanaf de tweede helft van 1998 is het aantal asielzoekers opnieuw sterk toegenomen en is het blijven stijgen tot 35.778 aanvragen in 1999 en 42.690 in 2000. Dit is een bijzonder hoog aantal, zeker en vast wanneer men dit vergelijkt met het aantal asielaanvragen in de andere landen van de Europese Unie. Zowel in absolute cijfers als in vergelijking met de totale bevolking van elk land behoort België bij de koplopers. Ook in dit geval blijken de oorzaken voor de sterke instroom voornamelijk te zoeken in factoren die te situeren zijn in het onthaalland (België) en het feit dat netwerken voor de organisatie van de migratie of mensensmokkel snel op die pullfactoren inspelen. België was extra aantrekkelijk geworden doordat er vanaf 1998 in het beheer van de asieldossiers opnieuw een probleem was ontstaan (voornamelijk te wijten aan een tekort van management op het commissariaat-generaal voor de vluchtelingen en staatslozen, waar ondanks de toekenning van bijkomend personeel het aantal beslissingen voortdurend gedaald is), waardoor men via de asielprocedure opnieuw voor langere tijd een legaal verblijf kon bekomen. Bovendien konden de asielzoekers in België rekenen op een relatief gul systeem van opvang (dat extra aantrekkelijk geworden was ten gevolge van een arrest van het Arbitragehof, waardoor een afgewezen asielzoeker ondanks een uitvoerbare eindbeslissing in de asielprocedure toch nog steun kan bekomen in geval van een procedure voor de Raad van State).

Eind 1999 en begin 2000 zijn opnieuw enkele maatregelen genomen. Er werd een nieuwe commissaris-generaal aangeduid en er is aan het opvangbeleid gesleuteld. Volgens de regering Verhofstadt trok het makkelijk te verkrijgen OCMW-geld te veel vreemdelingen aan. Vanaf januari 2001 zou geen enkele nieuwkomer in de asielprocedure nog OCMW-steun mogen ontvangen vooraleer men ontvankelijk verklaard is. De minister van Maatschappelijke Integratie J. Vande Lanotte heeft hiertoe enkele maatregelen uitgewerkt. Kandidaat-vluchtelingen worden in de ontvankelijkheidsfase in opvangcentra ondergebracht. Men wil zich in de toekomst vooral op de materiële hulp concentreren in plaats van de mensen cash uit te betalen. De nadruk op de materiële steun moet bijdragen aan de kwaliteit van de opvang, maar moet ook duidelijk maken dat er hier voor asielzoekers, mensensmokkelaars en huisjesmelkers minder te rapen zal vallen.

Niet iedereen is er dus van overtuigd dat het misbruik van de asielprocedure moet aangepakt worden door een extra immigratiekanaal te institutionaliseren. Voor de asielproblematiek moeten veeleer interne oplossingen uitgewerkt worden: dat dit mogelijk is, blijkt uit de praktijk in andere landen en de resultaten van midden de jaren negentig in België.

Illegale instroom

In Europa staat bijna het volledige migratiebeleid in het teken van de strijd tegen de illegale migratie[15]: er worden migratieagenten uitgestuurd naar die landen waar veel asielzoekers vandaan komen, er worden boetes opgelegd aan vervoersmaatschappijen die illegalen het land binnenbrengen, de buitengrenzen worden bewaakt, men heeft een identificatiesysteem ontwikkeld – het Schengen-Informatie-Systeem (SIS) – om te vermijden dat in verschillende landen een asielaanvraag wordt gedaan. Bekend en berucht is ook Eurodac (1993): het systeem voor uitwisseling van vingerafdrukken van asielzoekers op Europees niveau, er is politiesamenwerking en de uitwerking van een wetgeving om koppelbazen en trafikanten te bestraffen en het sluitstuk is het uitzettings- en terugnamebeleid. Hiertoe werden zowel met herkomstlanden als met doorreislanden, terugnameovereenkomsten afgesloten.

Omdat de asielprocedure quasi de enige toegangspoort is, als men geen beroep kan doen op gezinshereniging of gezinsvorming, proberen velen illegaal Europa binnen te komen. De voorstanders van een extra procedure naast de asielprocedure en de familiemigratie verwijzen dan ook graag naar die illegale instroom. Men speculeert erop dat die instroom zou verminderen omdat de migranten die weten dat ze niet voor asiel in aanmerking komen maar toch naar West-Europa willen migreren of in West-Europa willen blijven dit dan ook op een legale wijze zouden kunnen proberen. De Wiardi Beckmanstichting die voor het invoeren van quota verwijst naar de mogelijke vermindering van de illegale instroom en het oneigenlijk gebruik van de asielprocedure, voegt er eerlijkheidshalve aan toe dat het volledig uitbannen van illegale immigratie een illusie is. Deze illusie moet publiekelijk, ook door politici, bestreden worden.[16] Meestal is men er zich dus wel van bewust dat de illegale immigratie onmogelijk helemaal zal verdwijnen maar het repressieve beleid kan dat toch evenmin?[17] Het is precies vanuit het ongenoegen met het eenzijdig Europese afschrikkingsbeleid dat sommigen voorstellen om een migratiebeleid op basis van vastgelegde quota in te voeren.

Voor een voorbeeld van de effectiviteit van dergelijk systeem verwijst Doomernik naar de situatie in Duitsland.[18] Na het ineenstorten van de Sovjet-Unie hadden etnische Duitsers (*Aussiedler*) en joden het recht zich in Duitsland te vestigen. Na enige tijd (1993) zorgde die vrije migratie voor capaciteits- en opvangproblemen en ging de overheid ertoe over om migranten vóór hun vertrek een aanvraag te laten indienen en hen volgens jaarlijkse quota toe te laten. Hoewel dit tot omvangrijke wachtlijsten leidde, gingen de meeste aanvragers niet over tot illegale *queue jumping*. Dat dit mechanisme werkt heeft mede te maken met het feit dat de migranten de garantie krijgen dat ze op een zeker moment toegelaten zullen worden en met het feit dat Duitsland een effectief uitzettingsbeleid hanteert ten aanzien van migranten die zich zonder toestemming in Duitsland bevinden.[19]

Het probleem van de Illegaliteit wordt niet opgelost door arbeidsmigratie toe te laten

Velen zijn niet overtuigd van het argument dat het openen van een nieuwe procedure voor migratie de illegale instroom zou verminderen. Demograaf John Salt stelt een tendens vast dat Europa vanuit een economisch perspectief voornamelijk hooggeschoolden wil toelaten. Maar de ontwikkelingslanden die met een demografisch overschot af te rekenen hebben, zullen voornamelijk laaggeschoolden laten emigreren. Hij voorspelt dan ook dat de illegale migratie zal toenemen en dat deze migranten hun niche zullen vinden in de (informele) dienstensector van de ontwikkelde landen.[20] Als

Salt gelijk heeft, is meteen duidelijk dat wie enkel (hoog)geschoolde migranten wil toelaten, de illegale migratie niet zal verminderen.

Het geliefde voorbeeld is de situatie in de VS. Voor de VS zijn er wereldwijd meer dan 3 miljoen wachtenden om binnen de vooropgestelde quota permanent naar de VS te kunnen immigreren. Wanneer alle immigratiemogelijkheden zijn opgebruikt, verschuiven de overblijvende aanvragen naar het volgende fiscaal jaar. Velen blijven niet wachten in eigen land maar wagen hun kans met een tijdelijk visum of zonder papieren. De VS schatten het aantal illegale *border-crossings* aan de Mexicaanse grens op een kleine 4 miljoen, waarvan er ongeveer 1/4 wordt tegengehouden en teruggestuurd. Er zijn ongeveer 2 à 300.000 illegale immigranten per jaar die in de VS blijven. Op 15 december 1998 meldt de *New York Times* dat de VS sinds de nieuwe immigratiewet van 1997 al 300.000 illegale immigranten heeft uitgezet. De meesten waren het land wettelijk binnengekomen, met een toeristenvisum. De overgrote meerderheid was afkomstig van Mexico. Hoewel zij een ruimer immigratiebeleid kennen, is het probleem van de illegale immigratie er even sterk als in Europa. Factoren als de toegankelijkheid, de geografische ligging en vooral het loonverschil met buurland Mexico zijn belangrijke redenen hiervoor. Ondanks een gelijkaardig systeem heeft Canada immers veel minder illegalen dan de VS, mede doordat Canada niet grenst aan dichtbevolkte armere streken. In de omstandigheden van de VS kan een selectief toelatingsbeleid geen oplossing bieden voor de illegale instroom. De VS laat vooral hooggeschoolden en migranten uit landen met een lage emigratiegraad toe, waardoor de migratiedruk slechts zeer selectief vermindert. Wanneer er arbeidsmigratie toegelaten zou worden gaat het steeds – tenzij men voor volledig open grenzen pleit – om een wel bepaald aantal. Dit betekent concreet dat de meesten eigenlijk uit de legale migratieboot zullen (blijven) vallen, en er is geen enkele reden om aan te nemen dat die mensen minder op illegale wijze hun kans zouden wagen omdat er een systeem van arbeidsmigratie bestaat.

Als het profiel van de mensen die zich kunnen inschrijven voor het programma van arbeidsmigratie niet overeenkomt met dat van zij die nu illegaal migreren en illegaal tewerkgesteld zijn, zal de arbeidsmigratie de illegale migratie niet doen verminderen, maar gewoon een supplementaire toegangspoort vormen. Werknemers die om gelijk welke reden geen beroep willen doen op legale arbeid, zullen illegalen blijven aantrekken. Dit probleem kan enkel opgelost worden door maatregelen te nemen op de arbeidsmarkt zelf. We schreven al dat sectoren die illegalen tewerkstellen omdat ze anders niet kunnen overleven nood hebben aan een economische screening.

Het invoeren van arbeidsmigratie kan misschien enig effect hebben als er gericht gerekruteerd wordt.[21] Zo zou men ervoor kunnen opteren vooral in die landen te rekruteren die veel asielzoekers en illegale migranten genereren. Dit gebeurt nu ook al. Duitsland laat veel tijdelijke seizoenarbeiders, grensarbeiders en contractwerkers toe uit de Oost-Europese buurlanden van waaruit de migratiedruk vrij groot is. (cf. infra) Ook Spanje onderhandelt hoofdzakelijk met Marokko over de legale migratie van een jaarlijks contingent seizoenarbeiders. Zeer veel illegalen in Spanje zijn immers afkomstig van Marokko en Spanje hoopt op die manier de illegale instroom te verminderen. Het arbeidsmigratiebeleid kan ook worden gekoppeld aan een effectiever uitwijzingsbeleid. In dat opzicht is het van belang dat de gastlanden rekruteringsakkoorden afsluiten met landen die zich coöperatief opstellen bij het terugnemen van illegalen. Readmissie-akkoorden kunnen eventueel zelfs als voorwaarde gesteld worden vooraleer met het land van herkomst verder over emigratiemogelijkheden te onderhandelen. Op die manier kan er een lijst van prioriteitslanden worden opgesteld.

Enkel als er uiterst gericht wordt gerekruteerd, kan het invoeren van arbeidsmigratie misschien en maximum tot op zekere hoogte de illegale migratie en het aantal asielzoekers verminderen, maar men moet hieromtrent geen ijdele hoop koesteren. De illegalen zullen ook in een migratiesysteem met meer arbeidsmigratie een pijnpunt blijven en de vraag naar regularisatie om humanitaire redenen of uitwijzing zal zich blijven stellen. Arbeidsmigratie toelaten of niet, illegale migratie en illegalen zullen er altijd zijn en het is goed dat men zich daar bewust van blijft. Bovendien moet men er ook rekening mee houden dat het openen van een nieuwe poort voor migratie de illegale migratie kan doen toenemen. Sociale netwerken spelen in dit verband een belangrijke rol. Indien dat niet onder controle blijft, krijgt men niet minder, maar meer illegale migratie. Elk systeem van tijdelijke migratie moet ook rekening houden met illegale blijvers wat opnieuw de vraag naar regularisatie met zich mee kan brengen.

Sommigen stellen dat arbeidsmigratie een consequent en restrictief optreden naar illegalen toe meer legitimiteit geeft: zowel de illegale migranten als de werkgevers die illegalen tewerkstellen kunnen worden gewezen op de legale kanalen voor migratie en werving.[22] Het uitzettings- en weringsbeleid van personen die irregulier migreren en illegaal verblijven, zou dan misschien effectiever maar vooral geloofwaardiger aangepakt kunnen worden dan nu het geval is. Anderen vinden dat een restrictieve aanpak wat absurd wordt eenmaal men besloten heeft om opnieuw meer migratie toe te laten. Hoe moet men bijvoorbeeld verantwoorden dat men met veel moeite vijf illegale migranten het land uitzet, terwijl er langs een ander kanaal veel meer migranten legaal worden toegelaten? Men zal dus moeten uitmaken of illegale vreemdelingen al dan niet een aanvraag mogen doen om in het arbeidsmigratiesysteem opgenomen te kunnen worden, en als dusdanig hun situatie kunnen regulariseren. Dergelijk systeem is weinig voor de hand liggend omdat het waarschijnlijk contraproductief is, althans voor zover het de illegale migratie niet afremt, maar eerder stimuleert. In plaats van een oplossing te bieden voor het probleem van de illegale migratie zou het kunnen dat dergelijk systeem het probleem alleen maar vergroot.

Ook al is het invoeren van arbeidsmigratie geen voldoende middel in de strijd tegen de illegale immigratie, de manier waarop arbeidsmigratie wordt georganiseerd, moet minstens van die aard zijn dat het mensen (zowel de buitenlandse werknemers als de lokale werkgevers) aanspreekt om van het legale systeem gebruik te maken. Aan de migrant moet duidelijk worden gemaakt dat arbeidsmigratie langs de geïnstitutionaliseerde weg veel meer bescherming biedt, waardoor het aantrekkelijker is dan illegale migratie en dito tewerkstelling. Door arbeidsmigratie te institutionaliseren kan de staat bovendien zichzelf beschermen, in die zin dat het een element kan zijn om de illegale instroom ten dele in legale beddingen te kanaliseren.

Conclusie

Een overbelaste asielprocedure en illegale immigratie zijn niet wenselijk. Sommigen geloven dat een creatief immigratiebeleid waarvan arbeidsmigratie één van de pijlers kan zijn, althans gedeeltelijk aan deze problematiek tegemoet kan komen. Over de effecten van het instellen of verruimen van een nieuwe toelatingsprocedure naast de asielprocedure op het aantal asielaanvragen en illegalen is nog maar weinig geweten. De meeste voorstanders van het openen van een extra toegangspoort drukken zich veiligheidshalve dan ook meestal uit in de voorwaardelijke wijs. Wel is het duidelijk dat een zeer groot percentage van de mensen die nu in de asielprocedure (vast)zitten daar eigenlijk niet thuishoren. De meeste mensen die naar Europa komen, willen hier een inkomen verwerven dat hoger is dan wat men in de thuislanden kan verdienen, als men er al iets kan verdienen.

Een systeem voor arbeidsmigratie blijkt in andere landen niet echt veel effect te hebben op de illegale instroom en de hoeveelheid asielzoekers. Er kunnen hiervoor verschillende redenen zijn. Vooreerst gaat het om verschillende doelgroepen. Het is lang niet zeker dat de mensen die in aanmerking zouden komen om te migreren via het officiële kanaal voor arbeidsmigratie dezelfde mensen zullen zijn die nu illegaal of via de asielprocedure proberen te migreren. Bovendien zal de kans dat men niet toegelaten wordt bijna even groot zijn als nu, want de voorgestelde quota zullen zeer klein zijn in vergelijking met het migratiepotentieel. Zolang het mogelijk en aantrekkelijk genoeg blijft om op een illegale wijze of via de asielprocedure een poging tot migratie te ondernemen zal men dat ook blijven doen, niets wijst erop dat dit anders zou zijn als er een extra, maar kleine poort voor arbeidsmigratie zou worden geopend. Er zijn veel factoren die bepalen dat men uiteindelijk toch vertrekt. De pullfactoren spelen hierbij een grote rol: de mogelijkheid om te overleven, de kans dat men niet wordt opgepakt, de duur en de organisatie van de asielprocedure, de aanwezigheid van illegale tewerkstelling, het verschil in levensstandaard en loon, de aanwezigheid van landgenoten, enzovoort. (cf. supra)

Het probleem blijft ook, dat de selectie van arbeidsmigratie normaal niet in het gastland zelf gebeurt. Als men de selectie in de landen van herkomst organiseert, zullen er migranten blijven komen, alleen al om hun kans te wagen en omdat ze, eenmaal hier, ook in de illegaliteit kunnen onderduiken. Als de migranten ook hier voor het programma kunnen intekenen creëert men een aanzuigeffect want dat betekent dat illegalen hier permanent hun statuut kunnen regulariseren.

Het openen van een extra poort kan niet als een alternatief voor het huidige beleid dienen: het probleem van de ongewenste migratie, een overvolle asielprocedure, uitwijzing of regularisatie zullen zich blijven stellen. De asielproblematiek staat voor een groot stuk op zichzelf en moet intern naar een oplossing zoeken: efficiëntere procedure, management, readmissie-akkoorden met landen van herkomst enzovoort. Of er al dan niet een kleine poort geopend wordt voor arbeidsmigratie zal hier niet veel toe bijdragen. Hetzelfde geldt voor de illegale migratie. Als men die wil aanpakken moet niet in de eerste plaats worden gedacht aan een mogelijkheid tot legale arbeidsmigratie. Er moet een integraal en consequent beleid worden gevoerd dat verschillende factoren tegelijk aanpakt. Dit betekent ondermeer naast maatregelen tegen illegale grensover-schrijding, ook optreden tegen illegale tewerkstelling.

Het toelaten van arbeidsmigratie kan eventueel wel de legitimiteit van de uitwijzing van mensen die de asielprocedure oneigenlijk gebruiken of illegaal binnenkomen, verhogen. Men kan dan verwijzen naar die andere migratiemogelijkheid. Het lijkt er sterk op dat het uitwijzingsbeleid nood heeft aan dergelijke verhoogde legitimiteit. Uitwijzingen zijn immers zeer delicate materie en repressief staatsoptreden wordt door een deel van de publieke opinie met argusogen gevolgd.

Tot slot herhalen we dat arbeidsmigratie geen oplossing biedt voor illegale tewerk-stelling, zolang het informele circuit blijft bestaan. De strijd tegen illegale tewerk-stelling, zowel van autochtonen als van allochtonen, moet op verschillende maatrege-len steunen op het werkveld zelf. De arbeidsmigratie moet gepaard gaan met enkele concrete maatregelen op het terrein ter bestrijding van illegale arbeid, zoniet zal het niet zwaar genoeg wegen als middel tegen de illegale tewerkstelling. Het toelaten, of beter het kanaliseren van arbeidsmigratie kan hoogstens een klein element zijn in een veel breder opgezet beleid.

Noten

[1] Richmond, 1994, 48, 58 en Ramakers, 1992, 11-14.
[2] Wets en Caestecker, 2001.
[3] Abicht, 1999, 3. Quasi letterlijk hetzelfde wordt verwoord door Cohn-Bendit, 1995.
[4] Enzensberger, 1999, 48-49. Voor meer info over het ideologisch en politiek geladen onder-scheid tussen vluchtelingen, economische vluchtelingen en arbeidsmigranten cf. Richmond, 1994.
[5] Duriez, 1999, 101.
[6] Deraeck, 1994, 126.
[7] SOPEMI, 1999, 224.
[8] Dijkstal, 1998, 162-163.
[9] Vandevelde, 1999, 114.
[10] Ramakers, 1992, 17-18; GroenLinks, 1999, Vidal, 1999, 123.
[11] o.a. Johan Wets, geciteerd in Vandaele, 1999, 95.
[12] cf. o.a. Cohn-Bendit en Schmid, 1995; Doomernik e.a., 1996; WBS, 1993, 30-32; Ramakers, 1992, 17-18; Vandevelde, 1999, 113; Vidal, 1999, 123; Van der Auweraert, 2000, 639.
[13] Vandevelde, 1999, 113; Van der Auweraert, 2000, 639.
[14] Elfde jaarverslag van het Commissariaat-generaal voor de Vluchtelingen en de Staatslozen, werkingsjaar 1998, 22.
[15] cf. Freeman, 1994; Brochmann, 1998; Brochmann en Hammar, 1999 en Miller, 1994; 1999.
[16] WBS, 1993, 31.
[17] cf. Cohn Bendit, 1995.
[18] Doomernik e.a., 1996, 67.
[19] Joden die illegaal het land zijn binnengekomen, worden om historisch begrijpelijke redenen niet uitgezet, maar blijven verstoken van een zekere verblijfstitel. cf. Doomernik, J., Imple-menting an Open-Door Policy. Soviet Jewish Immigrants in Germany, in Böcker e.a. (1998).
[20] Salt, 1992a.
[21] Doomernik, 1996, 70 en Vandevelde in Stichting Gerrit Kreveld, 2000.
[22] Doomernik e.a., 1996, 68; Vandevelde, 1999, 114 en Vandevelde in Stichting Gerrit Kreveld, 2000.

5. Gevolgen van migratie voor het gastland

Immigratie kan enorme gevolgen hebben voor het gastland. Deze gevolgen kunnen zowel subjectief als objectief zijn. Hoe immigratie uiteindelijk gepercipieerd wordt, is afhankelijk van de mate waarin verschillende belangengroepen op het beleid en de opiniemakers wegen. De verschillende benadering van migratie in de VS, Canada en Australië aan de ene kant en in Europa aan de andere kant kan deels hier een verklaring vinden. In de zogenaamde immigratielanden worden migratie en economische groei gemakkelijk in één adem genoemd. Hieronder zullen vooral de negatieve potentiële gevolgen van migratie aan bod komen. Migratie kan ongetwijfeld ook positieve gevolgen hebben, maar die verduidelijken we op andere plaatsen. Tegenstanders van meer migratie argumenteren graag dat immigratie de samenleving meer kost dan opbrengt hetzij omdat ze de overheid veel kosten, hetzij omdat ze de lonen laag houden of onaangepaste sectoren in stand houden. Men moet het trouwens niet enkel economisch bekijken, meer migratie heeft soms ook verregaande implicaties op sociaal, cultureel en maatschappelijk vlak. Het draagvlak voor meer migratie is niet overal even sterk. Sommigen beweren dat de tolerantiedrempel nu al overschreden is. Ten slotte zullen we hieronder nog een vergelijking maken met de migratiebeweging van vóór 1974 en hieruit enkele lessen trekken voor vandaag.

5.1 Kosten van het immigratie- en integratiebeleid

De kosten van het immigratie- en migrantenbeleid zijn een delicaat thema. Het ligt politiek gevoelig omdat het tot ongewenste polarisering kan leiden met extreem-rechts en er zijn veel methodologische problemen waarop dit onderzoek stuit. Vooreerst is er de vraag wat men precies onder immigratie wil verstaan: asielzoekers, gezinshereniging, arbeidsmigratie van voor 1974, studenten en/of EU-burgers. Hierin kan men nog een lijn trekken en bepalen welke groep gedurende welke periode als onderwerp van het onderzoek wordt genomen. Moeilijker is de vraag wat men allemaal als effecten van immigratie moet beschouwen. Er kan een duidelijk onderscheid gemaakt worden tussen de directe kosten of opbrengsten van een immigratiebeleid en de kosten of opbrengsten van een integratiebeleid. Philip Martin maakt in dit verband een onderscheid tussen de positieve effecten die quasi onmiddellijk zichtbaar zijn, en de kosten die migranten met zich meebrengen op de langere duur.[1] Het is ook moeilijk bepaalde effecten precies in cijfers te vatten. Ook kan men nooit weten hoe de economie zou geëvolueerd zijn zonder de migranten.

In de VS zijn de kosten van de immigratie al onderwerp van hevige discussies geweest. De schattingen lopen dikwijls ver uiteen. Staten met een onevenredig aantal migranten beweren dat zij een onevenredige last te dragen krijgen en eisen steun van de federale regering. De staat Californië heeft in dat verband via een rechtszaak 377 miljoen dollar geëist van de federale regering. Aan de andere kant stelt een rapport van het Instituut voor Stadsonderzoek in Washington dat immigranten aan belastingen 30 miljard meer inbrengen dan zij aan diensten ontvangen.[2] In Duitsland kwamen econoom von Loeffelholz en de politicoloog Thränhardt tot de conclusie dat de totale immigratie in Duitsland meer heeft gekost dan opgebracht. Zij concludeerden hieruit dat Duitsland zichzelf tekort doet door de hoge werkloosheid onder de migrantenjongeren te laten voortbestaan en weinig in hun scholing en arbeidsdeelname te investeren.[3]

In 1999 heeft Lakemans boek *Binnen zonder kloppen. Nederlandse immigratiepolitiek en de economische gevolgen* veel stof doen opwaaien. Turkse en Marokkaanse immigranten zouden de Nederlandse samenleving de afgelopen twintig jaar zeker 70 miljard gulden gekost hebben ondermeer aan integratieprojecten, sociale uitkering, huursubsidie, kinderbijslag en ziektekosten en dit 'zonder noemenswaardige tegenprestatie'.[4] Lakeman beperkt zijn studie van immigratie tot de laaggeschoolde gastarbeiders die van 1960 tot 1973 werden geworven. Ook de asielzoekers worden in het kostenplaatje opgenomen, hoewel de studie over hen minder diepgaand is. Door deze beperking kan het boek niet als een volledige analyse van de invloed van de immigratie op de Nederlandse economie gelden. Lakeman gaat voorbij aan de 200.000 migranten uit andere EU-staten, aan de Amerikaanse en Japanse managers van multinationale ondernemingen in Nederland die voor werkgelegenheid zorgen, aan de paar 100.000 Nederlanders uit Indonesië van de jaren '50 en de ongeveer 300.000 Nederlanders van Surinaamse afkomst. Kortom voor succesverhalen is er geen plaats in het boek.[5]

Arbeidsmigratie kan ook '*hidden costs*' met zich meebrengen voor de verdere ontwikkeling van de economie. Door het aanbod van goedkope en flexibele arbeidskrachten kunnen bepaalde sectoren in hun oude vorm overleven. Migranten komen dikwijls in arbeidsintensieve sectoren terecht die, in omstandigheden zonder migratie, ten dode opgeschreven zouden zijn. Door het aanbod arbeiders zijn er in het gastland niet voldoende prikkels meer om op zoek te gaan naar methoden om het werk productiever en minder arbeidsintensief te maken, waardoor de vooruitgang stagneert. Het is pas wanneer de loonkosten zeer hoog zijn dat men echt op zoek gaat naar verbeteringen zowel op technisch vlak als op vlak van managing.[6] Gastarbeiders kunnen op die manier dus verouderde sectoren van de economie instandhouden. Dit kan lonend zijn op korte termijn, maar op langere termijn, als de verouderde economie toch niet meer kan concurreren, kan dit zowel voor de werkgevers als voor de migranten nefast aflopen. Precies om die '*hidden costs*' van de immigratie vermijden, stonden Japan en de nieuwe geïndustrialiseerde landen lange tijd afkerig ten aanzien van immigratie van buitenlandse werknemers. Deze Aziatische landen geloofden als geen ander in de kracht van de technologie om economisch te groeien. Ze vreesden hierbij dat de keuze voor de 'gemakkelijkheidsoplossing' van immigratie de technologische ontwikkelingen, en dus de economische groei, op lange termijn niet ten goede zou komen.[7] Toch hebben de meeste van die landen, alle inspanningen ten spijt de immigratie niet kunnen vermijden.

5.2 De *white backlash*

In het pleidooi voor meer migratie is men dikwijls niet karig wat betreft de hoeveelheid die men op het oog heeft. Zeker vanuit economisch en demografisch perspectief worden soms enorme aantallen gesuggereerd. Dergelijke aantallen zijn niet evident in een maatschappelijk klimaat dat migratie weinig genegen is. Voor het niet toelaten van migratie doen politici dan ook dikwijls een beroep op het argument van de 'tolerantie-drempel'. Een te groot percentage migranten zou onvermijdelijk uitmonden in de aanwakkering van xenofobie, racisme en de bloei van extreem-rechts. Men waarschuwt voor de immense ontregelende gevolgen op electoraal en psychologisch vlak wanneer nog meer migratie zou worden toegelaten en het gewicht van de multiculturele samenleving te zwaar wordt. Men duidt dit fenomeen aan met de *white backlash* of het *overload syndrome*. Sommigen spreken over de *Balkanization* van de samenleving.[8]

Bij de perceptie van vreemdelingen zijn allerlei psychologische, sociologische en sociaal-culturele mechanismen aan het werk die het omgaan met vreemdelingen en het integratieproces van vreemdelingen kunnen bemoeilijken. Migratie en de komst van anderen hebben altijd en overal vooroordelen en discriminatie met zich meegebracht. 'Hun grootste fout is dat ze vreemdelingen zijn' stelt Stalker vast.[9] Daarom moeten naast de economische en demografische argumenten wel degelijk ook andere elementen in het debat aan bod kunnen komen. De beslissing om meer migratie toe te laten mag niet boven de hoofden van de mensen gebeuren.[10]

De problemen in Andalusië zijn een schrijnend voorbeeld van deze problematiek. In februari en maart 2000 zijn er in verschillende dorpen, ondermeer in Lepe en El Ejido, rassenrellen uitgebroken. Veel Spanjaarden weigeren aan nieuwkomers huizen te verhuren waardoor 10.000 migranten vrij primitief gehuisvest zijn in oude loodsen, ruïnes van boerderijen of zelfgebouwde barakken. Het probleem is dat de immigratie tegelijk noodzakelijk en ongewenst lijkt te zijn. Het racisme is in Zuid-Spanje nauwelijks verhuld.

Maar de *white backlash* uit zich ook op andere plaatsen in Europa. Nu al fulmineren heel wat partijen tegen de aanwezigheid van asielzoekers, vluchtelingen en andere immigranten. Uit angst kiezers aan extreem-rechts te verliezen zijn vele bestuurders en militanten geneigd om hun weerstand tegen de aanwezigheid van migranten te demonstreren. Het niet inlossen van de (socialistische) verkiezingsbelofte, zowel in België als in Frankrijk, om de migranten kiesrecht te geven in de gemeenteraadsverkiezingen heeft deels met die angst te maken. Op het gebied van de opvang van asielzoekers geven veel Vlaamse burgemeesters de indruk dat het verzadigingspunt bereikt is. Gedurende de jaren negentig was het openen van asielcentra telkens opnieuw problematisch en verschillende gemeenten weigerden, op onwettige wijze, asielzoekers in te schrijven.

In Duitsland is de tolerantiedrempel nooit ver weg in een discussie over migratie. Sinds 1991 werden verschillende Duitse steden wereldwijd bekend door de xenofobe terreur die er plaatsvond: Hoyerswerda (22-27 september 1991), Rostock (23-27 oktober 1992), Hünxe (3 oktober 1992), Mölln (23 november 1992), Solingen (29 mei

1993) en Lübeck (25 maart 1994).[11] De oproep van Schröder in het voorjaar van 2000 om Indische softwarespecialisten binnen te halen, werd prompt beantwoord met de slogan van de Noord-Rijn-Westfaalse christen-democraat Jürgen Rüttgers: '*Kinder statt Inder*' (kinderen in plaats van Indiërs). En de minister van Binnenlandse Zaken Otto Schily bleef maar herhalen dat het maatschappelijk draagvlak in Duitsland al overbelast is, getuige hiervan is het succes van allerlei extreem-rechtse organisaties. De komst van de eerste *green-card* naar Duitsland eind juli 2000, viel overigens samen met een heropleving van extreem-rechts geweld tegen migranten. In het oostelijk deel van Duitsland laaide in de zomer van 2000 het geweld tegen vreemdelingen opnieuw hoog op.

In Groot-Brittannië hebben de conservatieven onder leiding van William Hague van het 'softe' vreemdelingenbeleid van de regering Blair één van de belangrijkste thema's gemaakt voor de gemeenteraadsverkiezingen van begin mei 2000. Zelfs in een traditioneel immigratieland als de VS komt het debat over de wenselijkheid van de immigratie geregeld naar boven.[12] Geregeld duiken opiniepeilingen op waarin de meerderheid van de Amerikaanse bevolking de immigratie wil inperken. De VS hebben bovendien te maken met een vrij grote illegale instroom en illegale tewerkstelling. De zwakkere sociale klassen, niet het minst de zwarte bevolking, worden hierdoor het slachtoffer van werkloosheid en lage lonen. De rellen in Los Angelos in 1992 hebben veel Amerikanen met hun neus op de rauwe feiten geduwd. Voor de VS kunnen we beter spreken van een *black backlash*.

We hebben het dan nog niet eens over de standpunten van de extreem-rechtse partijen in Europa waarvan velen een steeds grotere aanhang kennen. In Vlaanderen doet men een stem voor het Vlaams Blok al snel af als een antipolitieke 'foertstem'. De sociale klasse, het onderwijsniveau en de inkomsten zouden ook tot op zekere hoogte bepalend zijn voor wie potentieel extreem-rechts zou stemmen. Dit wordt ondermeer in een recent Nederlands onderzoek tegengesproken. Extreem-rechts zou steeds minder van proteststemmen leven, terwijl de anti-migrantenideologie voor het electoraat aan belang wint.[13] Dat maakt dat Vlaams Blok kiezers wel degelijk 'rationeel' en 'ideologisch overtuigd' zijn en dat het anti-migrantenstandpunt een realiteit is waar men niet meer omheen kan. Ook Haider en zijn FPÖ hebben succes geboekt met hun standpunten over vreemdelingen en allochtone werknemers.

Eén van de meest pregnante problemen betreffende de migratierealiteit in Europa is dan ook de vraag '*how to create a more liberal immigration regime that can still be made politically palatable on a continent as prone to xenophobia as Europe.*[14] Onder de Europese bevolking en bewindslieden bevinden zich zowel Schröders als Haiders. De eersten pleiten voor een globale vrije markt waarbij ook (selectieve) economische migratie kan worden toegelaten, de laatsten houden vast aan een sterk nationaal verankerde vrije markt met en voor een cultureel homogeen volk.[15] Het radicaal economisch discours in termen van vrije handel botst met het xenofobisch en populistische discours. Precies die twee discours die op het punt van de migratie radicaal tegenover elkaar staan, bepalen sterk het Europese denken. Beide discours staan bovendien niet volledig los van elkaar en kunnen door één en dezelfde spreker worden gehanteerd, waardoor een zekere vorm van schizofrenie of hypocrisie dikwijls niet ver weg is. Een oplossing of een duidelijk Europees standpunt voor het vraagstuk van de arbeidsmigratie zal daarom waarschijnlijk wel nog even op zich laten wachten.

Voorstanders van het verhogen van de immigratiemogelijkheden denken dat de *white backlash* slechts een tijdelijk fenomeen is dat kan worden weggewerkt, anderen gaan er helemaal aan voorbij. In een artikel in *Science & Technology* dat voor meer 'migranten met talent' (sic) pleit, staat dat in de toekomst onvermijdelijk nog meer mensen van verschillende nationaliteiten zullen samenwerken en dat 'oude vetes en oorlogen begraven zullen worden'.[16] Dat dit een romantisch visioen is dat dient als publiciteit is duidelijk. De etnische stratificatie die tot op heden op de arbeidsmarkt kan worden vastgesteld, liegt er niet om.[17] Auteurs als Joseph Chamie (*UNDP*), Han Entzinger (ERCOMER), Ed Lof, Piet Emmer, Herman Obdeijn en Johan Wets (HIVA) gaan er vanuit dat het negatieve imago van migranten weggewerkt kan worden. De vreemdelingen kunnen in een ander daglicht geplaatst worden, als ze niet langer als last worden voorgesteld, maar als de redders van de sociale welvaartsstaat en als tegemoetkomingen aan reële economische en demografische noden. De migranten en de gastsamenleving moeten aan het imago van de nieuwkomers werken. Het beeld van 'de meeuwen op het stort' die hier komen profiteren van het sociaal zekerheidssysteem moet verdwijnen. Ook de idee van het 'overvolle salon' moet naar het rijk der fabels uitgebannen worden.[18] Waarschijnlijk is in dat verband Hans Magnus Enzensbergers (1993) beeld van de treincoupé waar mensen bijkomen te verkiezen boven dat van de boot waarin geen plaats meer is om meer drenkelingen op te nemen. Het is immers geen kwestie van leven of dood, maar een kwestie van comfort en van mentaliteitsverandering. Wanneer iemand een treincoupé binnenstapt, wordt die ook niet met open armen ontvangen. Zij die er al inzitten moeten opschuiven, plaatsmaken voor de nieuwkomer. Deze laatste wordt met scheve blikken bekeken door de andere passagiers. Mentaal wordt een strijd van één tegen allen gevoerd. Wanneer na verloop van tijd nog een nieuwkomer binnenkomt, schaart de vorige nieuwkomer zich bij de rest van de groep en neemt het op tegen die laatste nieuwkomer.[19] Europa heeft wel een vrij grote bevolkingsdichtheid, maar men kan bezwaarlijk volhouden dat Europa ten onder zal gaan indien het meer vreemdelingen zou opnemen. Verschillende studies tonen juist aan dat nieuwkomers noodzakelijk zijn wil Europa de welvaart, de economische groei en de sociale voorzieningen instandhouden.

Om aan de migratierealiteit op een ernstige manier tegemoet te komen zijn ongetwijfeld enkele structurele maatregelen nodig, maar de migratieproblematiek moet zeker ook op het niveau van de mentaliteit van de bevolking aangepakt worden. Dikwijls heeft vreemdelingenhaat immers minder te maken met de absolute getallen, dan wel met de vrees dat de situatie uit de hand zal lopen. Een doorzichtig immigratiebeleid kan de bevolking de indruk geven dat het bepaalde aspecten van de migratierealiteit beter onder controle heeft. Een goed georganiseerd systeem voor arbeidsmigratie kan daartoe bijdragen. Indien men arbeidsmigratie wil invoeren zal het *hoe* maar vooral het *waarom* zeer duidelijk moeten worden overgebracht aan de bevolking. Op dit punt heeft men het tijdsgewricht niet echt tegen zich: er zijn gemakkelijk aanknopingspunten te vinden om te verduidelijken waartoe iets meer migratie in de nabije toekomst kan bijdragen. Er zijn tal van studies die uitwijzen dat meer nieuwkomers Europa niet zouden misstaan.

Wat betreft de mentaliteitswijziging van de bevolking moeten we realistisch, maar niet al te pessimistisch zijn. Het is geen gemakkelijke klus waarin men voldoende middelen, tijd en energie zal moeten stoppen. Maar wie oog heeft voor de zich wijzigende realiteit moet werken aan die mentaliteitswijziging. De Europese bevolking moet hoe dan ook worden voorbereid op de komst van nieuwe groepen mensen uit het buitenland. Hierin ligt een taak zowel voor politici als voor het onderwijs, de media en geheel het maatschappelijke middenveld.[20] Naast de economische veranderingen die het mogelijk moeten maken dat meer mensen hun kansen kunnen grijpen, is er ook een algemene cultuuromslag nodig. Iedereen moet zijn verantwoordelijkheid opnemen opdat alle allochtonen (en dit geldt zowel voor nieuwkomers als voor mensen die hier al lange tijd zijn) adequaat worden toegerust om afdoende te functioneren in de complexe westerse samenleving. De overheid moet hiertoe enkele voorwaarden garanderen: voldoende vorming, gelijke kansen, een anti-discriminatie wetgeving, gelijke basisrechten en mogelijkheid tot politieke participatie. De maatschappij moet zo ingericht zijn dat migranten zich hier welkom voelen en zich gestimuleerd weten. Er moet gewerkt worden aan het multicultureel burgerschap waaraan iedereen bijdraagt. Op die manier moet de tegenstelling tussen allochtonen en autochtonen (het wij-zij denken) overstegen worden.[21] De inspanningen van de overheid om de multiculturele samenleving op een meer actieve en betrokken wijze gestalte te geven kunnen bijdragen tot de beoogde mentaliteitswijziging bij de burgers.

5.3 Vergelijking met de migratiegolf vóór 1974

Inleiding

België was één van de eerste Europese landen waar omvangrijke immigratie nodig was om te voldoen aan de vraag naar arbeidskrachten die door de vroege en snelle industriële ontwikkeling sterk was toegenomen. In 1910 telde België ongeveer 250.000 buitenlandse werknemers vooral in de Waalse kolenmijnen. Rond WO I liep het aantal terug tot 150.000 om in de jaren dertig opnieuw te stijgen tot 300.000, vooral Polen en Italianen. In 1931 werd de arbeidskaart ingevoerd.[22] Na WO II, als de Duitse krijgsgevangenen huiswaarts waren, verrezen Italiaanse kolonies rond de Limburgse en Waalse mijnen. Bij de mijnramp van Marcinelle (1956) was meer dan de helft van de slachtoffers Italiaan. De vakbonden en de Italiaanse overheid streden voor een verbetering van de positie van de mijnwerkers. De weinig inschikkelijke patroons vervingen de opstandige Italianen al snel door Grieken en Spanjaarden. De Italianen zwermden uit naar andere sectoren. Door de aanhoudende economische hoogconjunctuur en het tekort aan arbeiders in de zware industrie werden vanaf de jaren zestig ook bilaterale akkoorden gesloten met Marokko en Turkije. Via de bemiddeling van de 'Turkse instantie voor de Arbeidsvoorziening' zijn er tussen 1961 en 1973 meer dan 15.000 Turkse arbeiders naar België vertrokken. In 1964 liep het aantal Marokkaanse nieuwkomers op tot 3.500 In het jaar 1973 kwamen nog steeds ongeveer 2.900 Turkse en 2.500 Marokkaanse mannen naar België en in 1975 woonden al 65.000 Marokkanen in België. In de periode vóór 1974 is ook veel migratie gebeurd buiten de bemiddeling van de overheden om.[23]

Economisch voor- of nadelig?

We zouden de vooronderstellingen van de neoklassieke economische theorie op de migratiegolf naar Europa van voor 1974 op hun waarheid kunnen testen. Heeft de migratie voor meer werk en loonsverhoging gezorgd in de landen van herkomst en heeft de migratie de lonen in Europa kunnen matigen door het aanbod werknemers te doen stijgen? Voor de landen van herkomst zijn verschillende onderzoeksresultaten voor handen, maar de resultaten zijn niet altijd eenduidig. We geven het voorbeeld van Turkije. In 1993 leefden 3,1 miljoen Turken in het buitenland, de meeste in de EU. In de periode van massa-emigratie kende Turkije een werkloosheidsgraad van 10% en meer dan 15% was ondertewerkgesteld. In 1973, het hoogtepunt van de arbeidsmigratie van Turkije naar Europa, werkte 6% van de arbeidskrachten buiten Turkije. De meeste studies suggereren dat deze aanzienlijke migratie de werkloosheidsdruk wat heeft verlicht. Veel Turken die het land hebben verlaten, waren niet werkloos, en 1/3 van hen was geschoold. In 1972 was de vraag op de Turkse arbeidsmarkt naar geschoolde arbeid twee tot drie keer zo groot als het aantal geschoolde emigranten. Hun vertrek heeft werkgelegenheid gecreëerd, en er is een klein effect op de lonen.[24]

Voor Europa bestaat nog maar weinig onderzoek naar de effecten van de immigratie na 1950. De studies die bestaan, stellen dat er weinig of geen correlatie bestaat tussen de lonen en de hoeveelheid immigratie.[25] Hiervoor kunnen verschillende redenen aangehaald worden. Ten eerste nemen de migranten niet steeds de jobs in van de autochtonen maar komen ze terecht in 'complementaire jobs' waardoor er inzake de lonen en de situatie op de arbeidsmarkt maar weinig verandert. Ten tweede zijn migranten ook consumenten. Dikwijls zijn de nieuwkomers nog jong en vitaal en door de stijgende vraag naar goederen kunnen ze een impuls geven aan de economie, waardoor ze soms meer jobs creëren dan ze er innemen. Het effect van de migratie op het gastland is sterk afhankelijk van de economische situatie. Bijna iedereen is het erover eens dat verschillende West-Europese landen hun economische groei mede te danken hebben aan de bijdrage van de vele jonge en gemotiveerde gastarbeiders. Maar de 'kosten' van de immigratie komen dikwijls maar achteraf, bij een gewijzigde economische conjunctuur waarbij dan blijkt dat de werving heeft bijgedragen aan het rekken van het leven van kwijnende industrieën. Dit is gebleken rond 1980: door een noodzakelijke herstructurering van de economie zijn niet alleen veel arbeidsplaatsen voor laaggeschoolden verdwenen, maar kwamen gehele sectoren op de helling te staan. Veel van de laaggeschoolde Turken en Marokkanen belandden in die jaren in de werkloosheid.

Tijdelijke migranten?

Tijdelijke migratie is een doelstelling geweest maar de praktijk is anders uitgedraaid. Philippe Martin duidt deze realiteit aan met het aforisme *that there is nothing more permanent than temporary workers*. Het gastarbeidersmodel en het rotatiesysteem dat men in bepaalde landen op het oog had, heeft gefaald. Aan het begin van de jaren zestig keerde nog 70% van de migranten terug, terwijl men het aantal blijvers maximaal op 10% had geschat. In 1971 al werd er rekening gehouden dat slechts 40% terug zou keren. Uiteindelijk is 60 tot 75% van de migranten van vóór 1974 in Europa gebleven. Door internationale verdragen werden de permanente gastarbeiders in staat gesteld hun gezin te laten overkomen. Er ontstond een tweede en derde generatie, waarvan sommige leden op hun beurt weer een huwelijkspartner uit de landen van herkomst lieten overkomen.

Ondanks bepaalde stimuli vanuit de overheid is de retourmigratie nooit echt op gang gekomen.[26] Een uitzondering hierop vormen de Spanjaarden die wel in grote mate zijn teruggekeerd.[27] Tussen 1985 en 1989 werden door de overheid herintegratie-premies uitgereikt voor niet-EEG-vreemdelingen die meer dan 1 jaar volledig uitke-ringsgerechtigd werkloos waren. Deze premie kwam ongeveer overeen met 1 jaar werkloosheidsuitkering. Tussen midden 1985 en eind 1988 werden 435 aanvragen ingediend waarvan er 207 ook effectief toegekend werden. In totaal werd 56.274.295 B.fr. aan premies uitbetaald en zijn 471 mensen (vrouwen en kinderen inbegrepen) vertrokken met de premie op zak.[28] Ook in Duitsland[29], Frankrijk[30] en Nederland[31] heeft men met vertrekpremies voor bepaalde categorieën migranten gewerkt. In Nederland heeft men recentelijk nog een poging gedaan om de terugkeer van vreemdelingen die lange tijd in Nederland gewerkt hebben aantrekkelijker te maken. Op 1 april 2000 is een nieuwe wet in voege getreden die vreemdelingen ouder dan 45 de kans geeft terug te keren met aanspraak op een levenslange maandelijkse overlevingspremie, afhanke-lijk van de levensstandaard in het land. De vreemdelingen zouden een belangrijk deel van hun opgebouwde sociale zekerheid kunnen behouden en Nederland in de toekomst nog kunnen bezoeken. De regeling geldt ook voor EU-migranten die van Portugal, Spanje, Italië en Griekenland afkomstig zijn. Deze wet vervangt de 'basisremigratie-subsidiewet' uit 1985 die enkel gold voor vijftigplussers die dan nog aan tal van voorwaarden moesten voldoen. Deze regeling is nooit echt succesvol geweest omdat ze te zuinig en te streng was. Bij terugkeer verloor men immers het verblijfsrecht en de sociale rechten zoals de uitkeringen. Doomernik legt er de nadruk op dat de terugkeer een reële en positieve optie moet kunnen zijn en om de reële keuzemogelijkheid te verruimen moet de retour ook onvoorwaardelijk omkeerbaar zijn.[32] In de nieuwe rege-ling zit die terugkeeroptie (binnen één jaar) indien men merkt dat de remigratie niet lukt. Volgens het Nederlands Migratie Instituut waren er in het voorjaar van 2000 al 15.000 mensen die een terugkeer onder de nieuwe regeling overwogen.

Toch blijkt algemeen dat het geven van vertrekpremies weinig effect sorteert.[33] De retourbeslissing moet immers voor 100% op een vrijwillige en individuele keuze berusten. De migrant wordt teveel herleid tot 'homo economicus' wat niet overeenstemt met de werkelijke retourmotivatie. De beslissing om te vertrekken is dikwijls sterk gekleurd door persoonlijke redenen.[34] Ook de mate van gezinshereniging is een belangrijke bepalende factor.[35] Hammar stelt dat de determinanten voor terugkeer niet zozeer in het gastland moeten worden gezocht, maar veeleer in het land van herkomst. De nationaliteit kan een determinant zijn. Bovendien blijkt dat als men het immigratiebeleid verstrengt ook de terugkeermigratie vermindert omdat een terugkeer naar het gastland bij het verlaten ervan definitief verdwijnt.[36] Het effect van terugkeerstimuli is ook afhankelijk van de categorie migranten die men op het oog heeft: vluchtelingen, arbeidsmigranten die hier al lang verblijven, nieuwkomers, enzovoort.

In de Golfstaten lukt het vrij goed de migranten tijdelijk te houden, maar tegen welke prijs? Volgmigratie is daar zogoed als onmogelijk waardoor de migranten een fundamenteel basisrecht wordt ontzegd. Door gezinshereniging te bemoeilijken wordt de band met het land van herkomst instandgehouden. Men blijft verlangen naar de familie en naar het land van herkomst, in de vrije periode keert men naar de familie terug en na verloop van tijd keert men ook definitief terug.[37] Het is en blijft echter de vraag *of* en, zo ja, *hoe* in een open democratische samenleving die zichzelf een liberale rechtsstaat noemt, kan worden voorzien in tekorten op de arbeidsmarkt zonder dat dit noodzakelijk leidt tot blijvende vestiging van een deel van die migranten. Het antwoord op die vraag luidt dat dit onmogelijk is.[38]

Het verleden leert ons alvast dat twintig jaar na de arbeidswerving naar Europa tussen de 1 en 3% van de bevolking van de wervingslanden eigenlijk gevestigde migranten zijn.[39] De migranten zijn hier gebleven en hebben nog heel wat volgmigratie veroorzaakt, tot op vandaag. (cf. infra) Indien men opnieuw arbeidsmigratie wil gaan toelaten moet men rekening houden dat het percentage vreemdelingen dat hier definitief zal blijven opnieuw gevoelig zal stijgen. Bovendien moet opnieuw met de volgmigratie rekening worden gehouden. Voor het integratie- en antiracismebeleid is dit zeer belangrijk om weten.

Georganiseerde migratie?

Het georganiseerd werven van gastarbeiders leidt ook tot zelfstandige immigratie die aan de controle van de overheid ontsnapt. Er ontstaan altijd immigratiestromen onafhankelijk van de georganiseerde werving. Etnische connecties tussen bevolkingsgroepen in het land van herkomst en het gastland, doorgaans gevormd door transnationale gezinnen en allerlei verwantschapsstructuren zorgen ervoor dat de migratiestroom die oorspronkelijk door georganiseerde werving op gang gekomen is, doorgaat en dikwijls zelfs uitbreidt. De aanwezigheid van landgenoten in een bepaald land is één van de belangrijkste pullfactoren voor de migratie, ook voor illegale migratie.[40] Weinig migranten vertrekken zonder enig contact in het land van bestemming. Deze (familiale) contacten zorgen voor de nodige informatie en zijn een belangrijke schakel om de nieuwkomer aan behuizing en een job te helpen. Dergelijke niet officieel door de overheid geregelde migratie heeft zich ook voorgedaan in België. De aanwezigheid van een groot aantal gastarbeiders in België is niet enkel het resultaat van actieve gereguleerde rekrutering, maar ook van een tot op zekere hoogte *irregular migration process.*[41]

Naast de akkoorden die de overheid gesloten had met Marokko en Turkije, was er ook individuele rekrutering en individuele migratie, vooral tussen 1962 en 1967.[42] Tot 1962 moest men immers in het bezit zijn van een arbeidsvergunning die door de overheid was afgegeven opdat men zou kunnen worden toegelaten. Na 1962 viel die voorwaarde weg. Iedereen kon naar België komen met een toeristenvisum en later geregulariseerd worden na een medisch onderzoek. In die periode zijn op die manier ongeveer 125.000 vreemdelingen tot de Belgische arbeidsmarkt toegetreden. Door het decreet van 20 juli 1967 werd onder druk van de vakbonden aan deze soepele praktijk een einde gemaakt. Door het nieuwe decreet werden plots duizenden Spaanse, Griekse, Marokkaanse en Turkse 'toeristen' illegaal. Na 1967 is de arbeidersimmigratie teruggelopen. Velen zijn dus op goed geluk naar België gereisd, aangemoedigd door de enthousiaste verhalen van bekenden. In België bestonden ook informele netwerken die voor de opvang zorgden.

Door dergelijke mechanismen had België meer migranten dan bedoeld was. Mensen die pleiten voor het herinvoeren van een vorm van arbeidsmigratie stellen daarom soms zeer expliciet dat men zeker niet de aantallen van de jaren '60 en '70 op het oog heeft. Enkel een beperkte arbeidsmigratie zou worden toegelaten. De immigratie moet in overeenstemming blijven met de werkelijke tekorten op de arbeidsmarkt. Uit de praktijk is echter gebleken dat dergelijke beperkte en zeer strikt gereguleerde en gecontroleerde migratie vrij moeilijk te organiseren is, aangezien meestal al snel informele netwerken ontstaan.

Bovendien moet men rekening houden met het fenomeen van de familiemigratie. Migranten met een permanente verblijfsvergunning hebben recht op gezinshereniging en gezinsvorming. Op termijn is het daarom onmogelijk enkel de 'nodige' arbeidskrachten naar hier te laten komen. De familiemigratie die door de arbeidsmigranten op gang gebracht wordt, is dikwijls van een grotere orde dan de arbeidsmigratie zelf. Na de oliecrisis van 1973 werden in Europa nauwelijks nog arbeidskrachten geworven, maar dit betekende niet dat er een einde kwam aan de immigratie. In de jaren na 1973 steeg het aantal gezinsherenigingen sterk. Deze volgmigratie is wel niet meer in overeenstemming met de vraag op de arbeidsmarkt, waardoor er een hoge werkloosheid en een lage participatiegraad kon ontstaan.

De volgmigratie heeft men bij de vorige arbeidsimmigratie onderschat, hoofdzakelijk omdat men ervan uitging dat de migranten hier tijdelijk zouden verblijven. Op 1 januari 1999 telde België 125.082 Marokkanen en 70.701 Turken. Zij vormden samen 60% van de vreemdelingen van buiten de EU in België en 2% van de totale Belgische bevolking. Lange tijd vormden ze ongeveer 75% van de niet EU-vreemdelingen, maar de laatste jaren kan men een sterke daling noteren van het aantal Marokkanen en Turken. Dit effect is kunstmatig want volledig te verklaren door de naturalisatie en de versoepeling van de Belgische wetgeving inzake de nationaliteitsverwerving. Hierdoor vallen heel wat mensen van buitenlandse afkomst buiten de statistieken. Alleen in Vlaanderen veroorzaakte de naturalisatie tussen 1994 en 1998 een afname van de buitenlandse bevolking met 48.230 personen.[43]

De volgmigratie naar Europa, de VS en Canada is nog altijd aanzienlijk. In verschillende OESO-landen is het aandeel van de familiemigratie sinds de jaren negentig nog toegenomen. (grafiek 6) Uit de cijfers van de VS en Australië blijkt dat de volgmigratie steeds grotere proporties aanneemt.[44] Meer dan de helft van de migranten die toegang krijgt tot de VS behoort op de één of andere manier tot de volgmigratie (65% in 1996, 67% in 1997 en 72% in 1998). In de migratieplanning voor Australië (1999-2000) werd rekening gehouden met 32.000 mensen in het kader van de *family stream*, terwijl men in het totaal een quotum van 70.000 nieuwkomers vooropstelt. (cf. infra) Ook in Europa vormt de volgmigratie een belangrijk aandeel van de immigratie. Als men de migratie tussen de EU-lidstaten buiten beschouwing laat, vormt de familiemigratie veruit de belangrijkste instroom. Voor de migranten met bestemming Europa is het, naast de asielprocedure, bijna de enige manier om legaal het land binnen te komen. Voor vreemdelingen van buiten de EU kan men vaststellen dat het huwelijk de belangrijkste immigratiereden is geworden. Het huwelijk wordt, vooral door laaggeschoolde nieuwkomers, aangeroepen om een wettelijke toegang tot Europa te verkrijgen.[45] Tussen 1988 en 1996 namen de Turkse, Marokkaanse en Surinaamse populaties in Nederland toe door immigratie, respectievelijk met 59.145, 47.742 en 38.429 personen.[46] Vlaanderen telde tussen 1994 en 1998 5.593 nieuwkomers van Marokkaanse afkomst en 6.159 nieuwkomers van Turkse afkomst. De Marokkanen en de Turken vertegenwoordigen respectievelijk 5 en 6% van alle nieuwkomers in Vlaanderen.[47] Allochtonen die zich laten naturaliseren hebben ook het recht, net als alle andere Belgen, om hun meerderjarige kinderen en hun ouders die ten laste zijn, uit het buitenland naar België over te brengen. Het aantal 50-plussers dat de laatste jaren in het kader van familiemigratie naar België gekomen is, stijgt.[48]

Grafiek 6: Immigratie in enkele OESO-landen, per categorie[1] in 1997

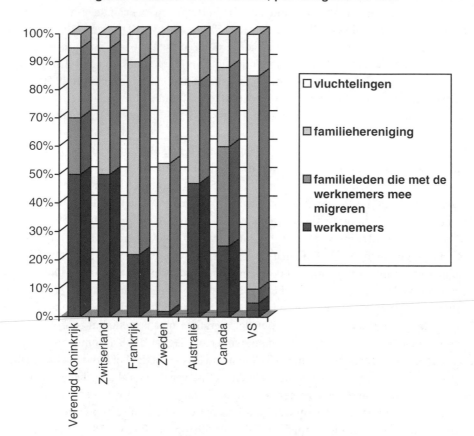

[1] Voor Zwitserland, Frankrijk en Zweden is het aantal migranten dat met werknemers mee-migreert opgenomen in de categorie 'familiehereniging'. Voor Australië bevat de categorie 'werknemers' ook de gezinsleden die met de werknemers meemigreren. Voor het Verenigd Koninkrijk vallen onder de categorie 'werknemers' enkel de nieuwkomers van buiten de Euro-pese Economische Ruimte. De categorie bevat wel de immigranten van de Britse *Common-wealth* die een grootouder hebben die in het Verenigd Koninkrijk geboren is.

Bron: SOPEMI, 1999, 20.

Conclusie

De situatie is op vele punten erg verschillend met die van vóór 1974. Alleen al de migratierealiteit is de laatste 25 jaar enorm veranderd. Het groter wordende aandeel van de illegale migratie en de overvolle asielprocedure bepalen sterk elk debat over migratie, en dus ook dat over arbeidsmigratie. Als er over migratie wordt gesproken, is het veelal in negatieve bewoording, dit was vóór 1974 veel minder het geval. Ook de demografische kaarten liggen anders dan dertig jaar geleden. De migratiedruk door overbevolking is in de derdewereldlanden enorm gestegen en in het westen voorspelt men problemen in verband met de kosten en de leefbaarheid van de huidige verzorgingsstaat, wanneer de vergrijzing zich maximaal voltrokken zal hebben. De tekorten aan arbeid doen zich dus niet enkel voor als de concrete nood in diverse sectoren; alleen al de verhouding actieve – niet-actieve bevolking vraagt dat meer mensen hier aan het werk zouden zijn. Hierdoor kan de komst en de activiteit van de arbeidsmigrant niet enkel voorgesteld worden als de redding van bepaalde economische sectoren, maar als de redding van de welvaartsstaat. Een ander element is dat er nu niet enkel nood is aan arbeidskrachten op de laagste scholingsniveaus. Dit zou eventueel het integratieproces kunnen vergemakkelijken, afhankelijk van hoe en waar men zou rekruteren, maar hierover bestaat nog maar weinig onderzoek. In veel gevallen is er van integratie zelfs helemaal geen sprake omdat binnen bepaalde opleidings-, stage- of uitwisselingsprogramma's het verblijf maar zeer tijdelijk is. Als het land van herkomst geen ontwikkelingsland is of er in het land van herkomst voldoende perspectieven worden geboden, werkt de tijdelijkheidsclausule beter dan in de jaren zestig en zeventig. Hoger opgeleiden kunnen zich overigens (voor de tijd dat ze hier verblijven) gemakkelijk behelpen met het Engels, het Frans, het Duits of zelfs het Spaans. Hun leefgewoonten sluiten dikwijls vrij goed aan bij de westerse gewoonten waardoor hun aanwezigheid al minder opvallend is. De komst van geschoolden kan echter tot andere specifieke spanningen leiden. Zij komen immers niet meer om 'de vuile jobs' in te vullen, maar vullen plaatsen in die veel mensen, die nu werkloos, slecht geschoold of ondertewerkgesteld zijn, wel graag zouden doen. De idee dat migranten 'ons werk afpakken', wat in zekere zin meer het geval zou kunnen zijn dan vóór 1974, kan koren op de molen zijn voor extreem-rechts en sociale onrust. De overheid van het gastland zal de mensen moeten kunnen overtuigen dat het zijn uiterste best doet om de scholingskansen van het eigen bevolking (inclusief allochtonen) maximaal te garanderen om hen zoveel mogelijk aan de slag te krijgen in jobs waar men zich goed in voelt.

Ondanks de verschillende situatie kan men toch lessen trekken uit het verleden. Zo kan men ervan uitgaan dat wanneer men ook laaggeschoolden toelaat bepaalde sectoren tijdelijk in leven gehouden zullen worden, maar dat er geen garantie bestaat dat die sectoren ook binnen een aantal jaren nog concurrentieel zullen zijn. Men moet rekening houden met het mechanisme van de volgmigratie. Bovendien ontstaan er informele netwerken en speelt de aantrekkingskracht die de aanwezige migranten op potentiële migranten uitoefenen. Hierdoor zal het te verwachten aantal vreemdelingen hoger liggen dan men vooropstelt. De *TransAtlantic Migration Group* vergelijkt de evolutie van migratie met een rivier die start in een kleine bedding, af en toe onderbroken wordt door een dam maar sowieso eindigt in een breed uitgezaaide delta.[49]

Het gevolg van de volgmigratie is dat er jaarlijks nieuwkomers op de arbeidsmarkt terechtkomen van wie niet a priori vaststaat dat ze er een goede plaats zullen in vinden. Het gastarbeidersmodel is meestal zeer moeilijk in de praktijk om te zetten. Het verleden heeft aangetoond dat een groot gedeelte van de mensen die worden toegelaten voorgoed blijven, zelfs ondanks werkloosheid en economische recessie. Als men toch

tijdelijke migranten wil aantrekken zal de terugkeerregeling sterker moeten zijn uitgewerkt dan in het verleden het geval was. Er kunnen wel stimuli aangereikt worden voor
terugkeer, maar men moet sowieso rekening houden met blijvers. Ook door het proces
van volgmigratie dat dan op gang wordt gebracht, is migratie in die zin 'duurzaam en
onsterfelijk'.

Voor het integratiebeleid is dat alles vanzelfsprekend van fundamenteel belang. Het
advies van Jeroen Doomernik (1998) kan niet serieus genoeg worden genomen, namelijk dat elke staat met een bepaald migratieregime van meet af aan geïnteresseerd moet
zijn in de sociale, de culturele en economische integratie van de nieuwkomers, ook al is
het de bedoeling dat men maar tijdelijk blijft.

Noten

[1] Martin, 1999, 68. Zie ook Lakeman 1999.
[2] Aangehaald in Sassen, 1999, 75.
[3] VON LOEFFELHOLZ, H. D. en TRÄNHARDT, D. (1996), *Kosten der Nichtintegration aus-
ländischer Zuwanderer*, Ministerium für Arbeit, Gesundheit und Soziales des Landes Nord-
rhein-Westfalen, aangehaald in Entzinger, 1999.
[4] Op deze these kwam heel wat reactie. Zo repliceerde het Nederlands Centrum voor Buitenlanders (NCB) met de stelling dat 'als alle Turken en Marokkanen uit Nederland zouden
vertrekken, de economie zou instorten'. (NRC-handelsblad, 28-04-99)
[5] Entzinger, 1999.
[6] Weiner, 1995, 204; Lakeman, 1999; Martin, 1999, 65.
[7] Stalker, 2000, 30-31, 84-85.
[8] Cornelius e.a. (1995), 6.
[9] Stalker, 1994, 5, 95-114; zie ook Richmond, 1994, 155-169; Deraeck, 1999 en Roosens,
1998.
[10] Heuser en Hillenbrand, 1996.
[11] cf. Bade, 1998, 118-123.
[12] Isbister, 1996, 5-30.
[13] Van der Brug e.a., 2000. De resultaten van het onderzoek van Van der Brug verschillen sterk
van de resultaten die gepresenteerd werden in Swyngedouw, M. e.a., 1998.
[14] *The Economist*, 06-05-2000, 15.
[15] Van Quickenborne en Cornille, 2000.
[16] *Science & Technology*, 24-05-2000.
[17] Verhoeven, 2000; Caestecker en Vande Voorde, 1996; Martens e.a., 1993.
[18] Voor een hartstochtelijk maar weinig genuanceerd pleidooi cf. Fermon, 1996.
[19] Roosens (1998) heeft dit mechanisme 'primordiale autochtonie' genoemd.
[20] Deraeck, 1999. Dit was één van de conclusies van R. Pinxten op de conferentie *New Manifestations of Racism in 21st century Europe: Threats and responses* (Evens Foudation, 12/
04/2000).
[21] Loobuyck, 2000, 34-35.
[22] Caestecker, 2001.
[23] Morelli, 1993; Martens, 1985, 175-177; Reniers, 1999, 683-684.
[24] Akgündüz, 1993; Straubhaar, 1992a; Martin, 1991, 52; Stalker, 2000, 78.
[25] Stalker, 2000, 82-90.
[26] Atalik en Beeley, 1993, 167-169.
[27] Christiane Stalaert in Bracke e.a., 1990, 11-76.
[28] KCM, 1989, deel III, hoofdstuk 10.
[29] Körner, 1983, 175-186.
[30] Lebon, 1983,153-169 en Wihtol de Wenden, 1983, 171-174. De in Frankrijk fel bediscus-
sieerde *aide de retour* heeft een licht tot matig positief effect gehad. Tussen juni 1977 en

december 1980 werden 45.000 aanvragen goedgekeurd en zijn 85.000 mensen effectief kunnen vertrekken.

[31] Bracke e.a., 1990, 85-103. Voor Nederland zie ook Muus, 1983 en 1986.

[32] Doomernik, e.a., 1996, 72-73.

[33] Bracke e.a., 1990, 71 en 83.

[34] Körner, 1983, 185; Johan Leman in Bracke e.a., 1990, 84

[35] Bovenkerk in Muus, 1983 voor Surinaamse en Muus, 1986 voor Turkse gastarbeiders.

[36] Hammar, 1983, 200.

[37] Atalik en Beeley, 1993, 167.

[38] cf. Entzinger, 1999; Martin, 1999; Doomernik, 1998.

[39] Öberg, 1993, 210.

[40] Sassen, 1999, 80, 83; Böcker, 1992; Leman e.a., 1994; Boyd, 1989; Fawcett, 1989; Gurak en Caces, 1993; Wilpert, 1993; Portes, 1995; Stalker, 1994, 34-35 en Stalker, 2000, 120-122. Zo blijkt dat de Gentse allochtone gemeenschap een aantrekkingspool is voor vreemdelingen die niet in aanmerking komen voor een regelmatige tewerkstelling, namelijk illegaal verblijvende vreemdelingen en asielzoekers zonder arbeidsvergunning. Het gaat overwegend over Turken, Bulgaren en Slovaken. (CGKR, 2000, 71)

[41] Ramakers, 1996, 21-22.

[42] Martens, 1985, 177; Reniers, 1999, 683-684. Bij de landen van herkomst bestond er ook een gebrek aan controle op en managing van de emigratie. Atalik en Beeley, 1993, 171-172.

[43] Ben Abdeljelil, 2000, 4, 8-9 Zie ook Ben Abdeljelil en Vranken, 1996.

[44] Rhode, 1993, 243; Freeman, 1999, 105-106; http://www.immi.gov.au en http://www.ins.usdoj.gov/graphics/aboutins/statistics

[45] Lievens, 1999, 717-744. Zowel onder de Marokkaanse als Turkse nieuwkomers in Vlaanderen is het aandeel van jongeren onder de 18 jaar sterk afgenomen tussen 1994 en 1998, terwijl het aandeel volwassenen is toegenomen. Dit betekent dat gezinshereniging met kinderen en partner verzwakt ten voordele van gezinsvorming. Met andere woorden immigreert een groot deel van de Turken en Marokkanen naar Vlaanderen als *imported brides* en *imported grooms*. Ben Abdeljelil, 2000, 36-40, 46-52, 132, 135.

[46] Obdeijn, 1998, 133; Doomernik en Penninx, 1999, 124.

[47] Ben Abdeljelil, 2000, 26-27, 33 en 43.

[48] Ben Abdeljelil, 2000, 38, 51, 135.

[49] Martin e.a., 2000, 33-34.

6. Internationaal perspectief: gevolgen van migratie voor de landen van herkomst

Migratie is per definitie een thema dat het lokale overstijgt. Dit betekent dat wanneer men wil nadenken over de rechtvaardigheid van bepaalde maatregelen inzake migratie men niet enkel oog moet hebben voor *the local justice* binnen de eigen samenleving. Sommigen willen de boot van de migratie afhouden omdat meer migratie een bedreiging zou zijn voor de verzorgingsstaat. (cf. infra) De gehechtheid aan sociale gelijkheid en sociale cohesie die zich altijd situeert binnen een bepaalde gemeenschap ligt voor velen mee aan de basis van de argwaan ten aanzien van meer en vrijere immigratie. Achter het huidige Europese migratie- en verzorgingsbeleid schuilt echter ook een vorm van 'globale apartheid', waarbij de aparte behandeling wordt gespreid over regio's in plaats van over verschillende groepen in een en dezelfde staat. Richmond bepaalt de *global apartheid* als volgt: zoals de Afrikaners en Europeanen hun bevoorrechte positie in de Zuid-Afrikaanse samenleving op een oneigenlijke manier veilig stelden door middel van het apartheidssysteem, zo proberen de ontwikkelde landen op wereldvlak hun verworvenheden en privileges te beschermen.[1] Richmond gelooft niet dat dit apartheidssysteem houdbaar is. Het westen mag zoveel inspanningen leveren als het wil, al bouwt men honderd muren rond Europa, de mensenstromen zullen hun weg wel blijven vinden. Net als in Zuid-Afrika moet het systeem in elkaar storten.

De internationale dimensie van migratie vereist dat er niet enkel wordt gekeken naar het eigenbelang, er moet ook rekening worden gehouden met de lokale belangen van de landen van herkomst en die van de migrant zelf. De hele discussie over arbeidsmigratie heeft pas zin als men er kan vanuit gaan dat ze resulteert in een win-winsituatie voor Noord en Zuid, voor de migranten, de 'achterblijvers' en voor de gastlanden. Hoe men concreet aan die win-winsituatie gestalte kan geven zal nog veel denkwerk en de nodige creativiteit vereisen.

De discussie over internationale rechtvaardigheid en migratie kan alvast deze elementen bevatten: de *brain drain*, het effect van het teruggestuurde geld, de werkloosheid en de relatie tussen ontwikkeling en migratie.

6.1 Migratie en economische ontwikkeling

Sommigen gaan ervan uit dat migratie niet bevorderend is voor de ontwikkeling van de emigratiegebieden. Saskia Sassen bijvoorbeeld meent dat gebieden die belangrijk zijn voor de arbeidsexport, in hun ontwikkeling zullen achterblijven op de gebieden die arbeid importeren, juist omdat deze laatste een sterke economische groei vertonen. Het is een soort vicieuze cirkel waarbij voordeel tot nog meer voordeel leidt.[2] Bovendien kan emigratie de werkloosheidsdruk verminderen waardoor economische hervormingen uitblijven die economische groei en werkgelegenheid zouden moeten scheppen. Deze negatieve vooronderstellingen vinden niet op eenduidige wijze steun in de praktijk. De groei van de emigratie betekent niet noodzakelijk dat de economische groei vermindert, en omgekeerd betekent economische groei niet noodzakelijk dat de migratie zal afnemen. De Europese urbanisatie en industriële groei in de 19de eeuw ging gepaard met een enorme exodus naar Noord- en Zuid-Amerika en naar Australië.[3] Ook de ervaring met de industrialisering, sinds 1960, van Azië leert dat de economische groei daar, zeker in de beginfase, de emigratie heeft bevorderd.[4] De Arabische olieproducerende staten stellen al jaren miljoenen Aziaten te werk en steeds meer Aziaten migreren nu ook naar Japan, de VS, Canada, Australië en Europa.[5] In China zijn het precies die enkele kuststreken, vooral van Fujian de zuidelijke provincie voor de kust van Taiwan, die een enorme economische groei meemaken, die ook het meest migranten afleveren in de VS en Taiwan. Weiner verwijst ook naar Italië, Turkije, Algerije, Griekenland en Mexico waar tijdens de emigratieperiode de industrie zeer snel groeide. Enkele landen die in het nabije verleden het meest migranten naar Europa, Canada en de VS gezonden hebben, hebben een economie die sterk in expansie is: Zuid-Korea, Taiwan, Singapore, Hong Kong, Algerije, Turkije, Mexico.

Bepaalde voorstanders van vrijere (arbeids)migratie argumenteren dat zowel het emigratie- als het immigratieland voordeel kunnen doen met de migratie. In het gastland kan migratie zorgen dat de lonen niet al te hoog worden, dat bepaalde jobs worden ingevuld en dat de economische groei wordt bestendigd. In de landen van herkomst kan de werkloosheidsdruk verminderen waardoor de lonen niet dieper zakken en zelfs zouden kunnen stijgen. Door het teruggestuurde geld kan de levensstandaard van de achtergebleven familie en kennissen verbeteren en de economie kan hierdoor nieuwe impulsen krijgen.[6] We hebben al gezien hoe ook vanuit de neoliberale hoek geluiden te horen zijn die in die richting gaan. Op basis van liberale economische argumenten pleit men voor een vrijere migratie, want dat zou zowel het economisch systeem als de mensen ten goede komen. Bovendien zou het vrij verkeer van goederen, kapitaal en mensen bijdragen tot de gelijkschakeling van prijzen, lonen en welvaart. Sommigen menen dat als het mechanisme van vraag en aanbod volledig kan spelen, er dan ook meer gelijkheid kan komen.

Los van de vraag of de liberale vooronderstelling klopt, moet ook de stelling dat de economische ontwikkeling vanzelf bijdraagt tot de afname van de migratiedruk genuanceerd worden. Verschillende experts zijn het erover eens dat een verhoging van welvaart en ontwikkeling de emigratiedruk initieel alleen maar verhoogt. Pas op langere termijn zal die druk afnemen. Dit is wat men bedoelt met de '*migration hump*': namelijk de tegenstelling tussen de kortetermijn- en de langetermijneffecten van economische ontwikkeling. We hebben al vastgesteld dat wanneer het gemiddelde inkomen stijgt, ook de emigratie stijgt en eenmaal het inkomen een bepaald niveau bereikt, de emigratie gevoelig zakt. Deze tussenperiode noemt men de *migration transition*. Er zijn verschillende factoren die de initiële stijging van de migratiedruk kunnen verklaren: een hoger loon maakt de financiering van migratie mogelijk, het is niet omdat het loon stijgt dat ook de arbeidsomstandigheden verbeteren en een verhoging van de welvaart kan gepaard gaan met een demografische transitie waarin het bevolkingsaantal stijgt en dus ook het aantal potentiële vertrekkers stijgt.[7]

Toch een economisch-historisch patroon?

Het lijkt onmogelijk om migratie als positief dan wel als negatief te duiden ten aanzien van de economische ontwikkeling van het gastland. Wel lijkt het zo dat de economische ontwikkelingen van een land verband houden met de migratie. De discussie over de band tussen de groei van de economie en de migratiestromen is deels een valse discussie omdat men beter moet nagaan in welke omstandigheden de economische groei plaatsvindt. Als de groei enkel bepaald is op basis van het BNP dan blijkt economische vooruitgang compatibel zowel met immigratie als met emigratie.

In de geschiedenis kan toch een algemeen patroon worden teruggevonden. Bijna overal gaat de transitie van een agrarische naar een industriële, kapitalistische samenleving gepaard met een toename van de emigratie.[8] Voor Europa was dat rond het midden van de 19de eeuw. De snelle economische groei ten gevolge van de industriële revolutie kon alleen maar leiden tot een reële verhoging van de levensstandaard door het vertrek van grote aantallen Europeanen.[9] Tussen 1846 en 1920 zijn naar schatting 44 miljoen mensen uit Europa weggetrokken vooral naar de VS en Canada. In Japan viel het begin van de industrialisering tussen 1891-1920 en in die periode (eigenlijk nog tot 1960) kende Japan een enorme emigratie naar de VS en Australië. Voor de Aziatische NIE's ligt deze periode tussen 1960 en 1970. De ontwikkeling die de industriële revolutie veroorzaakt, correleert met een groeiend potentieel emigranten omdat de industriële revolutie ingrijpende verschuivingen teweegbrengt op de arbeidsmarkt.[10] Soms wordt de economie zelfs in grote mate gedestabiliseerd en ontwricht. Het in elkaar stuiken van het traditioneel economisch (meestal agrarisch) systeem, plattelandsvlucht, betere levensstandaard en stijgende levensverwachting zorgen voor een demografische groei. Ook de mogelijkheden voor migratie stijgen meestal in die periode, althans voor een bepaalde groep: hogere lonen en betere transportmogelijkheden. Indien men de datum wanneer een land 1.000 km spoorweg heeft als markering hanteert, stelt men vast dat dit land gemiddeld 28 jaar na deze datum het piekjaar bereikt wat betreft emigratie. Daarna neemt het terug af omdat de levensomstandigheden sterk verbeterd zijn en omdat de demografische groei afneemt. De economische groei in een postindustrieel tijdvak lijkt op verschillende plaatsen samen te gaan met een toename van immigratie, ten eerste omdat de economie de nieuwe (soms illegale) arbeidskrachten best wel kan gebruiken, ten tweede omdat deze rijke landen ook een sterke aantrekkingskracht uitoefenen op de inwoners van landen die minder ver staan in hun economische ontwikkeling.

De emigratiedruk in de ontwikkelingslanden aan het eind van de twintigste eeuw kan geduid worden in het kader van de genoemde economische ontwikkelingen. Opnieuw lijkt de beginnende economische ontwikkeling en industrialisering met een groei in emigratie te correleren. Het proces wordt nog versterkt en versneld door de *techno-*

logische spillover van de geïndustrialiseerde landen.[11] De verbetering in de gezondheidszorg, de invoer van nieuwe landbouwtechnieken en de massale aangroei van de
steden zijn exponenten van die evolutie. Ook nu gaat de beginnende economische
ontwikkeling in veel (Aziatische) landen gepaard met emigratiedruk. Het verschil met
de vorige eeuw is dat in omstandigheden van globalisering de omvang en de snelheid
nog kunnen toenemen.

6.2 Emigratie als veiligheidsklep

De relatie tussen emigratie en politieke veranderingen komt aan bod in de studies van
Hirschman. Hij stelt dat door een emigratiepolitiek totalitaire regimes langer instandgehouden kunnen worden. Dit zou juist het verschil zijn tussen Oost-Duitsland aan
de ene kant en Polen, Tsjecho-Slowakije en Hongarije aan de andere kant. De onmo-
gelijkheid van emigratie uit deze laatste landen is verantwoordelijk voor de revolte in
1956 in Boedapest, voor het uitbreken van de Praagse Lente in 1968 en de activiteiten van Solidariteit in Polen begin de jaren tachtig. Oost-Duitsland daarentegen heeft
steeds, ondanks het bestaan van de Berlijnse muur (die er vooral om economische
redenen was) dissidenten over de grens gezet. De DDR was er zich van bewust dat ze
de oppositie kon verzwakken door selectief mensen te laten emigreren.[12] Díaz-
Briquets (1991) bevestigt de stelling van Hirschman voor Latijns-Amerikaanse landen. Door de emigratie werden sociale veranderingen afgeremd en archaïsche politieke en economische systemen instandgehouden. Door de emigratie van landloze
boeren zowel naar de steden als naar buurland Honduras kon de rust bewaard blijven
in de semi-feodale landelijke gebieden in El Salvador. De emigratie van jongvol-
wassen arbeiders uit Paraguay heeft decennia lang bijgedragen tot het behoud van het
dictatoriaal regime van Stroessner. Sommigen beweren dat ook het migratiebeleid
van de VS dat alle Cubaanse migranten als politieke vluchtelingen beschouwde, er
eigenlijk voor gezorgd heeft dat alle dissidente elementen uit Cuba konden verdwijnen, waardoor het regime van Castro kon blijven bestaan. De VS herbergen meer dan
een half miljoen Cubanen. Een deel van die migranten had de druk op de ketel voor
politieke verandering kunnen doen toenemen, indien ze in Cuba waren gebleven.
Terwijl andere communistische regimes van binnenuit omvergeworpen zijn, bestaat
het communistisch regime in Cuba nog altijd omdat het vluchtelingenbeleid van de
VS ongewild het regime in het zadel houdt. Het beleid van de VS ten aanzien van de
Cubanen is in tegenstelling met de houding van de VS begin de jaren tachtig ten
aanzien van de leden van de Poolse onafhankelijke vakbeweging Solidariteit. Zij
werden aangemaand niet uit Polen te vertrekken en te blijven deelnemen aan de strijd
voor politieke hervormingen.[13]

Weiner is het niet eens met de basisstelling van Hirschman.[14] Mensen kunnen ook
buiten de grenzen van hun landen als dissidenten functioneren. Hij verwijst naar de
vele Chinezen die in Australië, Frankrijk, Canada en de VS ertoe bijdragen dat de

mensenrechtenbeweging in China niet stilvalt. Bovendien elimineert een echt gesloten regime zijn dissidenten door ze in de gevangenis te stoppen of te vermoorden, waardoor ze ook monddood zijn. In dat geval geldt: beter dissidenten in het buitenland dan geen dissidenten. Stalker wijst erop dat wanneer er ook retourmigratie is, die (re)migratie de sociale veranderingen kan stimuleren. Terugkerende migranten hebben zich dikwijls losgemaakt van de gemeenschap en meten zich een meer individualistische levensstijl aan die zich distantieert van de lokale tradities. Hierdoor kunnen ze bijdragen aan de verandering van de traditionele sociale structuren.[15]

In de lijn van Hirschman zou men kunnen argumenteren dat men door emigratie de sociale onvrede kan verminderen waardoor de sociale strijd uitblijft. Arbeidsmigratie kan zo als bliksemafleider fungeren en de economische en politieke hervormingen vertragen, uitstellen of overbodig maken. Een emigratieregime kan als veiligheidsklep dienen om de druk op de sociale stoomketel te doen afnemen.[16] Doordat (de meest gefrustreerde?) werknemers een uitweg voor hun situatie kunnen vinden, wordt de politiek minder onder druk gezet om sociale en economische hervormingen en investeringen door te voeren. Een emigrant betekent niet alleen een maag en een werkloze minder binnen de eigen grenzen, maar ook een arbeidskracht die door zijn buitenlandse activiteit voor transfers kan zorgen zodat hij zelfs nog bijdraagt aan het nationaal inkomen.

Maar er is geen eenvoudig antwoord op de vraag naar de relatie tussen de politieke en economische veranderingen en het beleid enerzijds en de migratie anderzijds. Zo blijft het een onopgeloste vraag wat de politieke consequenties geweest zouden zijn als landen als Mexico, Algerije, Turkije, Griekenland, India en Pakistan niet de mogelijkheid zouden hebben gehad arbeidskrachten uit te voeren naar West-Europa of het Midden-Oosten. Migratie kan inderdaad worden aangewend om zich van lastposten te ontdoen en op die manier kunnen sociale en politieke onrusten misschien uitblijven. Het zou wel van slechte trouw getuigen om in elk emigratiebeleid dergelijke motieven te willen zien. Als men vaststelt dat bepaalde landen bewust een selectief emigratiebeleid voeren om zich van sociaal-economische en politieke lastposten te ontdoen, moeten de gastlanden deze migranten dan opnemen of niet? In het kader van de mensenrechten kan het goed zijn dissidenten uit hun land te laten vertrekken en hen bescherming te bieden. Aan de andere kant helpen de gastlanden op deze manier om een bepaald beleid daar in stand te houden. Vandaar is het belangrijk dat de gastlanden hun immigratiepolitiek koppelen aan een buitenlandsbeleid dat insisteert op het naleven van de mensenrechten, op politieke en sociaal-economische veranderingen in de emigratielanden. Dit kan gebeuren op basis van akkoorden tussen de betrokken landen.

6.3 De *brain drain*

Inleiding

Emigratie is niet alleen een mogelijke oplossing voor het teveel aan werknemers in een tijd van hoge werkloosheid, het kan ook het verlies betekenen van mensen die de landen van herkomst nodig hebben. Men spreekt dan al snel van een *brain drain*. De notie *brain drain* dook voor het eerst op in Groot-Brittannië tijdens de jaren zestig. Toen zijn veel Britse wetenschappers en ingenieurs naar de VS vertrokken omdat ze daar meer konden verdienen en betere toekomstmogelijkheden hadden. Ondertussen is het een begrip geworden dat bijna in elke tekst over migratie opduikt. De schade die het vertrek van mensen aanricht voor het land van herkomst, is echter zeer moeilijk te berekenen. Ze kan deels materieel en deels immaterieel zijn en er moeten verschillende elementen in rekening worden gebracht. Wanneer de totale kostenbatenbalans van de emigratie negatief is, spreken we van *brain drain*. We gebruiken de term hier dus niet in de enge betekenis, met name het verlies van hooggeschoolden.[17] De term is van toepassing op elke situatie waarin een land mensen (*brains*) verliest, terwijl dat land ze zelf kan gebruiken. Of het over hoog- dan wel om laaggeschoolde mensen gaat, is van secundair belang. De volgende elementen kunnen in rekening worden gebracht: het verlies van de investering in de opleiding van de emigranten, het verlies van *know-how*, de rol van teruggestuurd geld, de hoeveelheid retourmigratie, de invloed van de emigratie op de demografische situatie van het land, op de productie, op het inkomensniveau, op de werkgelegenheid, op de economische groei, enzovoort. De invloed van de factor *brain drain* moet land per land en categorie per categorie worden bekeken.[18]

Het element brain drain van naderbij bekeken

Neoklassieke economen kunnen aantonen dat de wereld in zijn geheel door migratie zou verbeteren, althans in termen van economische efficiëntie in het vrije marktsysteem. Deze vooruitgang van het economisch wereldsysteem kan echter gepaard gaan met achteruitgang op lokaal niveau. Voor de berekening van de groei van het geheel houdt men immers geen rekening met de regels van rechtvaardigheid. In naam van de vrije markt die enkel een economische groei op het oog heeft, wordt de solidariteit met bepaalde zwakkere groepen veronachtzaamd. De *brain drain* is zo een element dat de logica van het economisch wereldsysteem bevraagt vanuit een lokaal perspectief. Wanneer de werkloosheidsgraad in bepaalde gebieden, de situatie van de lokale arbeidsmarkt en het bestaan van publieke goederen in rekening worden gebracht, kan een ander kostenplaatje worden opgemaakt. Het is bijvoorbeeld een misvatting te denken dat emigratie automatisch de werkloosheidscijfers drukt. De plaatsen die vrijkomen op de arbeidsmarkt door het vertrek van de hooggeschoolden kunnen dikwijls niet ingevuld worden omdat enkel laaggeschoolden overblijven. Hierdoor stort het systeem in elkaar en wordt de werkloosheid alleen maar groter.

Migratie is een geladen thema waaraan ook verschillende ethische problemen vasthangen. Moeten we migratie bekijken vanuit ons standpunt of dat van de anderen? Hoe kan migratie bijdragen tot internationale solidariteit en op welke manier kunnen we rekening houden met duurzame ontwikkeling?

Tijden kunnen veranderen: sinds de jaren zeventig willen we nieuwkomers buiten houden, vandaag willen we nieuwkomers binnenbrengen. Het probleem is dat de twee groepen niet dezelfde zijn. De migratiedruk is vooral afkomstig van laaggeschoolden, terwijl Europa vooral nood lijkt te hebben aan hooggeschoolden. Plots zouden we de deur opnieuw selectief openzetten, omdat het ons goed uitkomt.

In het huidige discours over arbeidsmigratie en de vraag naar hooggeschoolden, ziet het er naar uit dat we enkel oog hebben voor onze eigen problemen (tekort aan arbeidskrachten). Het rendement van ons bestel is weer eens de enige maatstaf, terwijl er nu net een andere visie nodig is. Moeten we ons niet afvragen of we wel het recht hebben om arbeid te importeren enkel in ons eigen economisch belang? Migratie toelaten, stimuleren of afremmen is toch niet enkel een zaak van economische afwegingen. Het gaat om mensen en de algemene doelstelling moet zijn de kwaliteit van het leven van mensen en hun samenlevingen te verbeteren.

Wanneer de westerse landen bij het toelaten van arbeidsmigratie enkel rekening zouden houden met de eigen belangen, dan kan deze toegift een pervers en vergiftigd geschenk zijn, en voor zover men het als een daad van altruïsme zou voorstellen is het ronduit hypocriet. De rijke landen hullen zich in een fraaie schutkleur om hun eigenbelang te verdoezelen: want om ons toch wel redelijk luxueus welvaartssysteem in stand te houden, schrikken wij er niet voor terug om de *brains* uit het Zuiden weg te roven. Er zijn grenzen aan dat noordelijke utilitarisme. Want de schade die je op die manier aanricht is enorm. Laten we er alles aan doen om deze kortzichtige manier van denken te keren. Mensen zijn nu eenmaal meer dan arbeidskrachten.

Ruddy Doom
Vakgroep Studie van de Derde Wereld, UG
december 2000

Voor het wereldsysteem speelt het meestal niet zo een grote rol waar mensen aan het werk zijn, als ze maar hun economische bijdrage leveren en voldoende renderen. Vanuit het lokaal perspectief, i.c. dat van de natiestaten is het echter van groot belang of de mensen die met overheidsgeld opgeleid en opgevoed zijn al dan niet wegtrekken om een bijdrage te leveren aan de economie van een ander land. Het vertrek van mensen betekent sowieso het vertrek van een investering in opleiding, opvoeding en ervaring. De overheid van de emigratielanden heeft in de emigranten geïnvesteerd, o.a. door hen onderwijs te verschaffen, in de hoop dat ze op hun beurt een (economische) bijdrage zouden leveren aan de samenleving. Volgens berekeningen van het *UNDP* betekenen de 90.000 hooggeschoolden die ontwikkelingslanden hebben ingeruild voor de VS in 1990 een verlies van $642 miljoen (elk $7.400) aan investering in opvoeding en onderwijs.

Men schat dat ongeveer 1,5 miljoen geschoolde mensen uit de ontwikkelingslanden nu werkzaam zijn in Europa, de VS, Japan of Australië. Afrika is er op dat gebied het ergst aan toe. Tussen 1960 en 1987 heeft Afrika ongeveer 70.000 hooggeschoolden zien vertrekken, vooral naar de EU. Dat is ongeveer 30% van de stock. Sinds 1985 verliest het gemiddeld 20.000 *professionals* per jaar. Het aantal artsen uit de derdewereld dat in West-Europa werkt, overtreft het aantal ontwikkelingswerkers dat door de EU wordt uitgezonden.[19] In 1978 is Soedan 17% van zijn tandartsen en dokters verloren, 30% van zijn ingenieurs en 45% van zijn landmeters. Ghana heeft 60% van de dokters die het begin de jaren tachtig heeft opgeleid zien vertrekken. Ontwikkelingslanden verliezen ook zeer veel studenten. Meer dan de helft van de Afrikanen die in de jaren zestig in de VS chemie of fysica hebben gestudeerd, is nooit teruggekeerd.

Ook Pakistan heeft in de jaren zeventig en tachtig meer dan 100.000 arbeiders per jaar uitgezonden waarvan bijna de helft geschoold was. Dit komt overeen met 7% van het arbeidspotentieel. Dit heeft geleid tot een arbeidstekort, een sterke loonsstijging en een forse daling van de productie.[20] De notie *brain drain* is ook van toepassing op de migratierealiteit van de Caraïbische landen[21] en ook de emigratie sinds begin de jaren tachtig vanuit de Oost-Europese landen heeft een *brain drain* veroorzaakt.[22] Er is niet alleen sprake van *brain drain*, voor West-Europa zou de migratie vanuit het oosten ook voor een *brain gain* hebben gezorgd, ook wanneer het deels compenserende effect van het teruggestuurde geld en van de remigratie in rekening wordt gebracht. Er bestaan geen officiële gegevens over de diploma's van de migranten, maar onderzoek toont aan dat zeer veel jonge en geschoolde arbeidskrachten naar het westen vertrokken zijn en een econometrische studie wijst op een negatieve eindbalans voor de thuislanden en een positieve eindbalans voor de gastlanden. Sommige Oost-Europese landen hadden geen demografisch overschot en hebben het tekort aan arbeidskrachten op hun beurt moeten compenseren door gastarbeiders te importeren, vaak uit Vietnam. In Polen dat nog een vrij hoog geboortecijfer had is de bevolkingsaangroei bijna volledig door de emigratie geabsorbeerd. Tussen 1981 en 1988 steeg de globale bevolking van 21,9 miljoen naar 22,3 miljoen, maar daalde het aantal mannen in de leeftijdsgroep tussen 20 en 39 met 1,3 miljoen. Tussen 1983 en 1987 emigreerden 400.000 Polen waarvan 15% een universitaire opleiding had. Dit is evenveel als het gemiddeld aantal gediplomeerden dat de Poolse universiteiten jaarlijks afleverden in de jaren tachtig. Polen had in tegenstelling tot andere Oost-Europese landen een vrij liberaal migratieregime. De val van de Berlijnse muur heeft de immigratie en het fenomeen van de *brian drain* nog versterkt. In 1990 zijn uit Roemenië 130.000 mensen gemigreerd. In Bulgarije migreren sinds 1989 gemiddeld 20.000 wetenschappers per jaar. In 1995 migreerden meer dan 7000 professoren en onderzoekers en een onderzoek van 1996 leert dat 40% van de wetenschappers plannen had om te emigreren.

In verschillende Aziatische landen is de realiteit dan weer helemaal anders. Het vertrek van vele duizenden geschoolde arbeiders uit India en Bangladesh begin de jaren tachtig heeft niet voor arbeidstekorten gezorgd. Numeriek ging het wel om een aanzienlijke emigratie maar al bij al was het minder dan 1% van de totale hoeveelheid potentiële arbeidskrachten. In absolute getallen verliest Azië meer professionals dan Afrika. Deze professionals migreren hoofdzakelijk naar de VS. India levert het meest hooggeschoolden af, dan de Filipijnen, China en Zuid-Korea. Toch is de *brain drain* in Afrika veel groter dan in deze landen. Er studeren in India immers teveel mensen aan de universiteiten af. In 1990 telde India 1,2 miljoen hooggeschoolde werklozen. Ook in Somalië, Ivoorkust en Marokko is de academische werkloosheid vrij hoog. Men kan zich dan inderdaad afvragen wat opleidingen en diploma's opbrengen als de afgestudeerden niet aan het werk kunnen worden gezet? Vanuit internationaal, maar ook vanuit nationaal perspectief, is het beter dat mensen met een opleiding in het buitenland kunnen werken, in plaats van werkloos in het thuisland te moeten blijven. Als ze werkloos blijven, kosten ze de staat veel meer. Tijdelijke migratie van geschoolde werklozen wordt dan ook dikwijls gepromoot omdat het zowel het individu als de samenleving ten goede komt. De investering die men in de opleiding heeft gedaan, rendeert meer wanneer een geschoolde migrant in het buitenland werkt en een deel van zijn loon naar het land van herkomst terugstuurt, dan wanneer die geschoolde werkloos in het land van herkomst blijft.[23] Abella moet ook vaststellen dat beleidsmensen van *sending countries* er dikwijls op aansturen dat niet alleen laag- of ongeschoolden emigreren, maar ook hooggeschoolde professionals, ook al heeft het land al meer in de opleiding van deze laatsten geïnvesteerd. Er zijn verschillende politieke en economische redenen die deze bekommernis kunnen verklaren: hooggeschoolden verdienen meer en kunnen dus meer geld terugsturen, hooggeschoolden hangen een beter imago op van het land van herkomst, de rechten van hooggeschoolden worden beter gerespecteerd en de kans op illegale praktijken en uitbuiting is kleiner.

Migratiemanagement om de brain drain te vermijden

Het feit dat we door hier meer migratie toe te laten mensen kunnen afsnoepen die de landen van herkomst broodnodig hebben, stuit tegen de borst. Het systeem van arbeidsmigratie op basis van selectie zoals dat ondermeer in de VS bestaat, wordt soms veroordeeld als een nieuwe vorm van kolonialisme. Door de contingentering kan men immers selectief zijn en slechts de geschoolde mensen toelaten waardoor de arbeidsmarkt in de landen van herkomst wordt afgeroomd. De kansen van enkelingen stijgen, maar in globo verslechtert de situatie van velen. De mensen die in het thuisland blijven worden in de steek gelaten, het thuisland heeft tevergeefs geïnvesteerd in de opvoeding, de zorg en het onderwijs van de emigrant en in veel gevallen kan het thuisland die emigrant best zelf gebruiken. Dit alles kan niet de bedoeling zijn, zeker niet als men van het principe uitgaat dat alleen verbetering van de toestand in de landen van oorsprong zelf een meer definitieve oplossing voor het migratievraagstuk kan bieden.

Men kan het argument van de *brain drain* niet serieus genoeg nemen. Tot op vandaag worden er te weinig inspanningen gedaan om het fenomeen tegen te gaan. Integendeel, het toelatingsbeleid van sommige rijke landen werkt de *brain drain* verder in de hand. Toch is een veralgemening niet correct. Het argument van de *brain drain* moet op zijn realiteitswaarde worden beoordeeld en mag niet tot een dooddoener verworden die als alibi dient om niet meer over arbeidsmigratie na te denken. Het is niet correct als men bij elke migratie van een geschoolde werknemer doet alsof die een *brain drain* veroorzaakt. Studies van de *ILO* wijzen er meermaals op dat niet elk vertrek van een geschoolde werknemer ook effectief een verlies hoeft te betekenen voor dat land. Zeker tijdelijke migratie kan in verschillende landen meer goed dan kwaad doen. Veel is afhankelijk van de specifieke situatie op de arbeidsmarkt en de ontwikkeling van de economie in het land van herkomst. Bovendien kan een land wel allerlei maatregelen nemen om de gewraakte *brain drain* tegen te gaan, maar mensen werkelijk verbieden hun kans in het buitenland te wagen druist in tegen elementaire individuele basisrechten.[24]

Het argument van de *brain drain* moet dus met de nodige omzichtigheid worden gebruikt. Bepaalde (derdewereld)landen zijn immers niet of nauwelijks in staat hun gekwalificeerde mensen behoorlijk werk te verschaffen, en zijn meer gebaat met hun (tijdelijke) emigratie. De *brain drain* speelt het sterkst als men vanuit een volledige tewerkstelling vertrekt, maar dat is in veel landen niet het geval. Straubhaar en Wolburg wijzen erop dat het vertrek van werklozen in de meeste gevallen zelfs positief kan worden geduid voor de thuislanden.[25] Dit neemt niet weg dat verschillende landen effectief met het fenomeen van *brain drain* af te rekenen hebben. Algemeen is het zo dat er noch in de emigratielanden, noch in de immigratielanden op het niveau van het beleid veel aandacht wordt geschonken aan het fenomeen. In het beste geval bestaat er enkel onderzoek achteraf. Er worden zeer weinig inspanningen gedaan om het fenomeen op het moment zelf in kaart te brengen en er bestaat geen beleid om gelijk welke vorm van *brain drain* tegen te gaan.[26] Ondermeer het bijhouden van welke mensen vertrekken, met welke diploma's en welke capaciteiten en dit in relatie brengen met output van het onderwijs, de noden van de eigen arbeidsmarkt en de ontwikkelings- economie zou een wezenlijk onderdeel moeten vormen van het nationaal en internatio- naal migratiemanagement. Emigratielanden moeten vooraf een profiel opstellen van welke mensen ze zelf nodig hebben en welke mensen geen schade berokkenen door te vertrekken. Ze moeten een beleid voeren dat erop gericht is het vertrek te ontraden van die mensen die ze zelf het best kunnen gebruiken. In de Filipijnen heeft men met succes de regeling ingevoerd die afstuderende artsen verplicht om een minimum aantal jaar in het vaderland te werken. Zuid-Korea verplichtte de bedrijven die hun werknemers in het buitenland lieten werken, om minstens 10% van dat aantal werknemers zelf op te leiden zodat er in het land zelf geen tekort zou ontstaan. Het is duidelijk dat men als overheid bepaalde maatregelen kan treffen om het effect van een *brain drain* te verminderen. Het moet echter steeds gaan om stimuli die de emigratie van een welbepaalde doelgroep afremmen of compenseren. Men kan nooit zover gaan mensen effectief te verbieden om te emigreren.

Ook de gastlanden moeten creatief zijn in hun organisatie van arbeidsmigratie zodat de *brain drain* in het land van herkomst kan worden vermeden. Ze kunnen het land van herkomst ondersteunen in het bijhouden van welke mensen met welke diploma's precies wegtrekken. Indien er tekorten dreigen kan ook het gastland verantwoordelijkheid opnemen door te investeren in vormingsprojecten en de emigratie van een bepaalde categorie mensen niet langer aan te moedigen. Er kunnen programma's worden ontwikkeld die de migranten stimuleren terug te keren. Een rotatiesysteem is nooit volledig sluitend, dit heeft ook het verleden al aangetoond, maar binnen bepaalde stage- en opleidingsprogramma's ziet men dat het tijdelijkheidsprincipe toch kan werken. De bedrijven die een beroep doen op buitenlandse werkkrachten kunnen ook worden aangespoord of verplicht om te investeren in de landen van herkomst, bijvoorbeeld in materiaal (veel artsen in Afrika zijn technisch werkloos omdat ze niet over het nodige gespecialiseerde materiaal beschikken), in ontwikkelingsprogramma's, in de vorming van voldoende nieuwe kaders of in een filiaal van het bedrijf dat voor extra werkgelegenheid kan zorgen.

Ter compensatie van het verlies in de landen van herkomst kan ook worden gedacht aan een migratietaks. Bhagwati en Dellafar suggereren dergelijke *exit tax for brain drain* in de vorm van een toeslag op de belasting op hct inkomen in het gastland.[27] Het immigratieland kan een extra belasting heffen en het verzamelde geld naar de landen van herkomst sturen ter compensatie voor het verlies van *human capital*. Er stelt zich wel een probleem bij een extra heffing op de inkomens van de immigranten. Met uitzondering van de VS en Singapore is het staatsburgerschap overal irrelevant voor het heffen van belastingen.[28] Het feit dat men in een bepaalde streek werkt en woont is juridisch relevant niet de nationaliteit die men heeft. Door migratie vallen de immigranten niet meer onder het belastingsstelsel van het land waar ze nog staatsburger van zijn. Een migratietaks zoals Bhagwati die voorstelt, impliceert als het ware dat het land van herkomst toch nog een belasting kan innen van haar burgers die het land hebben verlaten. Om hieraan tegemoet te komen kan men voorstellen dat de bedrijven of de overheid van het gastland zelf een transfersom betalen aan het land van herkomst. Op die manier betaalt de instantie die voordeel haalt uit de migratie aan het land dat erbij inschiet en wordt de migrant als belastingbetaler ongemoeid gelaten. Op die manier krijgt men echter een situatie waarbij de ene inwoner van een land meer kost dan een andere inwoner, en de werkgever voor de ene werknemer meer loonkosten moet betalen dan voor een ander. Dit botst opnieuw met het principe uit het internationaal recht dat enkel het ingezetenschap relevant is voor de heffing van taks. Men kan zich ook de vraag stellen of een staat wel het recht heeft om een deel op te eisen van alles wat een persoon die er opgegroeid is produceert, ook al heeft die persoon het land verlaten.[29] Bovendien is het moeilijk vast te leggen hoeveel die compensatie moet bedragen. Het bepalen van de nettowinsten en nettoverliezen voor de respectieve gast- en herkomst-landen is een zeer moeilijke onderneming. Men moet rekening houden met de moge-lijkheid van remigratie, de invloed van de teruggestuurde gelden, hoe zou het menselijk kapitaal aangewend zijn zonder migratie, wat zijn de niet-materiële gevolgen van migratie enzovoort.

Bovendien is de premie een vals argument voor die landen waar men geen teveel heeft aan arbeidskrachten en geschoolde werknemers, want met het compensatiegeld heeft het land van herkomst de nodige arbeidskracht en de nodige hersenen niet terug. Wanneer men enkel een strikt geldelijke balans maakt, stapt men in een transfersysteem waarbij de waarde van werknemers enkel in termen van geld wordt bepaald. Zo een systeem past goed in het neoliberale gedachtegoed waarin alles te koop is en waarin de wet van de rijkste geldt. Wanneer de migrant in het land van herkomst toch geen job vond, kan dergelijke premie misschien wel compenserend zijn.

Volgens de *TransAtlanticMigration Group* kunnen hooggeschoolde migranten zo-wel een bijdrage leveren aan het land van herkomst als aan het gastland. Ze kunnen een belangrijke link vormen tussen het kapitaal van de geïndustrialiseerde landen en de ontluikende economieën in de ontwikkelingslanden. Zo hebben Indische computer-programmeurs die naar de VS migreerden als intermediair gefunctioneerd tussen de bedrijven in de VS en de Indische bedrijven die tegen lage lonen programma's maken. Deze link heeft de sector van de informatietechnologie in India goed vooruitgeholpen. In de VS heeft men het zelfs over een 'omgekeerde *brain drain*' omdat er veel Indiërs zijn die op basis van hun kennis en ervaring uit de VS bedrijven opzetten in het thuisland.[30]

Een *brain drain* in het land van herkomst veroorzaakt niet automatisch een *brain gain* voor de gastlanden en omgekeerd. Ondermeer daarom gebruikt men in het kader van de internationale benadering liever de meer neutrale termen *brain-exchange* of *brain overflow* in plaats van *brain drain* (nationalistische benadering).[31] Met Barbara Rhode kunnen we er nog aan toevoegen dat het migratiefenomeen niet exclusief vanuit het standpunt van de overheid en van de natiestaten moet worden bekeken. Naast de (inter)nationale invalshoek is er ook het perspectief van de betrokken mensen zelf. De overheid investeert inderdaad in onderwijs en dergelijke, maar het behalen van een diploma heeft ook te maken met de persoonlijke ambitie, het talent en de wilskracht van het individu in kwestie. Bovendien heeft ook het gezin of de familie in die persoon geïnvesteerd, in de hoop dat de student later een goed leven zou kunnen uitbouwen. Wanneer iemand met een diploma nu vertrekt, om zijn kans op een beter leven te wagen in het buitenland, wordt dit vanuit het individuele perspectief beschouwd als een lo-gisch verder zetten van de loopbaan. Vanuit dit perspectief is geen plaats voor het gejammer over het verlies voor de staat.[32] Emigratie is dan een normale uiting van ambitie om een zo goed mogelijk leven te leiden en dit recht kan de persoon in kwestie moeilijk worden ontzegd.

6.4 Het effect van teruggestuurd geld

Optimisten inzake migratie verwijzen graag naar de mogelijkheden die ontstaan met het geld dat de migranten terugsturen naar de familieleden die in het land van herkomst zijn gebleven. De transfers van migranten naar de herkomstlanden kunnen een serieuze omvang aannemen. De buitenlandse activiteit van de emigrant kan zodoende een belangrijke bron van harde buitenlandse valuta vormen. Zonder de informele kanalen had men het in 1970 over $2 miljard, in 1989 over $65,6 miljard en in 1992 al over $70 miljard.[33] Het gaat dus om ware geldstromen die voor bepaalde landen als Turkije, El Salvador, Pakistan, Syrië en Tunesië veel belangrijker zijn dan de ontwikkelingshulp. Voor veel landen uit het zuiden is het geld van de emigranten belangrijker dan de buitenlandse investeringen of de handel in cacao, bananen of koffie. (tabel 7) We geven enkele cijfers. In 1988 brachten Marokkaanse en Turkse migranten transfers binnen die respectievelijk overeenkwamen met 43% en 21% van de totaal gerealiseerde export van die landen. Voor de Indiaanse deelstaat Kerala was het geld dat de emigranten uit het Midden-Oosten in de jaren zeventig terugstuurden goed voor 23% van het BNP. In 1989 maakten de *remittances* 14% uit van het BNP van Jemen en Jordanië en 10% van het BNP van Egypte. In 1995 ontving Egypte $4,7 miljard, bijna evenveel als de inkomsten van het Suezkanaal, de olie-export en het toerisme samen.[34] Albanië ontving in 1993 van de 600.000 werknemers die buiten Albanië werken meer dan de hoeveelheid buitenlandse investeringen die in het land waren gedaan.[35] Abella kwam tot de bevinding dat het voor Aziatische emigratielanden als Bangladesh, Pakistan, de Filipijnen, Sri Lanka en Thailand $55 miljard aan kapitaal zou kosten indien men de migratie zou stilleggen. Ter vergelijking: in 1989 werd in het totaal slechts $4,2 miljard aan buitenlandse directe investeringen gedaan in die landen.[36] Op de Filipijnen ontvangt 15% van de gezinnen gemiddeld 30% van zijn inkomen via gastarbeid; in 1996 ontving het land $7 miljard.

Tabel 7: *Remittances* op basis van VN-gegevens (1996)

Land	Jaar	Percentage van buitenlandse inkomsten
Afrika		
Mozambique	1992	16.0
Egypte	1993	31.1
Marokko	1993	23.4
Soedan	1992	25.1
Tunesië	1994	9.0
Lesotho	1994	57.0
Zuid-Afrika	1994	2.4
Swaziland	1994	7.2
Benin	1993	17.8
Burkina Faso	1993	28.2
Cape Verde	1992	50.8
Mali	1993	22.9
Nigeria	1994	5.3
Senegal	1993	6.5
Zuid-Azië		
Bangladesh	1993	25.5
India	1990	9.3
Pakistan	1993	14.7
Sri Lanka	1993	15.2
Indonesië	1993	0.8
Maleisië	1994	0.2
Filipijnen	1993	13.4
Thailand	1993	2.5
West-Azië		
Israël	1994	5.6
Jordanië	1993	26.3
Syrië	1993	11.3
Turkije	1993	9.6
Zuid-Europa		
Albanië	1994	56.8
Griekenland	1994	15.8
Italië	1994	0.8
Portugal	1993	15.1
Spanje	1994	2.3
Caraïben		
Dominica	1993	13.3
Dominicaanse Republiek	1993	13.1
Jamaica	1993	9.1
Centraal- en Zuid-Amerika		
El Salvador	1994	36.8
Guatemala	1993	10.5
Honduras	1993	10.4
Mexico	1994	7.6
Nicaragua	1994	5.5
Colombië	1992	6.3

Het toegestuurde geld kan het gemiddelde inkomen doen stijgen, verhoogt de koopkracht en kan een stimulans zijn voor de ontwikkeling van de plaatselijke economie. Het kan zorgen voor een hoger belastingsinkomen voor de staat en resulteren in sociale investeringen in onderwijs, gezondheidszorg en welzijnswerk. De voordelen die aan de *remittances* worden toegeschreven, worden door critici weerlegd: ze worden afgedaan als kortetermijnvoordelen; het teruggestuurde geld kan voor inflatie zorgen, voor prijsstijging en oneerlijke concurrentie ten aanzien van zij die geen banden hebben met migranten. Zo zorgde een geldstroom van migranten naar Zuid-Italië en Portugal in de jaren zestig ervoor dat de koopkracht van familieleden van gastarbeiders gevoelig steeg, waardoor de vraag hoger werd, wat de prijzen deed stijgen, waardoor het voor de niet-familieleden van migranten onleefbaar werd in bepaalde streken.[37] De armste families worden twee keer benadeeld: ze hebben al te weinig middelen om te migreren en ze genieten niet van de teruggestuurde middelen. Op die manier wordt een onrechtvaardig systeem met groeiende sociale ongelijkheid verder uitgebouwd.

De hoeveelheid geld zegt eigenlijk nog niets, er moet ook gekeken worden wat er met het geld gebeurt.[38] Het geld kan immers ook op een nefaste manier worden aangewend en een passiviteit bij de achterblijvers creëren. De teruggezonden middelen blijken in de eerste plaats gebruikt te worden voor behuizing, de aankoop van land en consumptie.[39] Zo dacht men in de Caraïben de schaarste aan land te verminderen door emigratie, maar dat had een omgekeerd effect omdat de familieleden van de migranten al het land opkochten zodat de schaarste nog groter werd.[40] De bestedingen in behuizing en land worden meestal niet als zinvolle en duurzame investeringen beschouwd. De opvatting is vrij algemeen verspreid dat familieleden van migranten minder sober gaan leven en zich dikwijls overgeven aan verspillende consumptie. Door die toegenomen consumptie kunnen de prijzen stijgen en kan de inflatie worden aangemoedigd. Bepaalde studies spreken dit (voor)oordeel tegen.[41] In Bangladesh vertonen familieleden van migranten wel een hoger consumptiegedrag dan vroeger, maar die familieleden zijn evenwel betere spaarders dan hun landgenoten met eenzelfde inkomen zonder de steun van een migrant. Bovendien is de conclusie dat consumptie helemaal niet bijdraagt aan de nationale economie te eenzijdig. Sommige vormen van consumptie kunnen wel degelijk als investeringen worden beschouwd, men mag immers niet blind zijn voor de winst die door de toegenomen vraag kan worden gemaakt. Veel hangt af van de economische structuur en de politieke condities in het land. Het feit dat het geld niet goed geïnvesteerd wordt, kan wijzen op een klimaat dat goede investeringen bemoeilijkt of onmogelijk maakt. Het is ook een politieke verantwoordelijkheid om de sociaal-economische sfeer te creëren waarin mensen worden gestimuleerd het geld dat ze ontvangen van migranten op een goede manier te investeren. Daarom is het ook belangrijk dat de overheid een zeker zicht heeft op de hoeveelheid teruggezonden geld. Het moet daarom stimuli aanreiken opdat de migranten het geld langs officiële weg zouden terugsturen. Nu wordt nog al te dikwijls een beroep gedaan op informele tussenpersonen (*informal foreign exchange brokers*), waardoor de overheid haar (fiscale) controle verliest. In landen als Egypte en Soedan heeft het bestaan van die financiële intermediaire instanties werkelijk een soort van *hidden* economie instandgehouden.[42]

Het feit dat de teruggezonden gelden oneerlijk zouden zijn, wimpelt Weiner af door te stellen dat er overal en altijd al grote inkomensverschillen bestaan hebben en dat verwanten van migranten daarom dus niet in een negatief daglicht gezet moeten worden. Bovendien lijkt het erop dat men meer stilstaat bij de investeringen die (verwanten van) migranten doen dan bij het potentieel goede investeringen van banken en bedrijven.[43] De vraag of de *remittances*, hoe ze ook worden besteed, de migratie in de toekomst zal doen verminderen, moet dubbel worden beantwoord. Voor zover het geld kan bijdragen tot een opleving en bestendige groei van de economie in het thuisland, kan het op lange termijn bijdragen tot de vermindering van de migratiedruk. Men moet echter realistisch zijn. Het toegestuurde geld steekt de ogen uit van veel mensen. Het succes van zij die familie hebben in het buitenland zal de andere mensen alleen maar aansporen ook iemand van de familie naar het buitenland te sturen. Bovendien zorgen de *remittances* er ook voor een groter financieel potentieel dat juist aangewend kan worden om te migreren.[44] (cf. de *migration hump*)

6.5 Conclusie

De neoklassieke economen zijn het erover eens dat migratie een positief mechanisme is binnen de context van een vrijgemaakte markt. Gezien de complexiteit van de economische realiteit is het echter vrij moeilijk om de precieze gevolgen van migratie te traceren. Migratie op grote schaal zal wel een impact hebben op de economie en de ontwikkeling van de landen van herkomst, maar om de precieze invloed op het spoor te komen spelen meestal teveel andere factoren. De oefening wordt nog delicater als men het wil hebben over de gevolgen van migratie in de toekomst. Het blijft speculeren over de economische groei, de kapitaalstromen, het aantal investeringen, de delokaties, enzovoort. Bovendien wordt door die economen slechts *en marge* of helemaal niet ingegaan op de implicaties die dergelijk vrij systeem met zich meebrengt, bijvoorbeeld voor de organisatie van en de toegang tot de bestaande sociale voorzieningen.

Volgens Abella is de bestrijding van de werkloosheid nog altijd één van de hoofdredenen waarom verschillende landen arbeid wensen uit te voeren.[45] Het effect is niet steeds eenduidig. Denken we maar aan het volgende scenario: de migratie kan de lonen doen stijgen, wat investeerders afschrikt, wat op zijn beurt de tewerkstelling niet ten goede komt. De rol die emigratie speelt, hangt ook af van het niveau dat men beschouwt: het individu, de gemeenschap, de natiestaat, de internationale gemeenschap, de macro-economie of de micro-economie.[46] Wanneer men het over de voor- en nadelen van migratie heeft, is dat meestal niet van toepassing op de gehele samenleving of de wereldeconomie in haar geheel. Het is van belang uit te zoeken welke groepen of landen precies voor- of nadelen ondervinden. Dit geldt in het bijzonder voor het gebruik van het argument van de *brain drain* en de duiding van het teruggestuurde geld.

Er zijn ongetwijfeld betere middelen om aan de internationale solidariteit gestalte te geven dan via migratie. Dit neemt niet weg dat, gegeven de migratierealiteit en de globalisering, een actief migratiebeleid enkele kansen in zich draagt om aan internationale solidariteit te werken.[47] De internationale solidariteit kan beter gediend worden door een migratiebeleid waarin de (inter)nationale overheden het sociale heft in handen nemen dan door een politiek die de andere kant opkijkt. Ondanks de globalisering waarbij de politiek aan zeggingskracht moet inboeten, moet de politiek zich als gesprekspartner aandienen om over de modaliteiten van een solidair en meer rechtvaardig migratiebeleid te praten. Indien er wat creatiever zou worden nagedacht over het migratiethema zouden er ongetwijfeld ideeën uit de bus kunnen vallen die wel degelijk kansen in zich dragen voor de verschillende betrokken partijen. Deze denkoefening is een opdracht voor de politiek in samenwerking met verschillende andere maatschappelijke actoren.

Een actief migratiebeleid kan alvast proberen de migratie (hetzij van hoog en/of laaggeschoolden, tijdelijke of permanente migranten) te organiseren op basis van partnerschap, i.c. bi- of multilaterale akkoorden. In de onderhandeling met het land van herkomst moet niet enkel worden gesproken over emigratiemogelijkheden, ook andere factoren kunnen in de akkoorden worden opgenomen: het democratiseringsproces, de mensenrechten, handelsovereenkomsten, het creëren van een goed investeringsklimaat, aansturen op een geboortepolitiek, investeren in onderwijs, gezondheidszorg en tewerkstellingsprogramma's. Uit de studies die aantonen hoeveel geld er van de gastlanden terugvloeit naar de herkomstlanden blijkt dat dit mechanisme als een vorm van geografische herverdeling van het wereldinkomen kan worden beschouwd.[48] Veel is hierbij afhankelijk van het politieke en sociaal-economische beleid in de landen van herkomst. Er moeten garanties zijn dat men daaraan wenst te werken. De betrokken landen moeten er zich ook toe verbinden elke vorm van *brain drain* tegen te gaan. Er kunnen ook incentives worden uitgewerkt voor een terugkeer- of rotatiesysteem. Migranten kunnen met een grotere kennis en ervaring terugkeren naar het land van herkomst. Er kunnen clausules worden opgenomen over de tewerkstelling van die migranten eenmaal ze terug zijn. Ook het bedrijfsleven kan hiervoor worden geëngageerd, bijvoorbeeld door middel van buitenlandse investeringen.

Noten

1   Richmond, 1994, 216-217. Zie ook Vandaele, 1999, 11-13, 97.
2   Sassen, 1999, 84.
3   Weiner, 1995, 41-42, 213; Massey, 1988; Skeldon, 1997, 6.
4   Nayyar, 1998.
5   SOPEMI, 1999, 47 e.v..
6   Straubhaar, 1988, 149-167; Simon, 1989, 266-276.
7   Skeldon, 1997, 31-37.
8   Massey, 1988; Stalker, 1994, 13, 26; Stalker, 2000, 23, 93; voor Turkije zie Akgündüz, 1993.
9   Obdeijn, 1998, 8, 83.
10 Massey, 1988, 390-396.
11 Stalker, 2000, 94.
12 Hirschman, 1993; 1970, 175-176.
13 Zie ook Nackerud, Springer e.a., 1999.

14 Weiner, 1995, 210-211.
15 Stalker, 1994, 131.
16 Wets, 1992, 39; Wets, 1999, 148; Wets, 2000, 249-250.
17 cf. Findlay, 1993.
18 We volgen Stalker, 1994, 115-135; Stalker, 2000, 79, 107-108.
19 Enzensberger, 1993, 36-37.
20 Ahmad, 1982.
21 Pessar, 1991.
22 Straubhaar en Wolburg, 1998; Herman, 1991, 32.
23 Abella, 2000, 18, 21, 52-54. Abella voegt er wel aan toe dat deze conclusie niet opgaat wanneer er sprake is van *de-skilling*. Dit betekent dat goed opgeleide professionals in het buitenland moeten werken in jobs voor ongeschoolden, bijvoorbeeld omdat de diploma's niet erkend worden, of omdat de migrant door omstandigheden geen andere mogelijkheid meer heeft dan dergelijke job te aanvaarden.
24 Abella, 2000, 52-54.
25 Straubhaar en Wolburg , 1998; Vandevelde, 1999, 112.
26 Abella geeft in haar boekje verschillende aanwijzingen voor de landen van herkomst om de emigratie te controleren en te managen en op die manier een *brain drain* tegen te gaan. (Abella, 2000, 49 e.v., 72-74)
27 Bhagwati en Dellalfar, 1973 en Bhagwati, 1976. Voor een overzicht van de discussie over de economische en morele justificatie van dergelijke migratietaks: Bhagwati en Wilson, 1989.
28 In de VS en Singapore worden bedrijven die (hooggeschoolde) vreemdelingen tewerkstellen extra belast. Het vrijgekomen geld moet gebruikt worden om trainings- en opleidingsprogramma's voor de lokale werknemers te ondersteunen.
29 Simon, 1989, 272.
30 Martin e.a., 2000, 26-27; Stalker, 2000, 111.
31 Rhode, 1993, 231; Stalker, 1994, 37.
32 Rhode, 1993, 232.
33 Russel, 1986; 1992; Stalker, 1994, 122-129; Stalker, 2000, 79-82; Abella, 2000, 15-17. Bepaalde microstudies, bijvoorbeeld over Pakistan (Abella, 1990), wijzen uit dat slechts de helft van de *remittances* zich langs officiële kanalen bewegen. Ook Brown (1994) wijst erop dat het terugsturen van geld of goederen via informele kanalen gebeurt.
34 *Migration News*, 2 (1995) 5.
35 *Migration News*, 2 (1995) 1.
36 Abella, 1990. Indonesië daarentegen, dat toch ook een zeer belangrijk emigratieland is, heeft slechts zeer weinig *remittances*: $300 miljoen, wat gelijk staat met 1% van de winst uit de export, wat feitelijk verwaarloosbaar is. Ook migratieland Mexico scoort niet zeer hoog. Dit is hoofdzakelijk te verklaren omdat de meeste mensen die emigreren uit Mexico en Indonesië laaggeschoolden zijn. cf. tabel 7 en Nayyar, 1998.
37 Frecault, 1991. Voor een discussie over de impact van het teruggestuurde geld op de economische ontwikkeling en de sociale en politieke ontwikkeling: Arnold, 1992, 213-217; Harris, 1995, 146-156 en Massey e.a., 1998, 229-251.
38 Stalker, 1994, 126-129.
39 Arnold, 1992, 209-211; Massey e.a., 1998, 257-262.
40 Pessar, 1991.
41 Abella, 2000, 17-18.
42 Abella, 2000, 16.
43 Weiner, 1995.
44 Arnold, 1992, 211-212; Stalker, 2000, 82.
45 Abella, 2000, 15.
46 Skeldon, 1997, 3-4, 204-205.
47 Loobuyck, 2000a.
48 Harris, 1995, 211.

7. Enkele ethische overwegingen

7.1 Migratie en mensenrechten

Als de economische redenen om te migreren zouden worden geaccepteerd, zou iedereen die denkt ergens anders een beter bestaan te kunnen opbouwen mogen migreren. Migranten zouden dan wel nog onderscheiden kunnen worden volgens hun motieven, maar ze zouden niet meer relevant zijn. De achterliggende visie hierbij is dat iedereen die dat wenst het recht heeft te migreren. Wie hiermee instemt, vindt dat de immigratie-beperkingen van westerse democratieën niet te rechtvaardigen zijn, maar als feodale structuren, onze onrechtvaardige privileges beschermen. Alan Dowty voegt hieraan toe dat het recht op beweging geen doel op zichzelf is, maar in veel gevallen ook noodzakelijk voor de vervulling van andere rechten en noden van de mens (huwelijk, gezin, onderwijs, werk en godsdienst). Hoe meer die andere rechten in het gedrang zijn, hoe belangrijker het recht op vrije beweging wordt.[1] Het recht op vrije beweging is inge-schreven in de Universele Verklaring van de Rechten van de Mens (UVRM). Artikel 13 bepaalt: 1. Eenieder heeft het recht zich vrijelijk te verplaatsen en te vertoeven binnen de grenzen van elke staat. 2. Eenieder heeft het recht, welk land ook, met inbegrip van het zijne, te verlaten en daarnaar terug te keren. We willen ook verwijzen naar de *International Convention on the Protection of the Rights of All Migrant Workers and Members of their Families* (VN, december 1990). Artikel 8 van die VN-conventie herhaalt het recht van migranten en hun familieleden om gelijk welke staat te verlaten, inclusief hun thuisland.

De communistische landen kregen vóór 1993 veel kritiek vanuit het westen omdat ze het recht op emigratie niet eerbiedigden.[2] Anno 2000 zijn er nog steeds (totali-taire) regimes die bepalen dat men maar het land mag verlaten nadat men daarvoor de toestemming heeft gekregen of nadat men de dienstplicht vervuld heeft. Het recht op vrije beweging in de UVRM moet wel juist geplaatst worden. Er bestaat immers nergens een universeel recht om een land binnen te gaan.[3] Met uitzondering van de asielregeling, op basis van de Conventie van Genève, is aan het vrijheidsrecht van het individu dus geen plicht van een andere instantie gekoppeld. Iedereen kan vertrek-ken, maar men kan, in het slechtste geval, nergens heen. Op basis van een immigratie-beleid worden mensen toegelaten maar ook tegengehouden. Een staat heeft het recht (niet de plicht) iedereen toe te laten. Omgekeerd heeft een staat niet het recht een dergelijk emigratieregime te handhaven waarbij het voor haar burgers totaal onmoge-lijk wordt om het land te verlaten en tijdelijk of definitief naar een andere staat te migreren.[4]

7.2   J. Carens over het recht op migratie

De Canadese politicoloog Carens is een bekend verdediger van het recht op migratie.[5] Hij stelt dat de vrijheid van beweging een fundamenteel individueel recht is. In de lijn van Nozick[6] is de (minimale) overheid er enkel om de rechten en basisvrijheden van individuen te vrijwaren, niet om ze te beknotten. Individuen hebben die rechten overigens niet als burger maar als mens, vandaar, dat de overheid de immigratie niet mag beperken. Ook de liberale contracttheorie van Rawls geeft volgens Carens geen rechtvaardiging voor migratierestricties. Rawls concentreert zich in zijn *Theory of Justice*[7] op de verdeling van sociale goederen binnen een gemeenschap. Hij schrijft enkel over binnenlandse vraagstukken, over grensoverschrijdende onderwerpen zegt hij eigenlijk niets. Rawls probeert de principes te achterhalen waaraan de wetten en instituties van een faire, onpartijdige samenleving moeten voldoen. *Fairness* betekent voor Rawls dat noch de belangen van iemand in het bijzonder, noch een bepaald levensideaal bevoorrecht mogen worden. Om die onpartijdigheid vorm te geven zet hij een gedachte-experiment op. Rawls creëert een denkbeeldige constituerende vergadering waarin mensen met een informatiedeficit (*veil of ignorance*) over hun positie in de samenleving moeten beslissen, rekening houdend met economische, sociale en sociaal-psychologische wetmatigheden en mechanismen. Wanneer de deelnemers aan de vergadering rationele en faire individuen zijn, elk met hun eigen levensplannen dan zal het resultaat van deze vergadering in ieders belang zijn. Volgens Rawls zullen mensen vanuit die *original position* niet enkel voor de bescherming van de minimale vrijheidsrechten kiezen, ze zullen ook oog hebben voor de minstbedeelden en ijveren voor een faire verdeling van basisgoederen en kansen. Volgens Rawls zullen twee principes uit de bus komen: 1) iedereen moet gelijke vrijheidsrechten hebben voor zover deze verenigbaar zijn met een gelijkwaardig systeem van vrijheid voor allen, 2) sociale en economische ongelijkheden (maatschappelijke herverdeling) moeten zo worden ingericht dat ze tot het grootst mogelijke voordeel zijn van de minstbedeelden en verbonden zijn aan ambten en posities die voor iedereen en onder gelijke kansen openstaan. Het eerste principe heeft voorrang op het tweede.

Carens extrapoleert de constructie die Rawls opzet naar de migratierealiteit, een probleemstelling *tussen* gemeenschappen, i.c. staten. Carens stelt dat als dezelfde argumentatiewijze gevolgd wordt bij de zoektocht naar een faire internationale samenleving we tot dezelfde twee principes komen waarbij het eerste, het garanderen van de vrijheidsrechten, voorrang heeft op het tweede. Volgens Carens' extrapolatie blijft het recht op migratie dus overeind, met als enige legitieme inperking de bescherming van andere vrijheden. Als de publieke orde in gevaar is, mag de komst van de vreemdeling verhinderd worden omdat anders iedereen, in termen van minimale vrijheden, slechter af zou zijn. Maar in 'normale' omstandigheden is het vrijheidsrecht prioritair, op de andere principes van rechtvaardigheid waardoor het recht op vrije beweging maar zelden ingeperkt mag worden. Volgens Carens passen allerlei argumenten voor migratierestricties dus helemaal niet in het rechtvaardigheidsconcept van Rawls; sommige omdat ze het tweede principe boven het eerste willen stellen (restricties bijvoorbeeld om de verzorgingsstaat te beschermen of om een *brain drain* tegen te gaan), andere omdat ze de maatstaf van onpartijdigheid en neutraliteit schenden (restricties bijvoorbeeld wegens de wens een bepaalde cultuur (homogeen) te (be)houden). Vanuit de originele positie zullen mensen voor migratievrijheid kiezen omdat ze zullen inzien dat migratie een noodzakelijke voorwaarde kan zijn om het eigen levensplan te realiseren. Ook het argument dat zij die binnen een bepaald territorium geboren zijn meer rechten hebben dan anderen is vanuit een rawlsiaans perspectief ongeldig. Geboorteplaats en afkomst zijn natuurlijke contingenties en dus '*arbitrary from a moral point of view*'.

Carens roept nog een derde ethische traditie op de getuigenbank. Ook de utilitaristische bespiegelingen zouden geen argumenten bieden voor een restrictief migratiebeleid. Het werk van (neo)klassieke economen toont aan dat vrije mobiliteit van kapitaal én arbeid essentieel is om de concurrentie en de vrije markt optimaal te kunnen laten spelen als motor van de economie. Ook als de verlangens en wensen van iedereen in rekening worden gebracht, blijft de nutsbalans in dezelfde richting overhellen. Hoeveel miljoenen mensen denken niet dat ze bij migratie veel te winnen hebben. Niet alle utilitaristen maken echter dezelfde analyse. Zo verwijst Walzer naar H. Sidgwicks *Elements of Politics* (1881) waarin de idee van vrije migratie op een utilitaristische basis bestreden wordt.[8] Een meer recente utilitaristische benadering van de problematiek vinden we bij P. en R. Singer. Zij pleiten voor meer migratiemogelijkheden (bijvoorbeeld Australië zou zeker dubbel zoveel vluchtelingen mogen opnemen dan tot dan het geval was), maar zweren elk denken in termen van individuele rechten (ook het recht op migratie dat Carens verdedigt) af.[9]

Het pleidooi voor het recht op migratie is zeer duidelijk maar wordt in tal van publicaties bediscussieerd. Op de uiteenzettingen van Carens en het gebruik van Rawls en Nozick valt immers zeer veel af te dingen. Habermas volgt Carens' interpretatie van Rawls voor een groot stuk, maar hij meent goede redenen te hebben om de genoemde prioriteitsregel niet op Carens' manier te hanteren. Naast het vermijden van conflict geeft Habermas nog twee andere omstandigheden aan waarin hij het legitiem acht dat de basisvrijheden van individuen worden aangetast door migratierestricties. Een *Rechtsgemeinschaft* is meer dan een samenstel van regels die de vrijheden moeten garanderen. Een staat moet ook instaan voor de economische reproductie van de samenleving en voor het veiligstellen van de politieke cultuur. Binnen het kader van democratische procedures moet worden beslist welke restricties nodig zijn voor de economische reproductie en het voortbestaan van de politieke cultuur.[10]

Het gebruik van individuele rechten, plaatst het hele discours ook in het brede en uitgezaaide debat tussen de *Liberals* en de *Communitarians*, waarin de tegenstelling tussen het belang van individuele rechten versus het belang en de prioriteit van gemeenschappen centraal staat.[11] In de communitaristische gedachtegang heeft elke gemeenschap het expliciete recht beperkingen te stellen aan de toelating van personen die niet tot de eigen kring behoren. Deze beperkingen kunnen worden gelegitimeerd door het eigenbelang van die gemeenschap en haar leden.[12] Whelan bijvoorbeeld volgt de redenering van Carens dat geen enkele liberale politieke filosofie, noch die van Nozick, noch die van Rawls, noch het utilitarisme de maatregelen kan rechtvaardigen die migratie zeer streng beperken. De liberale filosofie ondersteunt de idee van gesloten grenzen helemaal niet. Toch trekt hij andere conclusies dan Carens. De liberale instituties, instellingen en staten moeten zichzelf wel beschermen zodat het liberaal karakter kan bewaard blijven. Op basis van dergelijke *protectionist policy* moeten restricties worden toegelaten, vindt Whelan. Bovendien is de pure liberale filosofie niet van toepassing op deze wereld voorzover ze geen rekening houdt met het bestaan van groepsintegriteit, met het bestaan van onafhankelijke staten met grenzen en democratische autonomie.[13]

Dit sluit aan bij het betoog van Walzer.[14] In zijn *Spheres of justice* over gelijkheid en verdelende rechtvaardigheid, stelt hij zich eerst de vraag binnen welke groep mensen de gelijkheid en rechtvaardigheid tot stand moet komen. Deze vraag is door verschillende politieke filosofen over het hoofd gezien. Walzer vindt dat de realisering van een 'egalitaire samenleving' het best kan worden gerealiseerd in een politieke gemeenschap: de staat. Distributieve rechtvaardigheid veronderstelt een begrensde wereld. Het enige alternatief is de hele mensheid, maar dat lijkt om verschillende redenen geen haalbare kaart. Samenvattend stelt Walzer dat gemeenschappen zelf kunnen bepalen òf en welke vreemdelingen ze toelaten; maar deze zelfbeschikking is niet absoluut, ze wordt ondermeer ingeperkt door het principe van 'hulpbetoon'. Sommige vreemdelingen, met name de vluchtelingen kunnen alleen maar geholpen worden door toelating. Voor niet-vluchtelingen bestaat geen recht op toelating. Er bestaat niet zoiets als een ethisch imperatief dat stelt dat men zoveel mogelijk mensen tot de club moet toelaten. Walzer verdedigt dat beslissingen omtrent toelating worden genomen door degenen die al lid zijn van de gemeenschap, en dat men zich kan laten leiden door interne en externe overwegingen, waarbij ook de overwegingen omtrent de gewenste toekomst van de eigen samenleving een belangrijke rol moeten spelen.

In een artikel over de selectie van (potentiële) immigranten gaat Carens in tegen het argument van democratische autonomie dat ondermeer door Walzer en Whelan wordt aangehaald. Hij verwijst naar het in 1972 afgeschafte '*White Australia*' beleid. Door middel van deze democratische autonomie werd er een racistisch selectiebeleid gevoerd.[15] Het primaat van de onafhankelijke en autonome democratische staten moet dus verworpen worden of minstens aangevuld met andere criteria. Carens kiest in de discussie resoluut voor een liberale denkrichting waarbij aan het recht op vrije beweging niet kan worden geraakt, tenzij om zeer uitzonderlijke redenen. Groepsrechten kunnen volgens hem onmogelijk boven de individuele rechten van mensen worden geplaatst.[16]

De theoretische positie die Carens inneemt, is vrij extreem, en in realiteit is ze moeilijk houdbaar. De stelling heeft als consequentie dat elk voor zich gaat strijden voor de eigen rechten die onvermijdelijk zullen botsen met de rechten en belangen van anderen en de gemeenschap. Voor solidariteit lijkt dan nog maar weinig plaats. Mensen komen op voor zichzelf, ongeacht de gevolgen voor en de rechten van anderen. Wie kan zich in dergelijke doorgedreven optie vinden? Er valt veel te zeggen voor de prioriteit van individuele rechten boven groepsrechten, maar dit geldt niet wanneer de groepsrechten op hun beurt individuele rechten moeten veiligstellen. Daarom kunnen immigratiebeperkingen om de culturele groepseigenheid (de 'identiteit van het volk') intact te houden moeilijker door de beugel dan migratiebeperkingen om een afgebakende gemeenschap te vrijwaren omdat solidariteit, sociale bescherming en sociale rechtvaardigheid niet kunnen worden georganiseerd zonder een afgebakende gemeenschap. Het vrijwaren van een gemeenschap is geen doel op zich maar een middel om de individuele rechten van haar leden te garanderen. Dit zou het standpunt van Carens en andere liberalen die zo hoog oplopen met de individuele rechten van mensen, toch moeten milderen. De positie van Walzer is meer richtinggevend dan de radicaal liberale positie van Carens. Hoezeer iedereen ook droomt van rechtvaardigheid en solidariteit op wereldvlak, in de praktijk is het vrijwaren van herverdelingsmechanismen en individuele rechten pas mogelijk binnen een afgebakende gemeenschap. Die gemeenschap kan doorheen de tijd ruimer worden opgevat. In Europa geldt de natie niet langer als enig mogelijke unit, ook de EU wordt als een afgebakende gemeenschap beschouwd waardoor het recht op migratie binnen de Unie mogelijk wordt. De internationale realiteit dwingt ons dus om de uitgangspunten van Walzer te aanvaarden, hoezeer we ook zouden wensen dat de gemeenschap in de toekomst mag uitgroeien tot de totale mensheid.

Noten

[1] Dowty, 1987, 16-19.

[2] cf. Weiner, 1985, 444-445. Tijdens de koude oorlog was het westen het toevluchtsoord voor de vluchtelingen uit de onvrije communistische staten. De Conventie van Genève is het product van deze houding. Na de val van de Berlijnse muur en het uiteenvallen van de Sovjet-Unie is iedereen wel vrij om het land te verlaten en naar het westen te trekken, maar nu lijkt het voor de liberale staten plots veel minder interessant om vluchtelingen op te nemen. Zo heeft men in Europa de notie 'veilige landen van herkomst' proberen in te voeren (resolutie van Londen, 1992). Voor migranten uit die landen zou het bijna onmogelijk zijn om nog als vluchteling erkend te worden. En in 1995 werd in de VS een eind gesteld aan de praktijk dat elke migrant uit Cuba automatisch als vluchteling werd aanzien. (Nackerud, Springer e.a., 1999)

[3] cf. Weiner, 1995, 171.

[4] Abella, 2000, 23. Deze asymmetrie zorgt ervoor dat emigratie en *brain drain* ook moeilijker te controleren of te managen zijn dan de immigratie. (Straubhaar, 1992a, 120-121)

[5] Carens, 1987, 1988, 1988a. Voor meer publicaties van Carens: Weiner, 1995, 176 en Tholen, 1997.

[6] cf. NOZICK, R., *Anarchy, State and Utopia*, Basic Books, 1974. Voor alle duidelijkheid: Nozick zelf stelt immigratie niet aan de orde, het is Carens die de implicaties uit Nozicks theorie afleidt.

[7] cf. RAWLS, J., *A Theory of Justice*, Oxford Univ. Press, 1971.

[8] Walzer, 1983, 37.

[9] Singer en Singer, 1988, 122-130.

[10] HABERMAS, J. (1992), *Faktizität und Geltung. Beiträge zur Diskurstheorie des Rechts und des Demokratischen Rechtsstaats*, Suhrkamp, Frankfurt, aangehaald in Tholen, 1998, 216.

[11] Het proefschrift van Tholen (1997) biedt een interessant overzicht. Zie ook Weiner, 1995, 175-180.

[12] Zie de discussie hierover bij Elster, 1992, 121-124.

[13] Whelan, 1988, 3-39.

[14] Walzer, 1983.

[15] Carens, 1988, 41-60.

[16] Toch vindt Carens het legitiem dat Japan zijn grenzen sluit wegens overbevolking en neemt hij het, net als zijn collega Kymlicka, op voor de indianen en andere minderheden in Canada.

DEEL II

1. Arbeidsmigratie gebeurt

1.1 Algemeen beeld

Arbeidsmigranten migreren omdat er een vraag is op de arbeidsmarkt naar aanvullende werkkrachten. De migratie gebeurt vrijwillig, dikwijls gestimuleerd en geïnstitutionaliseerd door rekruteringsprogramma's. De ramingen van het totaal aantal arbeidsmigranten in de wereld lopen uiteen van 25 tot 100 miljoen. De VS, Canada, Australië, de Golfstaten en Europa zijn belangrijke bestemmingen. Daarnaast ontvangen ook Venezuela, Argentinië, Zuid-Afrika en enkele landen aan de West-Afrikaanse kust behoorlijk wat arbeidsmigranten. De richting van de migratiestromen is niet alleen geografisch bepaald. Ook de koloniale geschiedenis en de recentere banden tussen landen hebben een invloed op de omvang en de richting van de migratiestromen.[1]

De landen van bestemming zijn dus niet alleen de klassieke immigratielanden (VS, Canada en Australië). Sinds midden de jaren zeventig trekt ook het Midden-Oosten buitenlandse arbeidskrachten aan, ondermeer uit Zuidoost-Azië.[2] De prijsstijgingen van aardolie stelde landen als Libië, Irak en de olieproducerende landen op het Arabisch schiereiland in staat zich snel te ontwikkelen, wat een grote vraag naar buitenlandse arbeid tot gevolg had, want de Golfstaten zijn relatief bevolkingsarm. Hun economieën zijn tot op vandaag afhankelijk van buitenlandse arbeidskrachten, maar de vraag naar arbeidsimmigranten is toch afgenomen. Er wordt een restrictiever toelatingsbeleid gevoerd, de jacht op illegalen is verscherpt en buitenlanders wordt de toegang tot de sociale voorzieningen zoveel mogelijk ontzegd. De oliestaten streven enkel naar een tijdelijke, flexibele en gemakkelijk controleerbare buitenlandse arbeidsreserve. Gezinsmigratie van deze gastarbeiders wordt daarom ontmoedigd en er is geen integratiebeleid.

Na de olieprijsdaling van 1985, de Golfoorlog en de economische groei van de 'Aziatische tijgers' is er in Zuidoost-Azië een verschuiving opgetreden: de immigratie naar de oliestaten werd vervangen door meer migratie binnen de regio zelf.[3] Singapore, Zuid-Korea, Taiwan, Hong-Kong, Maleisië en Thailand hebben veel arbeidsmigranten aangetrokken vanuit minder welvarende landen zoals Bangladesh, de Filipijnen, Indonesië, Cambodja, Laos en Vietnam. Sommige landen werden zowel exporteur als importeur van arbeid. Japan en de NIE's hebben lange tijd de strategie gevoerd om zoweinig mogelijk gastarbeiders aan te trekken, ondanks hun economische expansie. Ze hebben dit niet kunnen volhouden. Op het eind van de jaren tachtig was het arbeidstekort in Japan te groot geworden, waardoor ze zich toch genoopt zagen tijdelijke contracten aan (hoofdzakelijk hooggeschoolde) immigranten aan te bieden. De kinderen en de partner van de buitenlandse werknemer hebben geen toelating om in Japan te werken. Midden de jaren negentig telde Japan 1,36 miljoen buitenlanders (1,1% van de totale bevolking), waarvan er in 1997 660.000 aan het werk waren.[4] Meer dan 60% werkt in de industrie, 35% in de dienstensector. Ook het aantal illegalen lijkt gevoelig gestegen. Tussen 1990 en 1993 groeide het aantal mensen wiens visum verlopen was van 106.000 naar 297.000.[5] In 1997 telde het ministerie van Landbouw nog 277.000 illegale *overstayers*. Ook het aantal mensen dat zonder papieren per boot naar Japan probeert over te steken, blijft stijgen. De groeiende werkloosheid in China is daar mede de oorzaak van. Singapore kende de laatste 30 jaar een gemiddelde economische groei van 9%. In 1981 kondigde de overheid aan dat ze de immigratie voorlopig nog bleef toelaten, maar dat het de bedoeling was tegen 1991 de immigratie tot een minimum te beperken. In 1987 al is men van dat standpunt teruggekomen, maar het land bleef één van de strengste migratiesystemen hanteren. Niet alleen de werknemers die illegale migranten tewerkstellen, krijgen zware boetes, er wordt ook een taks gelegd op het tewerkstellen van buitenlanders (2,5 keer zoveel op laaggeschoolden dan op hooggeschoolden). Toch telde Singapore in 1995 al 350.000 buitenlandse werknemers, meer dan 20% van de totale arbeidskracht. Ondanks de strenge maatregelen lijkt ook daar het aantal illegalen te stijgen. Zuid-Korea is er beter in geslaagd de immigratie te beperken, hoewel het land met arbeidstekorten te kampen had. De lonen stegen daarom snel, waardoor de illegale tewerkstelling vooral van migranten, de laatste jaren toch gestegen is. Thailand en Maleisië, de jongere generatie van de NIE's, hebben zowel met immi- als emigratie te maken. Velen zijn naar Japan en Taiwan gemigreerd. Maleisië wil tegen 2020 tot de ontwikkelde landen behoren en focust zich op micro-elektronica, bio- en informatietechnologie en andere technologische en weinig arbeidsintensieve sectoren. In 1995 lag de werkloosheid in Maleisië onder de 3% en er was een groeiend arbeidstekort.

Na de financiële crash die begon in juli 1997 in Thailand, hebben verschillende Aziatische landen wel in toenemende mate met werkloosheid af te rekenen waardoor het enthousiasme om nog meer arbeidsmigranten toe te laten is teruggelopen. In plaats van op arbeidsimport is het beleid nu gericht op het weren van nieuwe migranten en het uitzetten van illegalen. Terwijl de druk om arbeid te exporteren in sommige Zuidoost-Aziatische landen toegenomen is, wordt in andere landen de arbeidsimport aan banden gelegd. De emigratie richt zich nu op landen die minder van de crisis te lijden hebben (Singapore en Taiwan) en op traditionele immigratielanden als de VS, Canada, Australië, Nieuw-Zeeland en Europa.[6]

Stalker besluit dat de NIE's hoe dan ook tot de vaststelling zullen komen dat de immigratie structureel is ingebed in hun economisch systeem en hun samenleving. Financiële crisissen en economische recessies zullen daar niets aan veranderen.[7]

1.2 België

België voegt zich al geruime tijd in de Europese beleidsopties. Arbeidsvergunningen kunnen maar worden afgeleverd als het onmogelijk is onder de werknemers die zich op de nationale arbeidsmarkt bevinden binnen een redelijke termijn, een kracht te vinden die zelfs door middel van een versnelde beroepsopleiding geschikt is om de betrokken betrekking op een bevredigende manier te bekleden.[8]

Vreemdelingen die in Vlaanderen aan de slag willen, hebben in principe een arbeidskaart nodig, die wordt uitgereikt door de Vlaamse Administratie Werkgelegenheid (afdeling migratie en arbeidsmarktbeleid). De laatste tien jaar zijn de vrijgestelde categorieën stapsgewijs uitgebreid. De wet van 30 april 1999 en het uitvoerings-KB van 9 juni 1999 (gewijzigd bij besluit van 15 februari 2000) bevestigen deze trend. We noemen slechts enkele groepen die zijn vrijgesteld van de verplichting: onderdanen van een lidstaat van de Europese Economische Ruimte (sinds 1993), partner en aanverwanten van een Belg, de in België erkende vluchtelingen (sinds 1999), bedienaars van erkende erediensten en buitenlandse onderdanen die door de regularisatie (wet van 22 december 1999) gemachtigd zijn tot een verblijf voor onbeperkte duur.[9] Er bestaan twee soorten arbeidskaarten: de arbeidskaart A geeft een werkvergunning voor onbepaalde tijd en geldt voor alle in loondienst uitgeoefende beroepen, de arbeidskaart B geldt voor bepaalde tijd (meestal 12 maanden) en is beperkt tot de tewerkstelling bij één werkgever. De A-kaart moet persoonlijk door de werknemer, de B-kaart door de werkgever aangevraagd worden. In praktijk zijn A-kaarten vooral voor vreemdelingen die al in België verblijven en voor het eerst de arbeidsmarkt zullen betreden (arbeidskaart zonder immigratie) en een B-kaart voor nieuwkomers (arbeidskaart met immigratie). Het aantal aanvragen tot tewerkstelling van buitenlandse werknemers is nauw verbonden met de aanwezigheid van de grotere bedrijven (haven van Antwerpen, de Gentse kanaalzone en Zaventem).

Een A-kaart wordt toegekend aan werknemers die vier jaar arbeid hebben verricht met een B-kaart in de loop van een wettig en ononderbroken verblijf (in sommige gevallen geldt een periode van drie jaar); aan wie vijf jaar wettig en ononderbroken in België verbleef, aan de kinderen en partner van de hier vooraf genoemde werknemers die in het kader van familiehereniging of gezinsvorming het recht op tewerkstelling verkrijgen maar nog geen vestigingsvergunning hebben (vooral Marokkanen, Turken en mensen afkomstig van het voormalige Zaïre), kinderen en partner van de in België erkende vluchteling die na drie jaar regelmatig verblijf recht hebben op een A-kaart (in 1998 gingen 336 A-kaarten van de 1924 naar vluchtelingen). De A-kaart wordt gebruikt als overbrugging naar het ogenblik waarop de betrokkenen een vestigingsvergunning (gele identiteitskaart) bekomen. Vanaf dat ogenblik hebben zij geen arbeidskaart meer nodig. Bovendien worden steeds meer categorieën vrijgesteld, waardoor de vraag rijst wat de zin is van het voortbestaan van de arbeidskaart A. Het aantal A-kaarten dat in Vlaanderen werd uitgereikt, is sinds 1993 sterk gedaald van 5.144 naar 1.141 in 1997. Deze trend is niet alleen merkbaar in Vlaanderen. In België werden in 1993 nog 9.000 A-kaarten afgeleverd, in 1997 nog 2.700. De stijging (met 69% ten opzichte van 1997) van het aantal A-kaarten dat het Vlaams gewest toekende in 1998 kan voornamelijk verklaard worden door de regularisatieoperatie van de verblijfswetgever met betrekking tot ontheemde Bosniërs (33% van het aantal afgeleverde A-kaarten) en ex-kandidaat-vluchtelingen die wegens de lange asielprocedure en om humanitaire redenen een regularisatie van hun verblijf verkregen. Het aantal A-kaarten zal in de toekomst nog verminderen, aangezien belangrijke groepen zoals hooggeschoolden en navorsers met een arbeidskaart B, niet langer rechten opbouwen om later een arbeidskaart A te kunnen bekomen.

Aan derdelanders die hier geen recht tot verblijf hebben, kan alleen een arbeids-kaart worden toegekend als er geen potentiële werknemers zijn op de arbeidsmarkt. Het genoemde KB van 9 juni 1999 bepaalt dat daar geen rekening mee gehouden wordt wanneer het gaat om hooggeschoold personeel (voor zover de duur van hun tewerk-stelling de vier jaar niet overschrijdt), buitenlandse studenten die buiten de vakantie-perioden tewerkgesteld worden (maximum 20 uur), personen die een leidinggevende functie bekleden in een bijhuis of een filiaal van een firma uit hun land, navorsers en gasthoogleraars, gespecialiseerde technici, beroepssportlui en au-pair-jongeren; tel-kens onder bepaalde voorwaarden.[10]

Tijdens de jaren tachtig steeg het aantal arbeidskaarten B in Vlaanderen van 1.834 in 1983 tot 3.697 in 1989.[11] Van de 3.697 kaarten in 1989 werden er 2.280 afgeleverd buiten het systeem van de gezinshereniging.[12] Het merendeel van de arbeidskaarten werd toegekend aan onderdanen van landen die over hooggeschoolde arbeidskrachten beschikken. Zo werden er 521 toegekend aan Amerikanen (23%), 284 aan Japanners, 136 aan Zweden, 115 aan Portugezen en 106 aan Spanjaarden. In de jaren negentig is het aantal B-kaarten in Vlaanderen gedaald van 4.887 in 1991 tot 2.959 in 1996.[13] (tabel 9) De terugval is van toepassing op alle nationaliteiten uitgezonderd op de Amerikanen. In totaal gaan de meeste B-kaarten naar Japanners en Amerikanen en de meeste A-kaarten naar Marokkanen. Vanaf 1997 wordt opnieuw een substantiële stij-ging vastgesteld. In 1999 werden 4645 B-kaarten afgeleverd, een stijging van 37% ten opzichte van 1998. Deze stijging situeert zich voornamelijk bij hooggeschoolden, vorsers[14], leidinggevend personeel, au-pairs en monteerders-specialisten. In 1999 wer-den meer dan 2500 B-kaarten aan hooggeschoolden afgeleverd, dat is meer dan de helft van het totaal aantal uitgereikte B-kaarten en 41% van het totaal aantal afgeleverde arbeidskaarten. Bij de 2517 kaarten voor hooggeschoolden waren er 722 Amerikanen, 478 Japanners, 240 Indiërs en 124 Canadezen.

Anders dan verschillende EU-landen trekt België geen vreemdelingen aan voor seizoenarbeid. Er zijn wel enkele andere regelingen.[15] Onder de bepalingen voor seizoenarbeid in de landbouwsector, kunnen ondermeer kandidaat-vluchtelingen 65 dagen per jaar werken als seizoenarbeider. Dit kan bij één of meerdere werkgevers. Iedere werkgever uit de land- en tuinbouwsector (uitgezonderd de champignonteelt) kan per jaar maximum 95 'piekdagen' aanduiden waarop hij wenst te werken met RSZ-vermindering in het kader van seizoenarbeid. Asielzoekers die voor 1 oktober 1993 een asielaanvraag hebben ingediend, kwamen altijd in aanmerking voor tewerkstelling. Asielzoekers die na 1 oktober 1993 de asielaanvraag hebben ingediend, kunnen pas tewerkgesteld worden nadat hun aanvraag ontvankelijk is verklaard. Zij moeten eerst een werkgever zoeken die een arbeidsvergunning moet aanvragen. Sinds 1993 werd een sterke daling vastgesteld van de aanvragen tot tewerkstelling van kandidaat-vluch-telingen. In 1998 was het aantal voorlopige toelatingen onder deze regeling gezakt tot 1.916. In 1999 was er een stijging van 18%: er werden 2263 voorlopige toelatingen voor seizoenarbeid toegekend. Sinds 1994 worden er ook voorlopige toelatingen afge-leverd aan ontheemden en slachtoffers van mensenhandel. Enkele erkende vluchtelin-gen hebben ook een arbeiderskaart B gekregen met plukkaart voor seizoenarbeid. De regeling voor seizoenarbeid is toegankelijk voor alle Belgen en vreemdelingen die in het bezit zijn van een A-kaart of vrijgesteld zijn. De kandidaat-vluchtelingen vormen slechts 4%. In 1999 werden meer dan 50.000 plukkaarten afgeleverd door het Sociaal Fonds.

Wil men een totaaloverzicht van het aantal afgeleverde arbeidsvergunningen, dan moeten de voorlopige toelatingen worden meegeteld. Het resultaat van deze som is dat er in 1999 in Vlaanderen in totaal 9159 arbeidsvergunningen werden afgeleverd. Dit cijfer benadert het aantal vergunningen van 1993. Het aantal kaarten dat in de Waalse regio wordt uitgereikt ligt gevoelig lager dan in Vlaanderen.[16]

Tabel 8: Aanvragen arbeidskaarten in het Brussels gewest per continent en per kaart, 1999

	A-kaarten	B-kaarten	C-kaarten	Totaal
Afrika	514	608	2	1.124
Centraal- en Zuid-Amerika	42	109		151
Noord Amerika	6	648		654
Azië	97	829		926
Europa	264	426		690
Oceanië	3	49		52
Erkende vluchtelingen	182	17		199
Andere	18	2		20
Totaal aantal aanvragen in 1999	**1.126**	**2.688**	**2**	**3.816**
Toekenningen in 1999	**1.069**	**2.848**		**3.917**

Bron: Ministerie van het Brussels gewest, Dienst Economie en Werkgelegenheid, Immigratiedienst, aangehaald in Wets e.a., 2000, 105.

Tabel 9: Evolutie van het aantal afgeleverde en geweigerde arbeidskaarten in Vlaanderen, 1990-1999

	1991	1992	1993	1994	1995	1996	1997	1998	1999
Totaal aantal afgeleverde									
kaarten	**9.371**	**8.544**	**9.232**	**8.357**	**5.512**	**4.057**	**4.480**	**5.783**	**6.156**
A-kaarten	**4.484**	**4.388**	**5.144**	**5.225**	**2.675**	**1.098**	**1.141**	**1.924**	**1.511**
B-kaarten	**4.887**	**4.156**	**4.088**	**3.132**	**2.837**	**2.959**	**3.339**	**3.859**	**4645**
Stagiairs	167	133	143	79	65	71	71	75	83
Au-pairs	65	75	111	140	207	283	390	446	331
Monteerders-specialisten	47	206	197	230	129	148	106	183	150
Schouwspelartiesten (1)	951	592	151	99	78	28	37	26	29
Hooggeschoolden							1623	1841	2517
Beroepssporters							230	251	248
Vorsers								285	414
Erkende vluchtelingen								117	47
Inwonende dienstbodes								47	25 ☞

	1991	1992	1993	1994	1995	1996	1997	1998	1999
Studenten								218	241
Na beroep								174	129
Andere	3.657	3.150	3.486	2.584	2.358	2.429	882	196	431
Eerste aanvraag (2)	6.095	5.305	6.182	5.850	3.262	1.730	2.702	3.607	3778
Hernieuwing (2)	2.046	2.233	2.448	1.959	1.771	1.797	1.778	2.176	2378
Weigering	873	1.473	1.282	1.522	1.257	1.176	1.163	1.117	1058
Beroepsschriften	561	568	545	611	474	586	420	487	379
Niet ontvankelijke aanvragen								283	344
Kandidaat-vluchtelingen								*101*	*119*
Regeling seizoenarbeid								*182*	*225*
Voorlopige toelatingen				**2.437**	**2.150**	**2.218**	**2.949**	**2.658**	**3003**
Regeling seizoenarbeid				2.437	2.150	2.218	2.000	1.916	2263
Voorafgaand aan A-kaart								113	2
Ontheemden								118(3)	83
Kandidaat- vluchtelingen							949	511	655
Vrijstelling Vorsers								**556**	**157**

[1] De cijfers t.e.m. 1992 bevatten eveneens de cabaretartiesten.
[2] De cijfers m.b.t. '1e aanvraag' en de' hernieuwingen' zijn een andere indeling van de uitgereikte arbeidskaarten A en B uit de bovenliggende rijen.
[3] Bosnische vluchtelingen die het ontheemdenstatuut verkregen .

Bron: Ministerie van de Vlaamse Gemeenschap, afdeling migratie en arbeidsmarktbeleid, jaarrapport 1999. http://www.vlaanderen.be/ned/sites/werk/index.html

Volgens de Vlaamse Administratie Werkgelegenheid is er nood aan een 'fundamentele herschrijving van de regelgeving' inzake arbeidskaarten.[17] De huidige gang van zaken beantwoordt niet aan de realiteit van de toenemende mondialisering van de economie en de directe gevolgen hiervan voor de arbeidsmarkt en de tewerkstelling van buitenlandse werknemers. De administratie is van mening dat men niet langer de migratiestop als uitgangspunt kan gebruiken. Men stelt voor de A-kaart af te schaffen en de tewerkstellingsmogelijkheden op het verblijfsdocument te vermelden. Vreemdelingen die tot het grondgebied kunnen worden toegelaten om andere dan tewerkstellingsredenen (onderdanen van landen waarmee bepaalde associatieakkoorden werden afgesloten, asielzoekers, volgmigranten), en waar eventuele latere tewerkstelling een rechtstreeks gevolg is van hun verblijfstoestand, kunnen op die manier de lange en soms ingewikkelde administratieve procedures vermijden. Bovendien wordt de regeling met steeds meer selectieve uitzonderingen ook juridisch onhoudbaar, gelet op het gelijkheids- en non-discriminatiebeginsel. Voor de vreemdelingen die ingevolge hun verblijfsvergunning niet tot het grondgebied kunnen worden toegelaten of die er niet langer kunnen verblijven, maar die men toch wenst tewerk te stellen, dienen voorafgaand aan hun binnen-

Duurzame ontwikkeling en duurzaam ondernemen worden steeds meer de leidmotieven van het Vlaamse bedrijfsleven. De duurzaamheidsreflex is ook van belang bij de reflectie op arbeidsmigratie, omdat het er op aankomt een aantal houdbare evenwichten tot stand te brengen. Het gaat ondermeer om evenwicht tussen de aanpak van arbeidsmarktknelpunten op lange en op korte termijn, tussen de toenemende internationalisering van het bedrijfsleven en de stabiliteit van lokale samenlevingen, tussen de belangen van emigratie- en van immigratielanden. Daarom is een pleidooi voor een versoepeld arbeidsmigratiebeleid maar zinvol als het past binnen een globaal beleid dat de structurele problemen van onze arbeidsmarkt aanpakt. Bedrijven dragen hierin, door het voeren van een personeelsbeleid dat meer arbeidsmarktbewust is en openstaat voor de diversiteit in de samenleving, een niet te miskennen verantwoordelijkheid. Maar evengoed moet de overheid dringend een beleid gaan voeren dat de aangekondigde actieve welvaartsstaat écht waarmaakt. Concreet: het aantrekken van buitenlandse werknemers lost onze arbeidsmarktproblemen niet op als de aanwezige allochtonen geen betere toegang tot de arbeidsmarkt krijgen en als de brugpensioenregelingen niet drastisch worden teruggeschroefd.

De versoepeling van het arbeidsmigratiebeleid, die zowel wegens de situatie op de arbeidsmarkt als wegens de efficiëntie van het migratiebeleid aangewezen is, moet gekoppeld worden aan een arbeidsmarktbewust personeelsbeleid en een activerend arbeidsmarktbeleid. Dat gebeurt dan wel best op een niet-mechanistische en niet-bureaucratische manier. Werkgevers die buitenlandse hooggeschoolden tewerkstellen verplichten om extra inspanningen te leveren voor de integratie van (allochtone en/of laaggeschoolde) werklozen, mag dan wel een zekere symboolfunctie hebben, het versterkt teveel de idee dat de nieuwkomers een 'last' (en geen toegevoegde waarde) opleveren voor onze samenleving. Veel beter is het om een nieuw arbeidsimmigratiebeleid te laten passen in een breed gedragen maatschappelijk project, gericht op het doen participeren van zo veel mogelijk mensen en op het verruimen (in plaats van versmallen) van het arbeidsaanbod.

Mark Andries
Adjunct-Directeur VEV-Studiedienst
januari 2001

komst of aan een eventuele verlenging van hun verblijf te worden onderworpen aan een procedure bij de bevoegde diensten van werkgelegenheid. De federale regelgeving zou hierbij moeten kunnen voorzien in een aantal specifieke categorieën van werknemers aan wie, onder welbepaalde voorwaarden, onmiddellijk de toelating kan worden verleend om naar België te komen of er te blijven, met het oog op een welomschreven tewerkstelling. Hierbij kan worden gedacht aan beroepssporters, schouwspelartiesten, gespecialiseerde technici, navorsers enzovoort. Idealiter zou dat op Europees niveau moeten gebeuren. Ter illustratie verwijst de administratie naar de actuele nood aan gekwalificeerde informatici. Het betreft duidelijk een internationaal probleem dat, gelet op de Europese concurrentieregels, ook beter op dat niveau zou worden geregeld. De administratie dringt er ook op aan dat de gewesten binnen hun eigen economisch en werkgelegenheidsbeleid, in zeer uitzonderlijke en specifieke omstandigheden, de toelating zouden kunnen geven om buitenlandse arbeidskrachten tewerk te stellen.

Wat betreft de tewerkstelling van hooggeschoolden, is de administratie van oordeel dat de beperkingen tot vier jaar op termijn onhoudbaar is. De beperking staat niet alleen haaks op sommige bilaterale of internationale (sociale) akkoorden die uitgaan van een langere tewerkstelling dan vier jaar. De betrokkenen worden in veel gevallen ook verplicht bijdragen te leveren aan de sociale zekerheid, waarop zij achteraf geen aanspraak kunnen maken. Tot slot wordt opgemerkt dat met betrekking tot de leidinggevenden er een ongelijke behandeling bestaat tussen de Belgische bedrijven en de buitenlandse ondernemingen. Men kan maar toegelaten worden als men een leidinggevende functie komt bekleden in een bijhuis of filiaal van een firma 'uit het land van herkomst'. Hierdoor kan een zuiver Belgisch bedrijf geen topmanager uit het buitenland aantrekken, wat onlogisch lijkt.

1.3   De feitelijke arbeidsmigratie naar en in Europa?

Arbeidsmigratie van buiten de EU is pas toegelaten als de werkgever kan aantonen dat er binnen de EU niemand is die in aanmerking komt voor de job. Derdelanders die in de EU kunnen worden tewerkgesteld zijn hoofdzakelijk seizoenarbeiders, mensen met een hooggespecialiseerde functie of managers van internationale concerns, meestal uit de VS of Japan. Bovendien komen ook migranten om in specifieke behoeften te voorzien: sportlieden, imams, kunstenaars en leraren onderwijs in eigen taal en cultuur.

In de EU-landen blijft het aantal verblijfsvergunningen dat afgeleverd wordt in het kader van arbeidsmigratie onder de vraag van bepaalde werkgevers. Vanuit verschillende sectoren klinkt de vraag naar (tijdelijke) buitenlandse werknemers steeds luider. Verschillende landen hebben maatregelen genomen om aan deze vraag enigszins tegemoet te komen. De cijfers van tabel 10 maken duidelijk dat de instroom van buitenlandse arbeiders (tijdelijk en permanent) van buiten de EU voor sommige landen niet gering is. In tabel 11 wordt voor verschillende landen het aantal tijdelijke buitenlandse werknemers per categorie weergegeven. De cijfers zijn toch opmerkelijk, want de genoemde EU-landen blijken een relatief hoog aantal (tijdelijke) werknemers uit het buitenland toe te laten. Bovendien is het aantal seizoenarbeiders dat jaarlijks in de EU aan het werk gaat veel hoger dan in Canada, Australië en de VS. (tabel 11 en 13) Deze landen leggen vooral de nadruk op de komst van hooggeschoolden. (cf. infra)

Tabel 10: Instroom van werknemers van buiten de EU in verschillende Europese landen (in duizenden)

	1988	1989	1990	1991	1992	1993	1994	1995	1996	1997
Oostenrijk	17.4	37.2	103.4	62.6	57.9	37.7	27.1	15.4	16.3	15.2
België	2.8	3.7	-	5.1	4.4	4.3	4.1	3.0	2.2	2.5
Denemarken	3.1	2.7	2.8	2.4	2.4	2.1	2.1	2.2	2.8	3.1
Frankrijk										
Permanente vergunning[4]	*12.7*	*15.6*	*22.4*	*25.6*	*42.3*	*24.4*	*18.3*	*13.1*	*11.5*	*11.0*
APT[3]	*1.9*	*3.1*	*3.8*	*4.1*	*3.9*	*4.0*	*4.1*	*4.5*	*4.8*	*4.7*
Seizoenarbeiders[5]					*13.6*				*8.8*	*8.2*
Totaal[2]	14.6	18.7	26.2	29.7	46.2	28.4	22.4	17.6	16.3	15.7
Duitsland[1]	60.4	84.8	138.6	241.9	408.9	325.6	221.2	270.8	262.5	285.4
Ierland	-	1.2	1.4	3.8	3.6	4.3	4.3	4.3	3.8	4.5
Italië	-	-	-	125.5	123.7	85.0	99.8	111.3	129.2	166.3
Spanje	9.6	14.1	16.0	81.6	48.2	7.5	15.6	29.6	31.0	23.2
Zwitserland										
Jaarlijkse vergunningen	34.7	37.1	46.7	46.3	39.7	31.5	28.6	27.1	24.5	25.4
Seizoenarbeiders[5]	-	-	-	-	126.1	-	-	-	62.7	46.7
Verenigd Koninkrijk										
Lange duur	*10.4*	*13.3*	*16.1*	*12.9*	*12.7*	*12.5*	*13.4*	*15.5*	*16.9*	*18.7*
Korte duur	*11.8*	*12.2*	*13.8*	*12.6*	*14.0*	*13.3*	*12.9*	*15.6*	*16.8*	*19.0*
Seizoenarbeiders[5]					*3.6*				*5.5*	*9.3*
Trainees	*3.8*	*4.2*	*4.8*	*3.5*	*3.4*	*3.5*	*3.8*	*4.4*	*4.0*	*4.7*
Totaal[2]	26.0	29.7	34.6	29.0	30.1	29.3	30.1	35.5	37.7	42.4
Totaal voor de genoemde landen	**168.6**	**229.2**	**369.7**	**627.9**	**891.2**	**555.7**	**455.3**	**516.8**	**589**	**630.4**

[1] Inclusief asielzoekers, seizoenarbeiders en contractwerkers
[2] Exclusief de *Working Holiday Makers* en de *seasonal workers*
[3] ATP zijn hernieuwbare tijdelijke vergunningen (6 tot 9 maanden). Ze worden uitgereikt aan trainees, studenten of werknemers van een tijdelijke job. Vooral Amerikanen (VS, Canada en Brazilië), Algerijnen (15%), Polen en Russen.
[4] Inclusief migranten van binnen de Europese Economische Ruimte.
[5] Voor een volledige tijdsreeks: zie tabel 13.
[6] Hooggeschoolden voor langer dan een jaar, vooral specialisten en managers (*long-term permits*)

Bron: SOPEMI, 1999, 266.

Tabel 11: Tijdelijke immigratie van werknemers in verschillende OESO-landen, per categorie, 1992, 1996, 1997 (in duizenden)

	1992	1996	1997
Australië			
Hooggeschoolden	14.6	15.4	12.5
'Working Holiday Makers'	25.9	40.3	50.0
Totaal	**40.5**	**55.7**	**62.5**
	(40.3)[1]	(20.0)[1]	(19.7)[1]
Canada			
Hooggeschoolden			
Werknemers die hun tewerkstelling moeten laten goedkeuren door de overheid	66.4	–	–
Professionals[3]	5.3	–	–
'Reciprocal employment' (academici en onderzoekers in het kader van bilaterale overeenkomsten)[3]	5.6	–	–
Werknemers die voor Canada een meerwaarde zijn[3]	4.6	–	–
Seizoenarbeiders	11.1	–	–
Totaal	**92.9**	–	–
	(230.4)[1]		
VS			
Hooggeschoolden			
Specialisten (visa H-1B)	110.2	144.5	–
Specialisten (Nafta, visa TN)	12.5	27.0	–
Werknemers met bijzondere kwaliteiten (visa O)	0.5	7.2	–
Seizoenarbeiders (visa H-2A)	16.4	9.6	–
Industriële trainees (visa H-3)	3.4	3.0	–
Andere	32.8	63.2	–
Totaal	**175.8**	**254.4**	–
	(116.2)[1]	(117.5)[1]	(90.6)[1]
Frankrijk			
Hooggeschoolden met tijdelijke contracten (APT)			
Employees on secondment	0.9	0.8	1.0
Onderzoekers	0.9	1.2	1.1
Seizoenarbeiders[2]	13.6	8.8	8.2
Totaal	**15.4**	**10.8**	**10.3**
	(42.3)[1]	(11.5)[1]	(11.0)[1]
Duitsland			
Werknemers met een dienstencontract	115.1	47.3	42.1
Seizoenarbeiders[2]	212.4	220.9	226.0
Trainees	5.1	4.3	3.2
Totaal	**332.6**	**272.5**	**271.3** ☞

	1992	1996	1997
Zwitserland			
Seizoenarbeiders[2]	126.1	62.7	46.7
Trainees	1.6	0.7	0.7
Totaal	**127.7**	**63.4**	**47.4**
	(39.7)[1]	(24.5)[1]	(25.4)[1]
Verenigd Koninkrijk			
Lange duur[4]	12.7	16.9	18.7
Korte duur	14.0	16.8	19.0
'Working Holiday Makers'	24.0	33.0	33.3
Seizoenarbeiders[2]	3.6	5.5	9.3
Trainees	3.4	4.0	4.7
Totaal	**57.7**	**76.2**	**85**

[1] De cijfers tussen haakjes duiden het aantal permanente nieuwe werknemers aan. Voor meer uitgebreide cijfergegevens van de tijdelijke migratie - niet enkel van werknemers – naar Australië en de VS verwijzen we naar tabel 20 en 21.

[2] Voor een volledige tijdsreeks: zie tabel 13.

[3] Deze categorieën moeten niet goedgekeurd worden door *The Government Employment Service.*

[4] Hooggeschoolden voor langer dan een jaar, vooral specialisten en managers (*long-term permits*)

Bron: Sopemi, 1999, 25, 266.[18]

Immigratie van hooggeschoolden naar Europa

Er is de laatste jaren een tendens in Europa om de immigratie van hooggeschoolden en veelverdieners te versoepelen. Ondermeer Frankrijk, Zwitserland, Duitsland en België hebben hun regelgeving al in die richting aangepast. Zo werd in België op 22 oktober 1997 een ministerieel besluit goedgekeurd dat arbeidsmigratie gemakkelijker toelaat als het gaat om 'hooggeschoold personeel en personen die een leidinggevende functie komen bekleden in een bijhuis van een firma uit hun land voor zover voor beide gevallen hun jaarlijkse bezoldiging hoger ligt dan 1.855.000 frank.'[19] Tabel 9 toont dat het aantal hooggeschoolden met een arbeidskaart B de laatste jaren sterk is toegenomen. De bezoldiging en de scholingsgraad zijn de enige criteria bij de appreciatie van de aanvragen tot tewerkstelling onder de categorie hooggeschoolden. Uit onderzoek blijkt dat 42% van de gereguleerde arbeidsmigratie van buiten de EU naar Nederland afkomstig is uit de hooggeïndustrialiseerde wereld. In Nederland kunnen sinds kort Filipijnse en Zuid-Afrikaanse verpleeg(st)ers onder tijdelijk contract aan de slag. De regering in Ierland overweegt om de komende zeven jaar 200.000 geschoolde vreemdelingen aan te trekken en zelfs de Britse regering plant om de toelating van hooggeschoolden te versoepelen.[20] Uit het onderzoek van Salt en Ford (1993) blijkt al dat de migratie van hooggeschoolden naar het Verenigd Koninkrijk tijdens de jaren tachtig constant is gestegen. De werkloosheid was in 1997 onder de 7% gezakt en Britse bedrijven signaleren moeilijkheden bij het rekruteren van geschoolde werknemers. De krapte op de arbeidsmarkt laat zich vooral voelen in de dienstensector.[21] Van de 54.000 arbeidsvergunningen die Groot-Brittannië toekende in 1997 (13% meer dan in 1996), ging al 42% naar hooggeschoolde Amerikanen en Japanners. Wanneer de vergunning tot langer dan 4 jaar is verlengd, kan de buitenlandse werknemer een verblijfsvergunning bekomen.

Ook in Noorwegen kent men een krappe arbeidsmarkt. De werkloosheid bedroeg begin 1998 2,8%. In 1996 al gaf de overheid toe dat het toelaten van meer vreemdelingen noodzakelijk zal zijn, wil men aan de noden van de economie tegemoet kunnen komen. Vooral de bouwsector en de gezondheidszorg kampen met tekorten. Er wordt al gerekruteerd in Zweden en in de toekomst zal ook in Finland en in andere landen worden gerekruteerd. Werknemers van buiten de Europese Economische Ruimte moeten eerst een arbeidskaart krijgen vooraleer ze tot de arbeidsmarkt worden toegelaten. Volgens de Noorse immigratieact krijgen hooggeschoolden en mensen met bijzondere vaardigheden voorrang. Hoewel in juni 1997 de toegang voor laaggeschoolden uit Centraal- en Oost-Europa werd versoepeld, blijft het beleid naar laaggeschoolden toe restrictiever dan dat voor hooggeschoolden.[22]

In het voorjaar van 2000 heeft zich in Duitsland een discussie ontwikkeld over de vraag van IT-werkgevers om enkele duizenden specialisten uit het buitenland aan te trekken. De rood-groene regering van Schröder heeft een akkoord bereikt over een *green-card* systeem dat vanaf augustus 2000 in werking is getreden. Zo'n 20.000 hooggeschoolden kunnen voor vijf jaar een arbeidsvergunning toegekend krijgen. De regering verklaarde ook een extra inspanning te doen voor de bij- en herscholing van de eigen IT-werknemers. Hiervoor zou men 200 miljoen DM vrijmaken. Het systeem is gekoppeld aan een minimumloon van 100.000 DM per jaar. De werknemer mag veranderen van werkgever tijdens zijn verblijf en de familieleden moeten twee jaar wachten voordat zij een werkvergunning kunnen verkrijgen.

Het voorstel van Schröder is divers ontvangen. In bijna alle partijen, ook binnen Schröders SPD, waren er voor- en tegenstanders. Sommige politici wezen op het fenomeen van de *brain drain*, anderen vonden dat er onvoldoende draagvlak was om nog meer nieuwkomers toe te laten of vreesden dat het aantrekken van immigranten een excuus zou zijn om niet meer in de opleiding van het eigen volk te investeren, nog anderen vonden dat bedrijven eerder gestimuleerd moeten worden naar het buitenland te trekken en daar te investeren, in plaats van arbeidskrachten hierheen te halen. In het algemeen stuurden de oppositiepartijen CDU en FDP aan op een meer fundamentele herziening van de immigratiewetgeving. Hun redenering luidde: we zijn niet tegen migratie, we moeten echter niet die migranten toelaten die Duitsland gebruiken, maar die migranten die Duitsland kan gebruiken. De categorieën asielzoekers en familiemigratie moeten worden gereduceerd, ten voordele van meer arbeidsmigratie, volgens de noden van de Duitse economie. Hiervoor zouden quota kunnen worden opgesteld. Op die manier hoeft het aantal nieuwkomers niet omhoog en kunnen bedrijven toch buitenlandse werkkrachten aantrekken. Deze nieuwe wetgeving is er voorlopig nog niet gekomen. Om enkele zaken wat van naderbij te bekijken heeft Schily wel een immigratiecommissie opgericht, onder leiding van CDU politica Rita Suessmuth. Tijdens de politieke discussie hebben ook andere sectoren, ondermeer de gezondheidszorg, de bouwsector en de biotechnologie, zich achter de vraag naar meer vreemdelingen geschaard.[23] Ook de Europese commissaris voor Informatietechnologie Erikki Liikanen steunde het idee: Europese bedrijven moeten het recht hebben om talent te rekruteren waar ze maar willen. Liikanen verwees naar *Silicon Valley* waar men aantoont welke dynamiek binnen een multiculturele omgeving tot stand kan komen.

Het lijkt erop dat Europa neigt te evolueren naar een selectiemodel zoals in Canada, Australië en de VS. Ook in Japan worden de meeste nieuwkomers op basis van opleiding en kwalificaties geselecteerd. De migratie van hooggeschoolden wordt niet enkel gestuurd door het individueel perspectief om in een ander land meer te verdienen of in het ander land meer (carrière)mogelijkheden te hebben met het behaalde diploma, ook het beleid van de gastlanden is van doorslaggevend belang.

De arbeidsmarkt van hoogopgeleiden is internationaal geworden.[24] Door de liberalisering en internationalisering van de economie, moeten hoogopgeleide professionals vaak (tijdelijk) migreren, op vraag van het bedrijf. Verschillende werkgevers en bedrijven vragen de politieke overheden om nog soepeler in te gaan op de vraag naar een meer vrijgemaakte internationale arbeidsmarkt. Ook het rapport van Patrick Weil aan de eerste minister (1997) stelt dat men de rekrutering zou moeten versoepelen van derdelanders die een commerciële of technologische meerwaarde bieden. Het valt op dat de migratie van hooggeschoolden in het algemeen door de samenleving niet als problematisch wordt beschouwd. De discussies worden uitsluitend gevoerd naar aanleiding van de mensen die zich hier ongevraagd melden. Doomernik wijst verschillende keren op het tegenstrijdig karakter van een wereld die toenemende mobiliteit van kapitaal, goederen, informatie en een bepaalde groep mensen stimuleert en tegelijkertijd de ongevraagde migratie wenst tegen te gaan.[25]

Vrijere migratie van hooggeschoolden mag evenwel geen aanleiding geven tot sociale misbruiken of valse concurrentie. De sociale bescherming, zowel van de nieuwkomers als van de ingezetenen, moet bovenaan de agenda staan. In sommige pleidooien voor meer migratie gaat men te gemakkelijk voorbij aan de mogelijkheden van opleiding en activering van de ingezetenen en sommige voorstellen gaan gepaard met het op de helling zetten van bepaalde sociale verworvenheden. Op dit punt mag de politiek niet nalaten in te grijpen en bij te sturen.

Immigratie van laaggeschoolden en seizoenarbeiders naar Europa

Door het gebrek aan arbeiders die bepaalde jobs willen uitoefenen en het mogelijke concurrentievoordeel zit ook de arbeidsmigratie van lager geschoolden opnieuw in de lift. Sommige leden van de EU staan arbeidsmigratie toe in de vorm van tijdelijke seizoenarbeid. Griekenland en Spanje hanteren jaarlijks quota van zo'n 20 à 30.000

arbeidsimmigranten. In de nasleep van de regularisatiecampagne van 1991 besloot Spanje in mei 1993 om jaarlijks een contingent arbeidsmigranten (*cupos*) toe te laten.[26] Spanje wil met die quota migranten aantrekken in het legale arbeidscircuit en hen uit het zwarte circuit weghouden. In Andalusië in Zuid-Spanje werken nu al duizenden Marokkanen in de groente- en fruitteelt, maar de vraag naar meer en goedkope werkkrachten neemt niet af, ondanks de quota en de regularisaties. In het najaar van 1999 heeft de overheid beslist om de komende drie jaar één miljoen buitenlandse, vooral Marokkaanse, arbeidskrachten aan te trekken. Ze moeten de vele vacatures in de landbouw invullen, en in de periode waarin ze niet aan de slag zijn, kunnen ze allerlei vormingscursussen en beroepsstages volgen. Veel Spaanse boeren doen nu een beroep op illegale arbeidskrachten die soms in slechte omstandigheden leven en werken.

Wat betreft de instroom van arbeidsmigratie is Italië na Duitsland het belangrijkste land binnen de EU. (tabel 10) Het aantal nieuwe werkvergunningen dat aan niet EU-werknemers werd afgeleverd zakte begin de jaren negentig van ruim 125.000 naar 85.000 in 1993. Na 1993 ging het opnieuw in stijgende lijn en in 1997 werden maar liefst 166.300 nieuwe vergunningen toegekend. Ongeveer 60% van de verblijfsvergunningen wordt toegekend op basis van economische redenen. Ook de werkloosheidsgraad onder de vreemdelingen is sterk gedaald van 50% in 1990 tot 15,5% in 1997. Deze cijfers weerspiegelen de groei in de dienstensector en het groter wordende aanbod tijdelijke contracten voor laaggeschoolde jobs die de Italianen pogen te vermijden. De vraag naar buitenlandse werknemers is het grootst in de landbouw, het toerisme, de thuiszorg, de bouw- en dienstensector. Gezien de demografische evoluties in Italië zal deze vraag de komende jaren nog toenemen.[27] De wijzigingen in de migratiewetgeving in 1998 moeten de mogelijkheden om in Italië te komen werken vergemakkelijken. Er werd een systeem van preferentiële quota per land uitgewerkt. De meeste nieuwkomers zijn laaggeschoolden (tabel 12) en werken met een tijdelijk contract. De meeste van hen komen uit Marokko (21%), het voormalige Joegoslavië (13%), Albanië (13%) en Tunesië (9%).

Tabel 12: Aantal nieuwe werkvergunningen in Italië, afgeleverd aan werknemers van buiten de EU, scholingsgraad en tewerkstelling

	1994	1995	1996	1997
Aantal werkvergunningen aan niet EU-vreemdelingen (in duizenden)	**99.8**	**111.3**	**129.2**	**166.3**
Scholingsgraad van de nieuwkomers op de arbeidsmarkt (%)				
geen diploma	76.3	76.7	78.3	82.2
lager onderwijs	20.3	19.6	18.2	14.9
secundair onderwijs	2.9	3.1	2.9	2.4
universiteit	0.5	0.6	0.5	0.4
Sector van activiteit (%)				
landbouw	21.6	18.5	21.9	22.6
fabrieksarbeid	38.4	44.0	44.2	43.5
huisbediende	31.1	9.3	5.4	5.3
andere	26.9	28.2	28.5	28.6

Bron: SOPEMI, 1999, 160.

In Groot-Brittannië[28] doen honderden boerderijen (al dan niet legaal) een beroep op Oost-Europeanen voor die jobs die niet ingevuld geraken met de lokale bevolking. Er bestaat een regeling die tijdelijke seizoenarbeiders toelaat in de landbouw voor maximum 3 maanden tussen april en november. De buitenlandse werknemers moeten aan verschillende eisen voldoen: tussen de 18 en 25 jaar zijn en voltijds studeren. Ondanks het lage loon naar Britse normen, komen velen elk jaar terug omdat ze in die periode veel meer kunnen verdienen dan ze ooit kunnen van dromen in het thuisland. De Britse overheid hanteert een quotum van 10.000 maar het werkelijke aantal blijft er meestal onder (van 3.600 in 1992 tot 9.300 in 1997 cf. tabel 13). Ongeveer 98% is afkomstig van Centraal- of Oost-Europa, waarvan twee vijfden Polen. Groot-Brittannië verwelkomt jaarlijks ook nog een grote groep *Working Holiday Makers*. Wie burger is van de gewezen *Commonwealth* en tussen de 17 en 27 jaar is, kan van het programma gebruikmaken. Wie aan deze voorwaarden voldoet, kan tijdelijk tewerkgesteld worden zonder arbeidsvergunning. Er staat geen quotum op de instroom langs deze weg. In 1990 maakten 23.200 mensen gebruik van het programma, 54% was afkomstig van Australië. In 1995 telde het programma 36.000 mensen en in 1997 33.300. (tabel 11)

Duitsland heeft binnen de EU de grootste stock buitenlandse werknemers. Dit ligt aan verschillende factoren: de geografische ligging, het strenge naturalisatiebeleid en het gebruik van *Gastarbeiter* programma's, zowel nu als in het verleden. Na de val van de Berlijnse muur zijn in Duitsland vijf programma's totstandgekomen waarbinnen werknemers van buiten de EU in Duitsland tijdelijk aan het werk kunnen. Door middel van deze programma's zijn gemiddeld 350.000 mensen van buiten de EU in Duitsland tewerkgesteld.[29] Het belangrijkste programma maakt het mogelijk dat vreemdelingen projectmatig en maximum voor twee jaar in Duitsland komen werken (contractwerkers). Voor sommige gastarbeiders geldt een maximum van 3 jaar. Meestal gaat het om buitenlandse firma's die met hun eigen werknemers een bepaalde opdracht in Duitsland moeten komen vervullen. Zo was het bekend dat op de bouwwerven in Berlijn zeer veel Portugese bouwvakkers terug te vinden waren, op Portugese arbeidsvoorwaarden. Binnen de EU is dat mogelijk, maar ondertussen worden veel arbeidsplaatsen in Portugal bezet door (soms illegale) Afrikanen. Van de derdelanders die op die basis in Duitsland werken, is meer dan de helft van Polen afkomstig. Er bestaan geen quota per firma, wel per industrietak en per land. In 1992 waren 95.000 arbeiders op die manier aan het werk. Dit aantal is teruggelopen tot 46.000 in 1996.

De grootste categorie arbeidsmigranten bestaat uit seizoenwerkers of arbeidstoeristen. Sinds 1989 kunnen Oostenrijkse en Duitse werkgevers tijdelijke arbeidscontracten van maximum drie maand afsluiten met arbeiders uit Oost-Europa en men maakt daar gretig gebruik van. Sinds 1992 verwelkomt Duitsland jaarlijks minstens 155.000 seizoenarbeiders. (tabel 13) In 1994 werd de wetgeving nog versoepeld zodat er in 1997 wel 226.000 seizoenarbeiders toegelaten werden. De seizoenarbeiders zijn vooral tewerkgesteld in de landbouw, restaurants of de bouwsector. Als seizoenarbeiders minder dan twee maanden werken zijn zij en hun werkgevers vrijgesteld van sociale lasten. In de categorie van de seizoenarbeiders zijn de Polen het meest vertegenwoordigd.[30] In steden als Berlijn en Frankfurt zouden soms tot honderdduizend Polen aan het werk zijn. Polen mogen immers drie maanden in Duitsland verblijven zonder visum, dit verklaart hun aantal. Op het totale aantal seizoenarbeiders staat geen maximum. Er is wel een beperking tot een aantal sectoren van tewerkstelling. In de genoemde categorieën van contractarbeiders en seizoenarbeiders heeft Duitsland in 1994 221.200, in 1995 270.800, in 1996 262.500 en in 1997 285.400 arbeidsvergunningen aan nieuwkomers toegekend (tabel 10). Geen van de twee tijdelijke tewerkstellingsmogelijkheden is om te zetten in een permanente verblijfsvergunning.

Een derde programma is uitgewerkt voor de grenswerkers van Tsjechië en Polen. Indien werkgevers geen arbeidskrachten vinden op minder dan 50 km van de oostgrens kunnen ze de toestemming vragen om grensarbeiders tewerk te stellen, tegen een door de overheid gecontroleerd loon. Dagelijks pendelen over de grens wordt aangemoedigd. De grensarbeider mag maximum twee dagen per week in Duitsland blijven overnachten. Het vierde programma laat ongeveer 6.000 jonge Oost-Europeanen toe voor een opleiding of een stage van 18 maanden. Dit werk- en leerprogramma is een soort uitwisselingsproject, jaarlijks vertrekken ook een aantal Duitse jongeren naar Polen, Rusland en Roemenië voor een stage. Er zijn quota vastgelegd per land. Tot slot is er nog een vijfde programma waarbij een duizendtal verple(e)g(st)ers uit ex-Joegoslavië zijn tewerkgesteld.

De tewerkstelling of opleiding van gastarbeiders wordt beschouwd als een vorm van coöperatie met de landen van Centraal- en Oost-Europa.[31] De tewerkstelling wordt geregeld door bilaterale overeenkomsten. Net als in de jaren '60 worden programma's ontwikkeld voor tijdelijke tewerkstelling – niet enkel van gastarbeiders, maar ook van stagiairs, grensarbeiders of werkstudenten – en dit terwijl in Duitsland toch nog vrij veel werklozen zijn. In september 1999 telde Duitsland nog 3,9 miljoen werklozen, 8,3% in het westen en 17,2% in het oosten.[32] In 1996 waren in Duitsland een half miljoen vreemdelingen actief in de bouwsector, waaronder 100.000 Britten, terwijl de gemiddelde werkloosheidsgraad boven de 12% uitsteeg en er ongeveer 200.000 Duitse bouwvakkers werkloos waren. Veel draait om de loonkosten: Britten zouden thuis $12 per uur verdienen en verdienen in Oost-Duitsland $25, terwijl Duitsers zeker $35 zouden kosten aan de werkgever.[33] Ook de kloof tussen de werkloosheidsgraad van de Duitsers (11% in 1997 in West-Duitsland) en die van de vreemdelingen (20,4%) blijft groeien sinds de jaren tachtig.[34]

Tussen 1989 en 1996 zijn bovendien nog twee miljoen etnische Duitsers naar Duitsland gemigreerd, hoofdzakelijk vanuit de voormalige Sovjet-Unie. In 1990 kwamen een kleine 400.000 *Aussiedler* zich in Duitsland vestigen. Sinds 1993 geldt een quotum voor de *Aussiedler* van maximum 220.000 per jaar. Zij die denken voor het Aussiedlerstatuut in aanmerking te komen, kunnen niet langer zomaar naar Duitsland komen. Ze moeten eerst een aanvraag indienen in het land waar ze verblijven en moeten dan afwachten of ze zullen worden toegelaten. In 1998 en 1999 kwamen er respectievelijk nog slechts 103.000 en 105.000. Dit is heel wat minder dan de 218.000 in 1995 en 180.000 in 1996.[35]

Nederlandse werkgevers hebben hun overheid gewezen op het Duitse beleid dat veel *tourist workers* toelaat.[36] De Nederlanders vonden dat de concurrentie werd vervalst indien de Nederlandse overheid niet overging tot het toelaten van tijdelijke arbeidskrachten uit het buitenland. Sinds de jaren tachtig werden Polen die Nederland als toerist waren binnengekomen, tewerkgesteld in de bollenkwekerijen in Noord-Holland. Deze praktijk kwam in de belangstelling toen de overheid besloot om de werkloosheidstoelage niet meer uit te keren aan die werklozen die weigerden seizoenarbeid te verrichten. In 1992-1993 bracht de pers uit dat er veel Polen zonder arbeidsvergunning werkzaam waren in de asperge- en aardbeienoogst in Limburg. Werkgevers klaagden over een arbeidstekort en de overheid besliste dan maar om 600 extra arbeidsvergunningen af te leveren om in Zuid-Nederland de tuinbouwoogst binnen te halen. Vooraleer een immigrant in dienst te nemen moest de werkgever wel eerst nagaan of er geen Nederlander te vinden was voor de job. Het toegelaten aantal was te weinig om echt concurrentieel te zijn met Duitsland, waar Joegoslaven, Turken en Polen de tuinoogst binnenhalen. De werkgevers drongen aan bij de minister van Sociale Zaken om in 1994 opnieuw vergunningen voor buitenlandse werknemers aan te bieden. Eerst weigerde de minister, maar onder de druk van de werkgeversverenigingen heeft men toegegeven. (tabel 13) In 1995 heeft de overheid de weigering volgehouden en in 1996 was er geen discussie meer, wel worden er in toenemende mate Ieren en Portugezen tewerkgesteld.

In Zwitserland[37] bestaan er kantonale en nationale migratiequota voor seizoenarbeiders. In de jaren negentig gaat hun aantal sterk in dalende lijn. Dit is in overeenstemming met de economische stagnatie van de bouw- en cateringindustrie. In 1997 werden net geen 47.000 seizoenarbeiders in Zwitserland tewerkgesteld. (tabel 13) Het zijn vooral Portugezen (60%), Spanjaarden en (ex-)Joegoslaven. De meesten blijven 9 maanden (het maximum), afhankelijk van de sector. Seizoenarbeiders die 36 maanden gewerkt hebben in 4 jaar tijd, kunnen het statuut van 'jaarwerker' of van immigrant krijgen.

Ondanks het feit dat er een aanhoudende vraag is naar tijdelijke werknemers heeft Frankrijk het aantal seizoenarbeiders teruggeschroefd tijdens de jaren negentig.[38] (tabel 13) De quota worden bepaald in het kader van bilaterale overeenkomsten, ondermeer met Marokko en Tunesië. In 1988 werden er nog meer dan 70.000 seizoenarbeiders tewerkgesteld, in 1997 zijn dat er amper nog 8200. De seizoenarbeiders, vooral Marokkanen en Polen, zijn hoofdzakelijk in de landbouw tewerkgesteld. Men mag maximum 6 maanden (in bepaalde gevallen 9 maanden) werken per jaar en voor arbeiders van verder gelegen landen, bijvoorbeeld Marokko en Tunesië, geldt een minimum van 4 maanden.

Noorwegen hanteert een jaarlijks quotasysteem om het aantal seizoenarbeiders te bepalen dat in de landbouw aan de slag kan. De werkvergunningen zijn maximum drie maanden geldig tussen 15 mei en 31 oktober. Voor 1997 was een quotum van 6.800 bepaald waarvan slechts 6.100 plaatsen zijn gebruikt. Voor 1998 lag het quotum op 8.000. Meer dan 90% van de seizoenarbeiders zijn afkomstig van Centraal- en Oost-Europa, vooral vanuit Polen. Noorwegen werkt vooralsnog niet op basis van bilaterale overeenkomsten hieromtrent. Ook Zweden telde in 1996 8.400 seizoenwerkers, hoofdzakelijk in de tuinbouw.

Tabel 13: Aantal seizoenarbeiders (in duizenden) in verschillende OESO-landen, 1988-1997

	1988	1989	1990	1991	1992	1993	1994	1995	1996	1997
Australië[1]		32.0	38.0	36.7	25.2	25.6	29.6	35.4	40.3	50.0
Oostenrijk		24.3	26.3	17.6	20.4	15.8				
Canada[2]					11.1	11.2	10.4	10.9		
Frankrijk	70.5	61.9	58.2	54.2	13.6	11.3	10.3	9.4	8.8	8.2
Duitsland	/	/	/	/	212.4	181.0	155.2	192.8	220.9	226.0
Italië					1.7	2.8	5.8	7.6	8.9	8.4
Nederland					1.0	0.9	0.5	/	/	/
Noorwegen[3]			4.3	4.3	4.7	4.6	4.5	5.0	5.4	6.1
Zwitserland	154.0	156.4	153.6	147.5	126.1	93.5	83.9	72.3	62.7	46.7
Verenigd Koninkrijk[4]					3.6	4.2	4.4	4.7	5.5	9.3
VS[5]					16.4	16.3	13.2	11.4	9.6	

[1] Working Holiday Makers
[2] Caribbean and Mexican Seasonal Agricultural Workers Programme
[3] Niet-hernieuwbare werkvergunningen van 3 maand, vooral Polen.
[4] Exclusief Working Holiday Makers
[5] H-2A visa

Bron: SOPEMI, 1999, 266.

Gelet op de cijfers kan men stellen dat ook de arbeidsmarkt voor laaggeschoolden steeds meer internationaal wordt. Het aantal seizoenarbeiders en de vraag naar nog meer seizoenarbeiders is opvallend. Bij de genoemde gegevens moet dan ook nog eens de illegale immigratie worden gerekend. Bepaalde sectoren vinden het om uiteenlopende redenen noodzakelijk om op buitenlandse laaggeschoolden een beroep te kunnen doen. Bepaalde nationale overheden treffen regelingen om aan de vraag tegemoet te komen. Meestal gaat het om vergunningen van enkele maanden, die men jaarlijks kan aanvragen.

Niettegenstaande de arbeidsmigratie op dergelijke schaal gebeurt, is de immigratie van laaggeschoolden een minder populair thema dan de migratie van hooggeschoolden. Concrete gegevens zijn schaars en de statuten waarin de laaggeschoolde buitenlandse werknemers terechtkomen, getuigen niet altijd van veel respect. In de discussie over arbeidsmigratie moet wat betreft de immigratie van laaggeschoolden vooral aandacht gaan naar hoe de bestaande arbeidsimmigratie verloopt en hoe die realiteit kan worden verbeterd. De discussie moet dus niet alleen gaan over meer of minder migratie, er moet evenzeer en misschien wel op de eerste plaats gewerkt worden aan de kwalitatieve modaliteiten waarbinnen de arbeidsmigratie van laaggeschoolden gebeurt of beter zou moeten gebeuren. Het statuut waarin de laaggeschoolde migrant terechtkomt moet geoptimaliseerd worden.

Sommige landen laten meer seizoensmigratie toe dan anderen. Sommige landen laten helemaal geen arbeidsmigratie in die vorm toe. Door een gebrek aan regelgeving op Europees vlak kan zo gemakkelijk concurrentievervalsing ontstaan. Zij die zich benadeeld weten, maar geen toestemming van de overheid krijgen om buitenlanders tijdelijk tewerk te stellen, nemen hun toevlucht tot andere middelen. Sommigen verleggen hun bedrijf naar de lageloonlanden, anderen trekken immigranten aan om ze illegaal tewerk te stellen. De aanwezigheid en de komst van illegale migranten, zeker naar de Zuid-Europese landen, is een teken aan de wand dat de bestaande regeling ofwel niet voldoende is, ofwel niet aantrekkelijk genoeg is.

Ook hier geldt dat de werknemer in de vrije markt niet aan zijn lot mag worden overgelaten en dat de overheid een oogje in het zeil moet houden wat betreft de sociale bescherming. De migratie van laaggeschoolden mag geen aanleiding geven tot sociale misbruiken. Laaggeschoolden zitten in een kwetsbare positie. Het kan niet zijn dat sociale verworvenheden voor laaggeschoolde arbeidsmigranten zomaar tussen haakjes kunnen worden gezet. Meer nog dan voor hooggeschoolden moet de overheid de laaggeschoolde arbeidsmigrant zo goed mogelijk beschermen door waar nodig het marktgebeuren bij te sturen.

Illegale arbeidsmigratie en regularisatie

Volgens schattingen van Europol en van Jonas Widgren van het *International Centre for Migration Policy Development* in Wenen komen elk jaar 400.000 tot 500.000 mensen Europa op illegale wijze binnen. De niet-legale economie in bepaalde landen is een belangrijke pullfactor voor de illegale immigratie. Veel illegalen werken in de bouw, de informele dienstensector, landbouwsectoren, horeca en de confectie. Volgens hun werkgevers is illegale werkgelegenheid een noodzakelijk structurele compensatie voor de rigide arbeidsmarkt.

In de reflectie over arbeidsmigratie kan men niet voorbijgaan aan de realiteit van de illegale immigratie. Ze bepaalt in sterke mate de discussies over migratie. Het institutionaliseren van arbeidsmigratie moet de intentie hebben om de migratie ordelijker en overzichtelijker te laten verlopen, maar het is twijfelachtig of arbeidsmigratie effectief als middel kan worden ingezet tegen illegale immigratie. (cf. supra)

In het migratiedebat nemen de illegalen een belangrijke plaats in omdat ze sterk bedreigend overkomen voor elk migratiesysteem en eigenlijk voor de gehele werking en de legitimiteit van de natiestaten zelf. Er zijn verschillende elementen die het onwenselijke van illegalen kunnen verklaren[39]: een staat kan juridisch gezien geen illegalen tolereren zonder zichzelf tegen te spreken, illegalen kunnen gebruikmaken van sociale voorzieningen zonder er zelf toe bij te dragen, illegale migranten tolereren is onrechtvaardig ten opzichte van zij die wel legaal proberen binnen te komen, illegalen hebben een uitermate zwakke economische en juridische positie en worden dan ook gemakkelijk slachtoffer van uitbuiting, illegalen zouden eerder in staat zijn om risico's te nemen en gemakkelijker overgaan tot vormen van criminaliteit en bovendien bestaat er de groeiende druk vanuit Europa om de illegale migratie zoveel mogelijk uit te bannen. Illegalen vallen buiten elk systeem waardoor ze zeer moeilijk te controleren zijn. Ze vallen buiten de regels waarop de maatschappij is gegrondvest en hebben op die manier een destabiliserend karakter. Er zijn al tal van maatregelen genomen zowel op nationaal als internationaal niveau om de illegale migratie in te dijken. Ook de regularisatiecampagnes hebben de onwenselijkheid van illegalen als impliciete drijfveer.

De illegale arbeidsmigratie gebeurt hoofdzakelijk op twee manieren. Ten eerste is er een groep die een asielaanvraag heeft ingediend, niet erkend wordt maar het land niet verlaat. Door het grote aantal aanvragen sinds begin de jaren negentig zit de asielprocedure in verschillende landen in het slop. Het duurt soms jaren vooraleer men definitief uitsluitsel krijgt. Mensen die na lange tijd toch nog een uitwijzingsbevel krijgen, duiken niet zelden onder in de illegaliteit. Het is moeilijk om mensen die lang in de asielprocedure hebben gezeten nog op humanitaire wijze het land uit te zetten: men heeft hier sociale banden, de kinderen gaan naar school en in bepaalde landen heeft men al gewerkt. In sommige landen (België[40], Nederland[41] en Frankrijk[42]) kunnen of konden de mensen die te lang in de asielprocedure hebben vastgezeten na verloop van tijd worden geregulariseerd.

Maar de lange procedure is niet het enige: van de 32.662 dossiers die binnengekomen zijn voor de regularisatiecampagne in België in 2000, doet slechts één vierde een aanvraag op basis van een te lange asielprocedure. Ook mensen die snel worden afgewezen, blijven hier soms om uiteenlopende redenen. De aanwezigheid en steun van landgenoten, de steun van actiegroepen, de mogelijkheid tot zwartwerk en de ineffectiviteit van het uitzettingsbeleid maken het voor sommigen aantrekkelijker om hier illegaal te verblijven in plaats van naar het land van herkomst terug te keren. Soms heeft men alles in het land van herkomst opgegeven en een fortuin besteed om in het westen te komen. Het spreekt bijna vanzelf dat men deze mensen niet met een uitwijzingsbevel kan motiveren het land te verlaten.

Ten tweede is er een grote groep mensen die naar Europa komt, vooral naar Zuid-Europa, duidelijk met de bedoeling om er te werken. Deze groep vraagt geen asiel aan.[43] Ze komen binnen met tijdelijke visa of valse papieren. Nadat de tijdelijke verblijfsvergunning is verstreken, duiken ze onder in de illegaliteit en proberen ze te overleven, meestal door middel van illegale arbeid. Velen hebben helemaal geen papieren om Europa binnen te komen. Deze mensen betalen soms letterlijk een fortuin en wagen hun leven om op clandestiene wijze Europa binnen te komen, in containers van vrachtwagens of over zee. Aan de Spaanse kust voor Marokko, in de Spaanse enclave Ceuta in Marokko, in Gibraltar en aan de Italiaanse kust voor Albanië hebben zich meermaals hartverscheurende taferelen afgespeeld.[44] Deze sluipende migratie is een niet-officiële vorm van arbeidsmigratie. De verschillende regularisatiecampagnes zijn hiervan een teken aan de wand. Veelal was het hebben van een arbeidscontract immers een voorwaarde om voor regularisatie in aanmerking te komen.[45] Men ging ervan uit dat veel illegale migranten aan het werk waren. Met de regularisatie wilde men de illegale arbeidsmigranten in legale arbeidsmigranten omzetten.

Veel landen hebben regularisatiecampagnes ingevoerd in het kader van het streven naar meer migratiecontrole. Sinds de jaren zeventig zijn al meer dan 1,8 miljoen mensen geregulariseerd.[46] De regularisatie was meestal onderdeel van een beleid met een breder opzet, namelijk het verstrengen van de aanpak van de illegale migratie. Naast (vóór, tijdens of kort na) de regularisatie werd ook altijd werk gemaakt van strengere grenscontroles, de regulatie van de arbeidsmarkt, een strikter visumbeleid, nieuwe asiel- en migratiewetgeving. Een regularisatiecampagne komt nooit alleen en is dikwijls een element in een ruimere opkuisoperatie. (tabel 14) Vooraleer over te gaan tot een restrictiever toelatings-, uitwijzings- of tewerkstellingsbeleid, wil men de spons vegen over het verleden.

Tabel 14: Verband regularisatie – asielwetgeving – immigratiewetgeving

	'84	'85	'86	'87	'88	'89	'90	'91	'92	'93	'94	'95	'96	'97	'98	'99
Spanje	A	I/R						I/R				A	I/R			
Italië			I/R				IRA					I/R	R	A/R	R	R
Griekenland									I		A			R		R
Portugal									R	I/A			R	A		
Frankrijk							A	R					A/R			

A=Asielwetgeving / I=immigratiewetgeving / R=regularisatiecampagne
(gebaseerd op Baldwin-Edwards, 1999)

Het is opvallend dat veel illegalen die worden geregulariseerd oorspronkelijk op legale wijze het land zijn binnengekomen, maar na verloop van tijd geen verlenging van de verblijfsvergunning meer hebben kunnen krijgen. De illegale instroom mag in veel gevallen dus niet al te letterlijk worden genomen, velen *worden* illegaal, maar zijn niet als dusdanig het land binnengekomen. Dit heeft gevolgen voor het beleid dat de illegaliteit wenst te bestrijden.

Soms krijgt men de indruk dat illegaliteit gedoogd wordt om in een tweede fase tot regularisatie over te gaan. Men gedoogt illegale tewerkstelling omdat de informele arbeidsmarkt in sommige landen zo een omvang heeft dat de economie niet meer zonder kan. Vooral de bouw, de horeca en de tuinbouw trekken goedkope en illegale arbeidskrachten aan, zowel allochtonen als autochtonen. De omvang van de illegale migratie, de illegale tewerkstelling en de regularisaties bewijzen volgens sommigen dat er nood is aan aanvullende arbeidskrachten. Het illegale circuit wordt dan geduid als een uitdrukking van de discrepantie tussen de nationale, restrictieve migratieregimes en de feitelijke ontwikkeling van een wereldwijd vervlochten en flexibele arbeidsmarkt.

De realiteit van de illegale migratie toont dat men het fenomeen met het huidige beleid en de huidige middelen niet kan tegenhouden. De regularisaties suggereren zelfs dat bepaalde landen niet afkerig staan ten aanzien van het officieel opnemen van die migranten in de arbeidsmarkt.

Het vrij verkeer binnen de Europese Unie

Het grootste deel van de migratie in Europa gebeurt nu tussen de verschillende lidstaten van de EU. Op 1 januari 1999 telde België 562.534 vreemdelingen van andere EU-lidstaten. Dit betekent dat bijna twee derden van alle buitenlanders uit de EU afkomstig is. Van de 49.200 toegelaten nieuwkomers in België in 1997 waren er 27.600 afkomstig van andere EU-lidstaten. In België waren in 1997 262.000 niet-Belgen aan het werk, waarvan slechts 54.000 van buiten de EU.[47] In totaal is één vierde van het aantal vreemdelingen in Europa staatsburger van een ander land van de Unie. In bepaalde gevallen gaat het nog om laaggeschoolde migranten die in de jaren '50 en '60 uit Zuid-Europa gemigreerd zijn en die hun oorspronkelijke nationaliteit hebben behouden. Het vrije verkeer van werknemers in de EU impliceert ook de gelijke behandeling van alle Europese werknemers, waardoor het voor de gastlanden minder aantrekkelijk werd (laaggeschoolde) gastarbeiders uit Zuid-Europa aan te trekken. Hoe meer rechten de arbeiders en hun gezinnen kregen, des te minder flexibel en goedkoop konden deze werknemers worden ingezet. De recente migratie binnen de EU bestaat nu vooral uit bureaucraten, hooggeschoolden, deskundigen en hun gezinsleden.[48]

Sinds 1968 hebben EU-werknemers het recht zich te bewegen, te leven en te werken waar zij willen in de EU. Het recht op vrije beweging is wel gebonden aan voorwaarden om te vermijden dat mensen migreren om van een beter sociaal zekerheidssysteem te genieten, zonder ertoe bij te dragen.[49] Wie binnen een vastgelegde periode niet kan aantonen over een inkomen te beschikken zal geen verblijfsvergunning krijgen.

De economische voorwaarde is dus doorslaggevend om vrije beweging en vestiging toe te laten. Het Europees burgerschap is ook het gevolg van de economische idee om de grenzen te slopen voor de economische actoren: goederen, kapitaal, diensten en mensen (werknemers en dienstverleners). Het Europees burgerschap is vooral een marktburgerschap ingegeven door de liberale gedachte dat de gemeenschappelijke vrije markt door middel van een *invisible hand* voorspoed en rijkdom zou brengen voor de gehele EU en haar competitief zou maken in de wereldeconomie. De Europese marktburger mocht geen strobreed in de weg worden gelegd om de mogelijkheden van de gemeenschappelijke vrije markt te benutten, dit tot welzijn van het geheel. Via de verdere ontwikkeling van het gemeenschapsrecht inzake het vrije verkeer van de marktburgers en van de rechtspraak van het hof van justitie, is ook de rechtsbescherming van deze marktburgers verder uitgebreid. Naast de typische marktrechten worden ook een reeks rechten gegarandeerd die zich buiten de strikte marktsfeer bevinden: recht op verblijf na het uitoefenen van de economische activiteiten, het recht op gezinshereniging, de garantie dat migratie niet tot verlies van sociale rechten leidt en het recht op gelijke behandeling inzake sociale voordelen.[50]

In het verleden heeft de EU ook associatieovereenkomsten gesloten met landen als Polen, Hongarije, Tsjechië, Slovakije, Bulgarije en Roemenië. De toepassing van deze overeenkomsten gaat niet zover dat er een vrij verkeer van werknemers mogelijk wordt. Er wordt wel bepaald dat vrij verkeer van diensten (zelfstandigen, firma's en ondernemingen) tussen de betreffende landen en de EU onder welbepaalde voorwaarden mogelijk is. Sinds 1 januari 2000 zijn ook de onderdanen van Estland, Letland en Litouwen vrijgesteld van een beroepskaart als ze hier een zelfstandige activiteit willen uitoefenen. De associatieakkoorden laten met betrekking tot een activiteit in loondienst geen tewerkstelling toe.

Wanneer nieuwe lidstaten worden toegelaten, zijn het recht op vrije beweging en de daaraan verbonden rechten en plichten altijd opnieuw onderwerp van debat. Tot nu is de uitbreiding in drie stappen verlopen. In 1973 kregen Duitsland, België, Nederland, Luxemburg, Frankrijk en Italië het gezelschap van het Verenigd Koninkrijk, Ierland en Denemarken. De tweede uitbreiding liep richting zuiden: Griekenland in 1981, Spanje en Portugal in 1986. Op 1 januari 1995 ten slotte zijn Zweden, Finland en Oostenrijk toegetreden. De vierde stap richt zich vooral op het oosten. In 1998 werden onderhandelingen aangevat met Polen, Hongarije, Tsjechië, Cyprus, Slovenië en Estland en tijdens de Europese top in Helsinki (december 1999) werden Roemenië, Bulgarije, Letland, Litouwen, Slovakije en Malta als kandidaat-lidstaten toegevoegd. Vanaf 2000 worden toetredingsonderhandelingen met de respectievelijke landen gevoerd. Ook Turkije werd het statuut van kandidaat-lidstaat aangeboden, maar Turkije heeft nog zeer grote inspanningen te leveren (vete met Cyprus, de mensenrechten inzake de behandeling van de Koerden) vooraleer het werkelijk aan toetreding kan gaan denken. Pas in 2003 kunnen de eerste kandidaat-lidstaten toetreden.

De uitbreiding van de Unie gaat altijd gepaard met een soort van 'migratievrees'. De komst van nieuwe lidstaten slaagt er telkens weer in de fantasie op hol te brengen. Bij de toetreding van Groot-Brittannië doken allerlei wilde gedachten op in de media over een massa vreemdelingen die het land zouden binnenstromen. In de andere lidstaten voorzag men dat horden Sikhs en Pakistani met Britse papieren in de hand naar het vasteland zouden komen.[51] Voor Griekenland, Spanje en Portugal is effectief een overgangsperiode ingevoerd. Voor Griekenland ging het vrij verkeer van werknemers in op 1 januari 1988 en voor Spanje en Portugal was dit op 1 januari 1992.

Ook bij de huidige voorstellen voor de uitbreiding van de EU naar het oosten duiken allerlei migratiescenario's op en stelt zich opnieuw het probleem van de vrije beweging. Het recht op vrije beweging van werknemers is één van de hindernissen die de uitbreiding naar het oosten bemoeilijkt. Sommige landen vrezen te worden overspoeld door nieuwkomers uit de nieuwe lidstaten. Het loonverschil met de huidige lidstaten kan een migratiebevorderende factor zijn. Dit was ook het geval toen Spanje toetrad in 1986, maar in mindere mate. Het gemiddelde loon per persoon in Frankrijk was toen ongeveer het dubbel van dat in Spanje, terwijl het gemiddelde loon per persoon in Duitsland zes keer dat van Polen bedraagt. Vooral Oostenrijk en Duitsland zijn voorstander om voor de nieuwe lidstaten opnieuw een overgangsperiode van enkele jaren in te bouwen, vooraleer de grenzen volledig opengaan voor de arbeidskrachten. Straubhaar en Wolburg (1998) wijzen erop dat dit uitstel ook in het voordeel zou zijn van de nieuwe lidstaten zelf. De geschiedenis leert immers dat vooral jonge dynamische en geschoolde mensen de stap naar het westen zetten wat voor een *brain drain* zorgt in de herkomstlanden en voor een *brain gain* in de gastlanden. Het gesloten houden van de grenzen zou niet in het voordeel zijn van de huidige lidstaten. De auteurs gaan ervan uit dat laaggeschoolden minder ambitie of mogelijkheden hebben om naar het westen te komen. De problematiek van de Roma, het aantal asielzoekers, arbeidstoeristen en seizoenarbeiders uit Oost-Europa spreken deze vooronderstelling alvast tegen. Volgens de voorspellingen van John Salts *Migration Research Unit* van de Universiteit Londen zullen tussen de 55.000 en de 278.000 mensen per jaar immigreren uit de vijf nieuw toegetreden landen, waarvan velen slechts tijdelijk zullen komen.[52] Ook uit de toepassing van de genoemde associatieovereenkomsten blijkt niet dat de migratie zo omvangrijk zal zijn als sommigen voorspellen. Het is bovendien de bedoeling dat de economische toestand in de toekomst zoveel als mogelijk gelijkgeschakeld wordt waardoor een belangrijke motivatie om te migreren vervalt. Dit blijkt ook uit de geschiedenis van de EU. Ondanks de mogelijkheden die nu binnen de EU bestaan, ligt de mobiliteit tussen de verschillende lidstaten op dit ogenblik beduidend lager dan veertig jaar geleden. Wanneer de landen economisch en demografisch gelijke tred houden, zal het recht op vrije beweging zoals dat in de EU van kracht is, weinig of geen supplementaire migratie tot stand brengen.[53]

Omdat men binnen de EU naar een gelijklopende economische conjunctuur streeft tussen de lidstaten leiden de vrije migratiemogelijkheden niet tot een enorme toename van migratie in vergelijking met de toestand vóór het lidmaatschap en het openstellen van de grenzen. Vooraleer er sprake kan zijn van toetreding worden er bovendien tal van voorwaarden opgelegd inzake economie, justitie en grenscontroles. In het algemeen kunnen we verwachten dat de bijna dertig jaar oude conclusie van Böhning blijft gelden: Migratie in de Europese Gemeenschap onder conditie van vrije beweging is hoofdzakelijk bepaald door de vraag naar arbeid: als de vraag laag is, zullen de open grenzen er niet toe bijdragen dat de overtollige werknemers sneller werk zullen vinden, en als de vraag hoog is hebben de burgers van de Gemeenschap geen nood aan het recht op vrije beweging om werk te vinden.[54]

De vrees voor een toename van migratie bij een uitbreiding van de Unie naar het oosten wordt ook ondersteund door het feit dat deze landen nu al meer en meer als transitlanden worden gebruikt door individuele migranten die naar het westen willen komen. In verschillende Oost-Europese landen bevinden zich bovendien enkele draaischijven van grote en minder grote filières. De transitfunctie zou in de toekomst groter kunnen worden. Zo vreest men dat de asielzoekers eenmaal ze de EU binnen zijn via de nieuwe lidstaten zich naar de andere lidstaten zullen begeven. Mede daarom willen sommige EU-landen de grenzen met die nieuwe lidstaten nog niet direct ontsluiten. Vooraleer er van werkelijk toetreding sprake kan zijn, moeten de kandidaat-lidstaten aan bijkomende voorwaarden voldoen om deze transitfunctie te verminderen. Door de komst van nieuwe lidstaten worden de buitengrenzen verlegd en de huidige EU-leden willen dat de nieuwkomers eerst bewijzen dat ze deze buitengrenzen op afdoende mate kunnen controleren zodat er door de uitbreiding geen zwakke punten komen in het fort Europa. Op de Europese top in Tampere (oktober 1999) werden de kandidaat-lidstaten eraan herinnerd dat ze pas aan toetreding kunnen denken als ze hun grenscontroles opvoeren zodat ze even streng zijn als die van de huidige EU-landen. De controle van buitengrenzen is inderdaad een belangrijk gegeven voor de toetreding tot de EU, maar tot op zekere hoogte speelt de EU ook een vals spelletje. Eigenlijk legt de EU de lat hoger dan ze zelf aankan. De strenge Europese regelgeving wat betreft de buitengrenzen slaagt er nu ook niet in de illegale migratie effectief aan banden te leggen. Tenzij op luchthavens is grenscontrole uiterst zelden effectief. Het is dan ook een illusie te veronderstellen dat die maatregelen aan de nieuwe buitengrenzen wel effectief zouden zijn. De EU zou uit eigen ervaring moeten weten dat de controle van de buitengrenzen in de strijd tegen illegale migratie niet overschat moet worden. In de strijd tegen de illegale migratie moet nog op verschillende andere maatregelen aangestuurd worden.

Tot slot willen we erop wijzen dat ongeveer tien miljoen inwoners van de EU nog altijd geen deel hebben aan het vrije verkeer van personen en werknemers omdat ze de nationaliteit van het EU-land niet bezitten en dus uitgesloten zijn van de rechten van het Europees burgerschap.[55] Vanuit het oogpunt van gelijke behandeling en integratie is het van belang dat het vrije verkeer van personen en werknemers ook van toepassing wordt op legale migranten met een langlopende verblijfsvergunning. Ook zij moeten zonder visum doorheen de EU kunnen reizen en in de verschillende lidstaten kunnen worden tewerkgesteld.[56] Muus concludeert dat er geen reden is om aan te nemen dat derdelanders een grotere migratieactiviteit zouden vertonen binnen de EU dan de EU-burgers. Integendeel, juist omdat ze laaggeschoold zijn en sneller het slachtoffer van werkloosheid zijn, hebben ze weinig reden om hun geluk in een andere lidstaat te beproeven. Enkel vanuit het perspectief van de netwerkmigratie valt te verwachten dat de migratie zou toenemen. Men zou zich bij de grootste concentratie landgenoten in de EU kunnen voegen en daar bijvoorbeeld via etnisch ondernemerschap aan het werk kunnen.[57] Maar alles bij elkaar verwacht Muus geen significante stijging van de migratie als ook derdelanders die legaal in de EU verblijven van het recht op vrije beweging zouden kunnen genieten.

Conclusie

Arbeidsmigratie binnen en naar Europa vindt plaats, hetzij legaal, illegaal of gedoogd. Het feit dat arbeidsmigratie gebeurt, kan op zich niet als argument dienen om arbeidsmigratie te gaan institutionaliseren. Het 'hoe', het 'wie' en het 'waarom' moeten verder worden onderzocht. Het is opvallend dat er vrij weinig openlijk over de arbeidsmigratierealiteit gepraat wordt. De concrete gegevens zijn schaars en de beschikbare cijfers verschillen naar gelang van de bron. Er zijn twee elementen die een rol spelen. Politiek gezien is het geen populair thema. Lange tijd heeft men alles gedaan om een verhaal van nulmigratie in stand te houden. Ten tweede zwijgt men in alle talen omdat veel van die migratie initieel illegaal is. De verdoken en soms gedoogde migratie leidt tot onduidelijkheid, rechtsonzekerheid en maatschappelijke spanningen: ongezonde concurrentie tussen gevestigde en recent ingeweken werknemers (hoewel het nog onduidelijk is of de migranten de plaatsen van autochtonen innemen), valse concurrentie binnen economische sectoren tussen verschillende landen en etnische spanningen, het instandhouden van informele beroepen (prostitutie). Ook het feit dat het dikwijls over laaggeschoolden gaat met soms zeer precaire en tijdelijke statuten draagt er toe bij dat alvast hierover niet veel te vernemen valt. Deze stilte staat in schril contrast met de aandacht voor de vraag naar meer migratiemogelijkheden voor hooggeschoolden. Hieruit blijkt dat de migratie van hooggeschoolden zowel in de publieke, de politieke als de economische ruimte anders bekeken wordt dan die van laaggeschoolden.

Er zijn verschillende redenen waarom de immigratie van veelverdieners toegeeflijker wordt behandeld: ze zijn een meerwaarde voor de economie, het gaat dikwijls om tijdelijke migratie, ze doen geen beroep op de sociale voorzieningen en hebben weinig integratiekosten, men kan die migratie gemakkelijker verkopen bij de autochtonen en er is de druk van bedrijven en andere economische belangengroepen. Het is echter maar een halve waarheid dat de migratie van hooggeschoolden noodzakelijk is gezien de fase van de economie en de globalisering. De globalisering stimuleert ook de migratie van laaggeschoolden. De toegenomen mobiliteitsgraad, de massamedia en de telecommunicatie maken de te overbruggen afstanden mentaal kleiner, waardoor men sneller tot migratie overgaat. Bovendien ontstaat er op dit ogenblik in de rijke metropolen (maar niet alleen daar) een nood aan flexibele, laaggeschoolde werknemers om de onderkant van de arbeidsmarkt in te vullen. Hiervoor doet men nu al een beroep op migranten en nieuwkomers die hier al dan niet legaal of tijdelijk verblijven.

Uit de cijfers blijkt dat er al heel wat (tijdelijke) migratie van laaggeschoolden naar EU gebeurt, vooral in het kader van seizoenarbeid. Maar de vraag overstijgt nog steeds het aanbod. In meerdere Europese landen zijn de bouw- en tuinbouwsector vragende partij. Dikwijls wordt die vraag stilgehouden omdat ze de noden kunnen opvangen door illegale tewerkstelling. Velen worden immers op informele wijze tewerkgesteld, ondermeer in de individuele dienstverlening, de land- en tuinbouw en de prostitutie. De tewerkstelling en de vraag naar werknemers in deze sector stijgen zeer snel, maar alles verloopt grotendeels langs officieuze kanalen waardoor deze arbeidsvraag geen onderwerp is van beleidsdiscussie.

Het gevaar bestaat dat als men gaat nadenken om meer arbeidsmigratie te institutionaliseren dit enkel ten voordele van de hooggeschoolden zal zijn. Dit zou leiden tot een selectief en elitair toelatingsbeleid dat discriminerend is voor laaggeschoolden. We kunnen inderdaad vaststellen dat er een tendens bestaat om te evolueren naar meer selectieve immigratie van hooggeschoolden en veelverdieners. De argumenten die men hiervoor soms inroept (vrije markt, globalisering, internationalisering van de arbeidsmarkt) worden selectief aangewend, want ze pleiten evenzeer (en misschien zelfs nog meer) voor meer migratie van laaggeschoolden. Zowel de vraag naar nieuwkomers aan de ene kant als de migratiedruk aan de andere kant is wat betreft laaggeschoolden groter dan voor hooggeschoolden het geval is.

De cijfers zijn duidelijk: de arbeidsmigratie van laaggeschoolden naar de EU heeft een serieuze omvang. Verschillende landen hebben regelingen getroffen die tijdelijke migratie mogelijk maken, meestal in de vorm van seizoenarbeid. Door te verwijzen naar die cijfers zou het element van discriminatie van laaggeschoolden gemakkelijk weggewuifd kunnen worden. De discriminatie is vooralsnog inderdaad minder van kwantitatieve dan wel van kwalitatieve aard. Er worden tijdelijke statuten uitgereikt van enkele maanden en de sociale bescherming is tot het minimum herleid. Mensen komen dikwijls in slechte arbeids- en leefomstandigheden terecht. De situatie van vele Afrikaanse seizoenarbeiders in Zuid-Spanje is ronduit schrijnend. Maar ook in vele andere landen, inclusief België, bestaan er wantoestanden door misbruik van al dan niet legale seizoenarbeiders door huisjesmelkers en werkgevers. Vrouwen worden bovendien ingeschakeld in de informele dienstensector en de seksindustrie. In Duitsland worden werknemers voor ongeschoolde arbeid tijdelijke arbeidscontracten aangeboden zodat ze geen rechten kunnen opbouwen. Er is veel verschil tussen het *green-card* statuut voor hooggeschoolden en het statuut van de seizoenarbeider. De hooggeschoolde migrant krijgt een verlengbare vergunning voor vijf jaar, beschikt over alle sociale rechten, wordt een minimumloon gegarandeerd en zit niet vast aan één werkgever.

Zolang de nood aan laaggeschoolden wordt opgevangen met illegale migratie, halfslachtige regelingen en slechte statuten, moet in de discussie over migratie veel aandacht gaan naar de bescherming van de laaggeschoolden. Gezien de migratierealiteit en de economische situatie kan het debat niet enkel over hooggeschoolden gaan. Er moet nagedacht worden over hoe men de immigratie van laaggeschoolden, die nu al plaatsvindt, beter kan laten verlopen, hun rechten en plichten moeten duidelijker geëxpliciteerd worden en de controle op illegale migratie en illegale tewerkstelling moet verbeteren. Men moet niet alleen oog hebben voor de klassieke types van tewerkstelling, maar ook voor de arbeidsmigratie die gebeurt in het kader en onder dwang van criminele netwerken. Mensen die een beroep deden op mensensmokkelaars worden dikwijls verplicht nog jaren als illegale werknemer te functioneren om de schuld te vereffenen. De slachtoffers van filières komen zo in moeilijke omstandigheden terecht, ze hebben weinig rechten en kunnen er geen opbouwen.

Of het nu om hoog- of laaggeschoolden gaat, het thema van de sociale bescherming moet een centrale plaats innemen. De vrije markt zal ook wat betreft migratie sociale bijsturing moeten verdragen. Internationaal is die bijsturing moeilijker te organiseren dan binnen de eigen landsgrenzen. De EU is hiervan een voorbeeld. Europa heeft opengemaakte grenzen met vrij verkeer van diensten, goederen, kapitaal en werknemers, alleen van het sociale Europa komt maar weinig in huis. Op het gebied van sociale regelgeving is er nog veel werk. De lacunes in de Europese sociale regelgeving zorgen ervoor dat bepaalde scheeftrekkingen op de Europese arbeidsmarkt bestendigd blijven wat concurrentievervalsing op het terrein tot gevolg heeft. We verwijzen nogmaals naar de Portugese firma die in Berlijn kan komen werken tegen Portugese arbeidsvoorwaarden. Begin de jaren negentig al heeft Chris De Stoop een artikel geschreven in *Knack* over de duizenden Ieren en Portugezen die werken op de mammoetprojecten in de Antwerpse haven en de Europese werven in Brussel. Volgens De Stoop zijn deze arbeiders de eerste voorbeelden van 'de *sociale dumping* waar de Europese eenheidsmarkt op afstoomt'.[58] Op het eerste gezicht lijkt er niet veel aan de hand: het vrij verkeer van personen brengt mee dat Europese werknemers in elke lidstaat tewerkgesteld mogen worden. Er moeten wel sociale bijdragen betaald worden in het land waarin ze werken. Maar er zijn uitzonderingen voorzien: het systeem van detachering staat toe dat werknemers voor een beperkte duur in een ander land werken, terwijl ze toch aan de sociale zekerheid van hun eigen land onderworpen blijven. De detachering is tijdelijk maar kan worden verlengd. De werkgevers betalen sociale lasten in hun eigen land wat tot een concurrentievoordeel kan leiden. Bovendien is het – bij gebrek aan een internationale Europese instantie of aan eenduidige Europese regelgeving – voor de sociale arbeidsinspectie uiterst moeilijk te achterhalen of die werkgever wel de vereiste sociale bescherming biedt aan zijn werknemers. De werknemers kunnen zowel EU-burgers zijn als derdelanders die in Portugal toegelaten zijn en met hun firma kunnen meereizen.[59] Naast het feit dat de Portugese firma tegen Portugese voorwaarden mag werken, kan die firma ook de eigen wettelijke sociale regelgeving gemakkelijker omzeilen. Dit leidt tot een dubbel concurrentievoordeel.

Nadenken over arbeidsmigratie betekent ook nadenken over de aanpak van de genoemde realiteit van sociale dumping, illegale tewerkstelling, concurrentievervalsing, vrouwenhandel enzovoort.

Noten

1 Sassen, 1998, hoofdstuk II.
2 Castles en Miller, 1993, 135-140 en 157-159; Massey e.a., 1998, 134-159.
3 Castles en Miller, 1993, 159-161; Skeldon, 1997, 91-117 en Massey e.a., 1998, 160-195.
4 Die 660.000 bevatten ook de 277.000 illegalen. SOPEMI, 1999, 166; *Migration News*, 3 (1996) 8.

5 SOPEMI, 1995, 100.

6 Spaan, 1998.

7 Stalker, 2000, 31. Dit besluit is in overeenstemming met de analyses van ondermeer S. Sassen (cf. infra)

8 Art. 5 K.B. 6 november 1967 betreffende de voorwaarden van toekenning en intrekking van de arbeidsvergunning en arbeidskaarten voor werknemers van vreemde nationaliteit. Dit wordt herhaald in het K.B. houdende uitvoering van de wet van 30 april 1999 betreffende de tewerkstelling van buitenlandse werknemers (B.S. 26-06-1999), Art. 8. Zie ook KCM, 1990, 208: Zolang niet alle Belgische werklozen aan de slag zijn, kunnen er geen afwijkingen op de migratiestop toegestaan worden. Het aantrekken van goedkope arbeidskrachten zou immers een middel kunnen zijn om de eisen van de Belgische werknemers in te perken. Als er al over contingenten gesproken zou worden, moet dat volgens de KCM zeker in het kader van een Europees tewerkstellingsbeleid. Als een land alleen zou handelen zou het een aanzuigeffect naar dat land creëren.

9 Voor een overzicht van de vrijstellingen zie K.B. houdende uitvoering van de wet van 30 april 1999 betreffende de tewerkstelling van buitenlandse werknemers (B.S. 26-06-1999), gewijzigd bij besluit van 15 februari 2000 (B.S. 26-02-2000), Art. 2, 1°-23°. (http://www.vlaanderen.be/ned/sites/werk/migkb99.htm)

10 Voor de volledige lijst: zie K.B. houdende uitvoering van de wet van 30 april 1999 betreffende de tewerkstelling van buitenlandse werknemers (B.S. 26-06-1999), gewijzigd bij besluit van 15 februari 2000 (B.S. 26-02-2000), Art. 9, 1°-17°. (http://www.vlaanderen.be/ned/sites/werk/migkb99.htm)

11 Ramakers, 1992, 14-15. Bij de interpretatie van het hier gepresenteerde cijfermateriaal moet rekening gehouden worden met wijzigingen in de reglementering die bepaalde schommelingen kunnen veroorzaken. De zelfstandige beroepskaarten zijn niet verrekend.

12 Tijdens het eerste jaar van de gezinshereniging heeft men recht op een arbeidskaart B, later op een arbeidskaart A als overgang naar de definitieve vestigingsvergunning waarbij men geen kaart meer nodig heeft.

13 De daling is ondermeer te verklaren door de volledige toetreding van Spanje en Portugal tot de EU, de totstandkoming van de Europese Ruimte (1993: EU, IJsland en Noorwegen) en de uitbreiding van de vrijgestelde categorieën (1995)

14 De stijging van het aantal kaarten voor navorsers is evident aangezien ze hiervoor voorheen waren vrijgesteld.

15 Ministerie van de Vlaamse Gemeenschap, 1999, 64-67.

16 Wets e.a., 2000, 105-108.

17 Ministerie van de Vlaamse Gemeenschap, 1999, 69 e.v..

18 In Sopemi (1998), *Trends in international migration* maakt een afzonderlijk hoofdstuk een detailanalyse van de tijdelijke tewerkstelling van vreemdelingen in verschillende OESO-landen.

19 Zie ook K.B. houdende uitvoering van de wet van 30 april 1999 betreffende de tewerkstelling van buitenlandse werknemers (B.S. 26-06-1999), gewijzigd bij besluit van 15 februari 2000 (B.S. 26-02-2000), Art. 9, 6°-13°. (http://www.vlaanderen.be/ned/sites/werk/migkb99.htm)

20 Volgens *The Guardian* van 21-07-2000 wil staatssecretaris voor Migratie, Barbara Roche, de Europese lidstaten overhalen om de migratiestop gedeeltelijk en op selectieve wijze op te heffen.

21 SOPEMI, 1999, 216-220, zie ook *The Economist*, 06-05-2000, 21-22.

22 SOPEMI, 1900, 67, 185

23 Ze blijken echter niet zomaar bereid te stellen tegen het voorgestelde minimumloon. *Migration News*, 7 (2000) 6.

24 Stalker, 1994, 36-39; Stalker, 2000, 109 e.v..

25 Doomernik e.a., 1996, 10, 14, 15-17, 35, 38.

26 Moren i Alegret, 1996, 11.

27 SOPEMI, 1999, 161-162.

28 SOPEMI, 1999, 220, zie ook *The Economist*, 06-05-2000, 21.

29 Rudolph, 1996; Hönekopp, 1997, 165-182; Martin, 1998, 27.

30 SOPEMI, 1999, 145.

31 Hönekopp, 1997, 165-182.

32 *Migration News*, 6 (1999) 12.

33 Stalker, 2000, 134.

34 SOPEMI, 1999, 145.

35 *Migration News*, 7 (2000) 7.

36 *Migration News*, 5 (1998) 10.

37 SOPEMI, 1999, 212; Martin, 1999, 59-60.

38 SOPEMI, 1999, 26, 137 en 266.

39 JAHN, A. en STRAUBHAAR, T. (1998), *The economics of illegal migration*, in ARANGO, J. en BALDWIN-EDWARDS, M. (eds.) (1998), *Immigrants and the informal sector in Southern Europe*, Frank Cass, Londen (Special Issue of the journal *South European Society & Politics*) aangehaald in Baldwin-Edwards, 1999; Wets, 1992, 34-35.

40 Sinds september 1995 onderzoekt de Dienst Vreemdelingenzaken systematisch of er asielzoekers in aanmerking komen voor de toekenning van een verblijfsvergunning wegens humanitaire redenen. Er wordt rekening gehouden met de duur van de procedure (5 jaar wettig verblijf), de bijzondere omstandigheden (ziekte), en de mate van integratie in de maatschappij. In 1999 werd een adviescommissie in het leven geroepen om gemotiveerde adviezen te geven over de twijfelgevallen. In het voorjaar 2000 werd een algemene regularisatie-campagne opgezet waarin ook zij die te lang in de procedure gezeten hebben in aanmerking kwamen. Van de 32.662 dossiers die binnenkomen, doet één vierde een aanvraag op basis van een te lange asielprocedure.

41 Er bestonden lange tijd drie soorten semi-permanente regularisaties: (i) op basis van de vreemdelingenwet van 1994 konden gedoogde asielzoekers met een voorwaardelijke vergunning na drie jaar een gewone verblijfsvergunning krijgen, als ze werk vonden na twee jaar, (ii) vreemdelingen die buiten hun schuld na meer dan drie jaar geen duidelijke beslissing hebben ontvangen, konden sinds 1992 een verblijfsvergunning krijgen, (iii) de 'witte illegalen-regeling': wie gedurende 6 jaar, 200 dagen per jaar wit heeft gewerkt, kon een verblijfsvergunning krijgen. Door de koppelingswet (1998) wordt het onmogelijk als illegaal 'wit' te werken.

42 De Franse regularisatiecampagnes van 1997-1998 en 1991 boden de mogelijkheid aan mensen die lang in de asielprocedure hadden gezeten om hun status te regulariseren. De campagne van 1991 was expliciet gericht naar mensen die te lang in de procedure vastgezeten hadden. Men moest de binnenkomst bewijzen voor januari 1989, minstens 2 à 3 jaar in de procedure gezeten hebben, geen gevaar zijn voor de openbare orde en een wettelijke professionele activiteit van minstens 2 jaar kunnen bewijzen.

43 Ook in België heeft het grootste deel van de illegalen dat de Dienst Vreemdelingen Zaken oppakt geen asielaanvraag ingediend. België wordt veelal als transitland gebruikt.

44 Tussen 1993 en 1997 zijn op die manier 920 mensen om het leven gekomen in de straat van Gibraltar: Eschbach, Hagan e.a., 1999. Zie ook Godfroid en Vinckx, 1999; Vidal, 1999, 23-57, 77-98.

45 In bepaalde campagnes is het hebben van werk zondermeer een beslissende voorwaarde, althans voor bepaalde categorieën. (Spanje 1985, 1991; Frankrijk 1981 (in eerste instantie), 1991; Portugal 1992, 1996) Enkele campagnes staan ook open voor werkloze illegalen, maar slechts onder die voorwaarde dat men zich wil inschrijven als werkzoekende. Een volledige regularisatie is dan in de meeste gevallen pas mogelijk bij het voorleggen van een arbeidscontract. (Italië 1987, 1990 en 1995; Spanje 1996; Griekenland 1997)

46 Miller, 1999, 36; zie ook *Regularisations of illegal immigrants in the European Union*, Academic network for legal studies on immigration and asylum law in Europe, onder leiding van Philippe de Bruycker, Collection of the Law Faculty, Vrije Universiteit Brussel, 2000.

47 Ben Abdeljelil, 2000, 8-9 en SOPEMI, 1999, 110-111. Ook Eggerickx e.a. (1999) komen op basis van de volkstelling van 1991 tot de bevinding dat 43% van de recente migranten toen, afkomstig was vanuit de EU. Het aantal vreemdelingen van binnen de EU is veel groter in België dan in veel andere Europese landen omdat Brussel als Europese hoofdstad veel Europese bureaucraten aantrekt en omdat er nog veel Italianen verblijven die zich niet naturaliseerden. De cijfers geven ook een vertekend beeld omdat er heel wat genaturaliseerde allochtonen aan het werk zijn die niet meer als vreemdeling worden geteld. Het aantal allochtone Belgen wordt op 300.000 geschat. Door de uitbouw van het Europees burgerschap hebben burgers van de EU bijna geen reden meer om zich te laten naturaliseren. Velen zijn bovendien slechts tijdelijk in een ander land werkzaam.

[48] Begin de jaren negentig kwam Salt (1992) al tot de volgende conclusie: *The intern migration by highky skilled labor is a major element in the European business scene.*

[49] Zie Richtlijn 90/364/EEG van de Raad van 28 juni 1990 betreffende het verblijfsrecht, *PB.L.*, nr. 180, 13 juli 1990; Richtlijn 90/365/EEG van de Raad van 28 juni 1990 betreffende het verblijfsrecht van werknemers en zelfstandigen die hun beroepswerkzaamheden hebben beëindigd, *PB.L.*, nr. 180, 13 juli 1990 en Richtlijn 93/96/EEG van de Raad van 29 oktober 1993 betreffende het verblijfsrecht van studenten, *PB.L.*, nr. 317, 18 december 1993.

[50] Verschueren, 1997, 36; Hubeau, 1995, 101-146.

[51] Böhning, 1972, zie ondermeer het voorwoord van Hugh Tinker.

[52] *The Economist*, 06-05-2000, 22.

[53] Muus, 1997, 10-13.

[54] Böhning, 1972, 86.

[55] Dit vrij verkeer is wel mogelijk indien de werknemer is gedekt door een firma van het land waar hij/zij wel is toegelaten. Een Rus of een Turk die voor België de nodige vergunningen heeft, kan door een Belgische firma wel in het buitenland worden tewerkgesteld, maar enkel en alleen als werknemer van die Belgische firma.

[56] cf. Groenlinks (Halsema e.a.), 1999.

[57] Muus, 1997, 22-24.

[58] De Stoop, 1991, 12.

[59] Niet EU-burgers die een vergunning hebben om in één van de lidstaten te verblijven beschikken als individu niet over het recht op vrije beweging binnen de Unie. Ze hebben dit recht echter wel als werknemer van een firma.

2. Op welke manier kan een poort geopend worden voor arbeidsmigratie?

2.1 Arbeidsmigratie als element van een breder opgezet beleid dat de migratie wil managen en illegale vormen van migratie wil verminderen

Gezien de omstandigheden is het evident dat arbeidsmigratie goed moet georganiseerd zijn zodat men een zicht heeft op de legale in- en uitstroom van mensen. Deze controle is zowel in het belang van de landen van herkomst, als van de landen van bestemming, als van de betrokken migranten zelf. Men moet wel voor ogen houden dat migratie op informele basis zal blijven voorkomen. Hoe streng men de migratie ook organiseert, het is een illusie alle migratie te kunnen controleren.

Abella duidt drie belangrijke motieven aan waarom emigratielanden zich met de emigratieprocessen (zouden moeten) inlaten en een actief regulerend beleid proberen uit te bouwen.[1] Een belangrijke reden is dat een staat de illegale migratie aan banden wil leggen en de rechten en belangen van zijn staatsburgers wil beschermen, ook al leven en werken die in het buitenland. Men wil vermijden dat arbeiders in slechte, soms illegale, omstandigheden worden tewerkgesteld en uitgebuit door de werkgevers van de gastlanden. Een tweede reden voor de emigratielanden om een migratiebeleid in te voeren is de noodzaak om de belangen van zij die achterblijven te beschermen. Men moet de emigratie zo managen dat het land niet leegloopt. Er moeten voldoende (geschoolde) arbeidskrachten in het land blijven om de eigen ontwikkeling van de samenleving en de economie in stand te houden. In verschillende minder ontwikkelde landen is dergelijk management manifest afwezig. Een derde reden waarom landen tot een actief beleid kunnen overgaan is om de mensen te stimuleren in het buitenland werk te gaan zoeken, bijvoorbeeld omdat er een zeer hoge werkloosheid heerst of omdat men rekent op het geld dat de migrant naar het vaderland zal terugsturen. Abella gebruikt de term *foreign employment policy* in plaats van *emigration policy* omdat er bij de regulering van arbeidsemigratie veel meer in het geding is dan de migratie op zich. (Abella, 2000, 22) Het gaat ook over de ontwikkeling van het land, over het controleren van de effecten op de lonen en de tewerkstelling van de lokale bevolking, het aanwenden van menselijk kapitaal, de strijd tegen uitbuiting, de winst of het verlies op de investeringen in onderwijs en opleiding, de diversiteit van de gastlanden, het minimaliseren van de *brain drain* en het gebruik van het teruggestuurde geld. Het beleid dat zich concentreert op de tewerkstelling in het buitenland moet een onderdeel zijn van een breder *development strategy* die eigenlijk elk beleid van dat land moet oriënteren.

De organisatie van migratie gaat in veel gevallen gepaard met het ontstaan van een migratie-industrie[2]: dit gaat van de slavenmarkten over moderne rekruteringskantoren in de emigratielanden tot de websites op het internet van advocaten in de VS die gespecialiseerd zijn in het migratiethema. Wat de rekrutering betreft, die kan zowel uitgaan van de gastlanden (Australië, de VS en Canada zijn de bekendste voorbeelden) als van de emigratielanden zelf (Pakistan, Zuid-Korea en de Filipijnen). Een gezonde samenwerking tussen het land van herkomst en het gastland is natuurlijk het meest wenselijke, maar in de praktijk is er van dergelijke bilaterale overeenkomsten nog maar weing sprake.

Tot op vandaag wordt arbeidsmigratie op zeer uiteenlopende wijzen georganiseerd. Er bestaat een gamma van mogelijkheden, van vrij informele tot zeer gecontroleerde en zelfs overgeorganiseerde migratiesystemen. Wat betreft de emigratiecontrole door de landen van herkomst onderscheidt Abella vier mogelijke *foreign employment policy* regimes.[3] Sommige rijkere landen met een vrij hoge emigratie, zoals Portugal en het Verenigd Koninkrijk, hanteren het *laissez-faire* principe. Men laat het volledig aan de markt over hoe en waar de arbeidskrachten worden tewerkgesteld en onder welke condities dat gebeurt. Er is geen speciale bemiddelingsinstantie voor tewerkstelling in het buitenland en het arbeidscontract is louter een zaak tussen de werkgever en werknemer. In veel landen heerst evenwel een minder open systeem. De rekrutering kan soms wel door privé-instanties gebeuren maar het is de overheid die de regels van het spel vastlegt. Om de vraag en het aanbod naar buitenlandse werknemers te bepalen laat men ook nog de markt spelen, maar er wordt ter bescherming van de migrant een minimumcontrole uitgeoefend op de werkgevers die zich aandienen en op de contracten en werkomstandigheden die worden voorgesteld. India bijvoorbeeld hanteert dergelijk zacht regulerend emigratiesysteem. In Zuid-Korea, de Filipijnen en Pakistan heerst een strenger *state-managed system* waarbij de overheid niet enkel controleert maar ook zelf de rekrutering en de plaatsing van migranten op zich neemt. Hiervoor worden de nodige instanties gecreëerd. Zo beschikt Zuid-Korea over een eigen *Korean Overseas Development Corporation* en rekruteert de Filipijnse overheid onder de eigen bevolking door middel van *the Philippine Overseas Employment Agency*. Niet langer de markt maar de staat bepaalt hoeveel mensen naar welke landen kunnen migreren. De interventie gaat dikwijls ook verder dan enkel het rekruteren. Men motiveert mensen om naar het buitenland te gaan omdat dit de werkloosheidsdruk kan verlichten en men subsidieert bedrijven die opdrachten in het buitenland aannemen. Ten vierde noemt Abella het staatsmonopolie, vooral aanwezig in socialistische landen. In dergelijk gesloten systeem heeft de staat alleen alle touwtjes in handen. Dit was lange tijd zo in de voormalige Sovjet-Unie en is grotendeels nog het geval in China en Vietnam. Er is helemaal geen ruimte voor samenwerking met private instanties. Buitenlandse werkgevers die werknemers uit die landen in dienst willen nemen, moeten zich noodzakelijk tot de overheidsinstanties wenden.

De rekrutering ontsnapt altijd gedeeltelijk aan de controle van de betrokken landen. Er zijn altijd mensen die op eigen houtje migreren, zonder bemiddeling van een officiële instantie. Veel van hen hebben wel informele contacten in het land van bestemming. De migrantengemeenschappen in de bestemmingslanden fungeren soms als ware arbeidsbemiddelaars voor de potentiële migranten, waardoor hoge concentraties van mensen uit een bepaald gebied in één bedrijf, sector of regio geen uitzonderingen zijn.[4]

Daarbovenop maken steeds meer migranten, zeker in Azië maar niet alleen daar, gebruik van intermediairen, ondermeer de zogenaamde *labor brokers*. Door de ontwikkeling van de internationale arbeidsmarkt is de laatste decennia een echte rekruterings-industrie ontstaan, zowel in de gastlanden als de herkomstlanden. Tegen betaling treden deze niet altijd bonafide arbeidsagenten op als arbeidsbemiddelaar, zoeken ze het gepaste transport, staan zij in voor de woonaccommodatie en treffen regelingen voor het verkrijgen van de juiste visa en paspoorten. De vergoeding die ze opeisen van de migrant is dikwijls niet in proportie met de kosten en de service die ze bieden.[5]

De grens tussen arbeidsbemiddeling aan de ene kant en illegale *trafficking* en mensensmokkel aan de andere kant, kan soms moeilijk worden getrokken. In de literatuur wordt een onderscheid gemaakt tussen twee termen. *Smuggling* staat voor individuen en organisaties die mensen tegen betaling op een illegale wijze over de grens helpen. *Trafficking* is van toepassing wanneer dit illegaal over de grens helpen gekoppeld is aan een vorm van dwang of uitbuiting, ondermeer in de vorm van prostitutie of illegale tewerkstelling.[6] Wegens het illegale karakter van deze activiteiten is er maar weinig over geweten, buiten het feit dat het lucratieve ondernemingen moeten zijn. Men schat dat er jaarlijks $5 tot 7 miljard aan *smuggling* en *trafficking* wordt uitgegeven. Volgens de *UNHCR* hebben tot 30% van de illegalen en tussen de 20 en 50% van de 437.000 asielzoekers in de West-Europese landen een beroep gedaan op tussenpersonen, althans voor een deel van hun reis.[7] Wegens de omvang kunnen het fenomeen en de slachtoffers ervan in de literatuur, het onderzoek, de journalistiek en het beleid op steeds meer aandacht rekenen.[8]

Enkel door een duidelijk en actief politiek beleid kan men pogen de migratie niet volledig aan privéhanden over te laten (mensenhandelaars en -smokkelaars, particuliere arbeidsagenten en rekruteringsbureaus, werkgevers ...). Het invoeren van een regeling voor arbeidsmigratie kan echter nooit een alternatief zijn voor de strijd tegen de illegale migratie. (cf. supra) Gezien het belang dat men hecht aan de strijd tegen de illegale migratie moet men er wel alles aan doen opdat het herinvoeren van arbeids-immigratie niet in tegenspraak zou komen met de eerder genomen maatregelen en beleidsopties. De zaak zou zo moeten worden georganiseerd dat het op zijn minst de illegale migratie niet versterkt, maar bijdraagt tot het management van de migratie.

2.2   Arbeidsmigratie en de verzorgingsstaat

Wie wil nadenken over arbeidsmigratie en de daaraan gekoppelde toelatingsvoorwaarden, moet goed weten waartoe men toegang wil verlenen. We kunnen een onderscheid maken tussen de grens die de toegang tot het grondgebied reguleert aan de ene kant en de grens die de toegang tot de verzorgingsstaat moet bewaken aan de andere kant. In dat laatste geval spreekt Han Entzinger over een 'systeemgrens'. Entzinger ziet drie mogelijkheden: de egalitaire optie, de minimale optie en de duale optie.[9] In het eerste geval hebben alle mensen die legaal in het land verblijven dezelfde rechten en plichten ten aanzien van de overheid en de verzorgingsstaat. Dit 'ethisch principe'[10] zit impliciet achter vrijwel alle modellen van de verzorgingsstaat. Het biedt een combinatie van het gelijkheids- en het territorialiteitsbeginsel. Er wordt geen onderscheid gemaakt tussen autochtonen, allochtonen, nieuwkomers of vreemdelingen.[11] Het enige criterium is legaal op het grondgebied verblijven. Zij die voor meer vrije migratie pleiten, zien in dat deze egalitaire optie, waarbij iedereen op dezelfde voorzieningen kan rekenen als nu het geval is, financieel niet haalbaar is. Om de zaak te redden kan men dan beginnen sleutelen aan de sociale wetgeving, de loonkosten en de minimumlonen. Voor dergelijke operatie zijn er twee voor de hand liggende mogelijkheden. De sociale wetgeving kan sterk worden afgebouwd op egalitaire wijze. De welvaartsvoorzieningen worden dan voor iedereen stelselmatig afgebouwd, tot een gelijk en haalbaar minimum voor iedereen. Zo evolueert men naar een ultraliberale staat, waar de herverdelingsmechanismen tot een absoluut minimum zijn herleid. Het gevaar is dan reëel dat de inkomensongelijkheid zal groeien en dat de maatschappelijke tegenstellingen, niet het minst tussen allochtonen en autochtonen, zullen worden versterkt. Het model van de verzorgingsstaat dat hieruit resulteert, zal veel gelijkenissen vertonen met het Amerikaanse 'hamburgermodel': beperkte sociale voorzieningen en veel ruimte voor tewerkstelling, maar tegen welk prijs?[12] Een andere mogelijkheid is dat de sociale wetgeving enkel wordt afgebouwd voor de nieuwkomers. Dergelijk duaal systeem institutionaliseert eigenlijk een soort apartheidssysteem waarbij de nieuwkomers minder rechten hebben dan de rest van de bevolking. Vanuit het behoeftebeginsel zou men het differentieel systeem tot op zekere hoogte nog kunnen legitimeren. Het huidige sociale minimum is immers gebaseerd op de westerse levensstijl. Uit onderzoek is bekend dat het verwachtingspatroon van migranten uit armere landen dikwijls lager ligt, zeker gedurende de eerste jaren van hun verblijf.[13] Beide opties komen echter sowieso in aanvaring met het rechtvaardigheids- en gelijkheidsbeginsel, dat juist zo kenmerkend is voor de Europese verzorgingsstaten.

In de voorstellen om meer migratie toe te laten thematiseren slechts enkele auteurs de toegang tot de verzorgingsstaat. Zo pleit Jeroen Doomernik voor meer open grenzen, maar hij voegt eraan toe dat de nieuwe economische migranten pas aanspraak kunnen maken op de verzorgingsstaat, wanneer ze daaraan in voldoende mate hebben bijgedragen. Het voorstel volgt dus de genoemde duale optie. Nieuwkomers kunnen niet van dezelfde rechten genieten als de al inzittende burgers. Aan migranten kan de kans geboden worden hier een nieuw bestaan op te bouwen, maar dan zonder overheidssteun. Ook Piet Emmer en Herman Obdeijn kiezen in hun pleidooi voor vrijere migratie voor de duale optie. De auteurs maken de analyse dat de houding van Europa ten aanzien van migratie vooral wordt bepaald door angst. Men vreest dat elke vorm van vrijere migratie afbreuk zal doen aan de welvaartsstaat. De auteurs laten verstaan dat zoals het systeem nu functioneert de vrees grotendeels terecht is. Immers door een overvloed aan regulerende wetgeving en overheidsbemoeienis wordt het migratietalent uitgeschakeld. Door de uitkeringen bij werkloosheid en ziekte, de huisvesting en medische verzorging blijkt dat zelfs de minst getalenteerde migrant nog in staat is om van zijn verhuizing een succes te maken. Om de migrant weer positieve betekenis te geven moet er meer markt voor migranten worden gecreëerd. De migrant moet weer de harde werker worden die op allerlei manieren vooruit probeert te komen. Het beeld van 'de luie, onaangepaste werkloze die het sociaal zekerheidssysteem uitmelkt' moet verdwijnen.[14] De directe toegang tot het sociale zekerheidsstelsel moet ongedaan worden gemaakt omdat het de ontplooiing van het migratietalent in de weg staat.

Omdat bij vrije migratie het huidige verzorgingssysteem onhoudbaar wordt, dringen zich slechts twee mogelijkheden op: ofwel kiest men voor de verzorgingsstaat en dan moet de migratie beperkt en gecontroleerd blijven, ofwel trekt men de kaart van de vrijere migratie maar dan moet het sociale zekerheidssysteem afgebouwd worden. Hoe restrictiever men is voor de toelating op het grondgebied, hoe soepeler men is bij de toegang tot de verzorgingsstaat. Maar ook het omgekeerde gaat op: hoe soepeler men kan zijn bij de toelating tot het grondgebied, hoe moeilijker men doet over de toelating tot de al dan niet afgebouwde verzorgingsstaat. Het kan dus niet verwonderen dat de voorstanders voor vrijere migratie uit de liberale hoek komen. Liberale auteurs willen evolueren naar een dynamische en flexibele maatschappij en economie. Dergelijke maatschappij zou het juk van rigide regelgeving van de sociale zekerheid, de arbeidsvoorwaarden en de vestigingseisen van zich af moeten gooien, en zich enkel concentreren op het creëren van een gunstig handels- en ondernemingsklimaat. Meer migratie mag geen problemen opleveren, integendeel ze kan bijdragen tot de vooruitgang. Migranten kunnen in een liberale omgeving worden beschouwd als een bron van groei, flexibiliteit, vitaliteit en dynamiek. Ze kunnen impulsen geven aan het gastland en aan de economie.

De vraag zal onvermijdelijk worden gesteld of nieuwkomers onmiddellijk dezelfde rechten hebben als de ingezetenen en aan welke voorwaarden ze hiervoor moeten voldoen. Het spreekt vanzelf dat er kwalitatieve beperkingen zijn aan het verzorgingsniveau dat een overheid aan burgers kan garanderen. Er zijn echter ook kwantitatieve en daarmee samenhangend geografische beperkingen. Herverdelingsmechanismen zijn pas mogelijk binnen een afgebakende gemeenschap. Niet alleen de 'verzorging' kent grenzen, maar ook de 'staat'.[15] Een van de maatregelen die een democratische verzorgingsstaat dus moet nemen om zichzelf te beschermen opdat het zichzelf in stand zou kunnen houden, betreft het controleren van de migratie. Walzer en Whelan maken duidelijk dat dergelijke *protectionist policy* inderdaad de idee van open grenzen uitsluit. Waar collectieve verworvenheden heilig zijn, zal ook de neiging om de solidariteit uit te breiden tot vreemdelingen gering zijn.[16] Ook Muus stelt dat we het 'Europees model' niet onder druk mogen zetten of mogen laten uithollen door massale migratie toe te laten. We moeten omgekeerd, door middel van economische en politieke samenwerking pogen het Europese model over geheel de wereld uit te dragen.[17]

De gevolgen van vrije migratie voor de verzorgingsstaat doen velen de wenkbrauwen fronsen. Uit het discours van enkele liberale auteurs blijkt dat de komst van nieuwe migranten de consensus over de verzorgingsstaat zou kunnen ondermijnen. De voorstellen die de afbouw van de verzorgingsstaat impliceren, zijn moeilijk aanvaardbaar. Als men arbeidsmigratie wil invoeren moet worden nagedacht over de mogelijkheden om dit te doen met behoud van de sociale voorzieningen voor iedereen die legaal in het land verblijft. Vanzelfsprekend moet een onderscheid worden gemaakt tussen illegale migratie en toegelaten migratie. Legale migranten moeten alle mogelijke sociale rechten toegekend krijgen, dat is een verworvenheid in de evolutie van onze verzorgingsstaat. De kosten die dat eventueel met zich meebrengt, moeten worden gerelativeerd. Het gaat niet op alle effecten van nieuwkomers op de welvaartsstaat als een kost of als een negatief element te duiden.[18] Niet alle migranten zijn een probleem voor de verzorgingsstaat, want in principe zouden de toegelaten arbeidsmigranten werk moeten hebben. Arbeidsmigranten leveren dus hun bijdrage aan het sociale zekerheidsstelsel. De arbeidsmigratie kan wel zo worden georganiseerd dat de kost voor de sociale voorzieningen beperkt blijft (bijvoorbeeld op voorhand een arbeidscontract laten tekenen), maar dat verandert niets aan het principe dat nieuwkomers gelijk behandeld moeten worden met de rest van de bevolking. Wie migranten de toestemming geeft hier te wonen, te werken en te leven moet de verantwoordelijkheid voor die mensen opnemen. Het is de verantwoordelijkheid van de verzorgingsstaat dat ze instaat voor de sociale rechten van de bevolking, ook van de toegelaten nieuwkomers. In zekere zin is er weinig verschil tussen een toegelaten nieuwkomer en een pasgeborene. Beide zijn nieuwe legale inwoners van het land en verdienen als dusdanig bescherming.

Alleen voor de illegale migratie stelt zich een probleem. Illegalen draaien dikwijls mee in een economie buiten het systeem van de verzorgingsstaat en dragen er dus ook niets toe bij. De vraag naar de rechten van illegalen staat in verschillende landen ter discussie. Aan illegalen kunnen niet dezelfde rechten worden toegekend, wil de staat zichzelf niet ondermijnen. Enkele minimale grondrechten moeten wel worden gevrijwaard, maar dit minimum kan onmogelijk alle sociale voorzieningen van de welvaartsstaat omvatten. Het respect voor de rechten van de mens moet het absolute minimum zijn.[19] In de *protectionist policy* van de welvaartsstaat hoort een adequaat migratiebeleid, de strijd tegen illegale migratie en tegen de illegale tewerkstelling. Men kan onmogelijk toestaan dat er een maatschappelijke onderklasse ontstaat die geen rechten heeft.

Dat legale nieuwkomers dezelfde rechten hebben als de autochtonen neemt niet weg dat er geen inspanningen moeten worden geleverd, zowel door de overheid als door de nieuwkomers zelf opdat men niet volledig afhankelijk zou worden van de welzijnsvoorzieningen. In het verzorgingsdiscours van de voorbije decennia lag de nadruk te sterk op de rechten van de allochtonen en te weinig op de plichten. Pinto heeft dit 'het doodknuffelen van de migranten' genoemd en volgens hem is dat knuffelen mede de oorzaak van de mislukking van het minderhedenbeleid.[20] De welvaartsstaat moet een actieve welvaartsstaat worden die mensen activeert en hen op hun verantwoordelijkheden wijst opdat het potentieel onder de migranten beter zou kunnen worden gebruikt zodat ze minder afhankelijk worden van de verzorgingsstaat.[21] Men moet er zich voor hoeden dezelfde fout te maken als in het verleden waarbij er te weinig *incentives* zijn gegeven die de migranten zouden moeten helpen op eigen benen te staan en hun verantwoordelijkheid voor de uitbouw van een eigen leven op te nemen, onafhankelijk van sociale steun.

2.3 Ex-cursus: Enkele bestaande immigratiesystemen van naderbij bekeken

Omdat de VS, Canada en Australië landen zijn die op selectieve wijze arbeidsmigratie toelaten, wordt veel naar deze landen verwezen, hetzij als model hetzij als een voorbeeld van hoe het niet zou mogen. Voor de duidelijkheid en om misverstanden te vermijden gaan we even in op het migratiebeleid van deze landen.

Canada

Korte geschiedenis van de migratiewetgeving in Canada[22]

Tot 1957 immigreerden vrij veel laaggeschoolde werknemers naar Canada. In 1957 maakte de regering duidelijk dat de prioriteit in de toekomst naar ondernemers met kapitaal en hooggeschoolde professionals moet gaan. Hiervoor zouden ook andere bronnen van immigratie aangesproken moeten worden, want de klassieke migratie vanuit Groot-Brittannië voldoet niet meer. In 1962 werd de discriminerende *White Canada policy* door het parlement afgeschaft en in 1967 wordt het puntensysteem ingevoerd. Steeds meer mensen migreerden vanuit Afrika, Azië, West-Indië en het Midden-Oosten. De *Immigration Act* van 1976 vormt de basis van het huidige toelatingsbeleid. Er werden drie categorieën onderscheiden: familie-immigranten, vluchtelingen en asielzoekers en onafhankelijke immigranten (*needed skills*). De quota voor de onafhankelijke migranten werden jaarlijks vastgelegd in overleg met de provincies, het ministerie van Tewerkstelling, de privé-sector en het vrijwilligerswerk.

Tijdens de recessie van begin de jaren tachtig werd het puntensysteem verstrengd. Wie niet op voorhand een job had geregeld, kreeg strafpunten. Vanaf 1985 worden opnieuw meer visa toegekend op een soepelere manier. In 1990 legde de regering een vijfjarenplan voor. Het was de bedoeling het aantal nieuwkomers op te trekken van 215.000 in 1991 naar 250.000 in 1995. De jaarlijkse richtcijfers werden vooraf vastgelegd in functie van de opnamecapaciteit en van de behoeften op de arbeidsmarkt.

Vanaf 1993 zijn nieuwe maatregelen van kracht om de immigratie nog beter te kunnen sturen (Bill C-86). Directe familieleden van Canadese inwoners, erkende vluchtelingen en investeerders die meer dan $250.000 willen investeren hebben voorrang en krijgen een snelprocedure (*stream 1*). Voor deze categorie *on demand* worden vooraf geen quota vastgelegd. De ouders en grootouders van Canadezen of legale immigranten, vluchtelingen uit het buitenland, de immigranten met een arbeidscontract op zak en personen die in het kader van speciale overheidsprogramma's willen immigreren worden behandeld volgens het principe *first come, first served* (*stream 2*). In het immigratieplan wordt per categorie vastgelegd hoeveel nieuwkomers binnen *stream 2* kunnen worden toegelaten en er wordt ook rekening gehouden met de noden van de arbeidsmarkt. Hooggekwalificeerden en personen met gespecialiseerde kennis vallen onder de categorie *excellence* (*stream 3*). *Stream* 1 en 3 moeten niet via *The*

Government Employment Service worden goedgekeurd. In het Canadese systeem ligt meer nadruk op de kwalitatieve selectie dan op de quota die men vooropstelt. Aangezien er voor verschillende categorieën geen limieten bepaald zijn of de voorgestelde limieten niet gehaald worden, is het Canadese systeem enkel kwalitatief sturend, in tegenstelling tot Australië dat ook met een puntensysteem werkt, maar ook kwantitatief sturend wil zijn door strengere maximumquota vast te leggen.

De illegale migratie is veel minder dan in de VS. Toch werkt Canada aan een betere controle op de illegale migratie. Ook het asielbeleid wordt stelselmatig verscherpt om het oneigenlijk gebruik van de procedure uit te bannen. De procedure werd versneld en asielzoekers krijgen slechts een arbeidsvergunning wanneer hun aanvraag geaccepteerd is. Voor de migratiecontrole wordt samengewerkt met de VS en enkele andere landen.

Puntensysteem

Sinds 1967 worden geschoolde migranten op basis van een puntensysteem geselecteerd. In november 1994 voorzag men in een maximum van 105 punten, plus 5 bonuspunten. Wanneer men meer dan 70 punten haalde, werd men toegelaten. De criteria waarmee men het meest punten kon behalen waren onderwijs (16), speciale beroepsvoorbereiding (18) en de kennis van het Frans en het Engels (15). Op de job die men wil gaan uitoefenen, het feit of er al een job is geregeld, de leeftijd en enkele persoonlijkheidskenmerken zijn telkens 10 punten te verdienen. Tot slot zijn er nog 8 punten voor de demografische factor, met de bedoeling de vergunningen geografisch wat te spreiden. De verhouding tussen de verschillende onderdelen en de criteria waarvoor men punten krijgt, zijn in het verleden al veel gewijzigd.

Sinds mei 1997 loopt een speciaal programma om softwarespecialisten aan te trekken om op korte termijn aan het tekort op de arbeidsmarkt tegemoet te komen. Permanent verblijf wordt niet aangemoedigd, het gaat vooral om het toekennen van tijdelijke verblijfs- en werkvergunningen. Om deze tijdelijke vergunningen aantrekkelijker te maken, werd de procedure om een arbeidsvergunning te bekomen sterk vereenvoudigd.

Cijfers

Canada is reusachtig groot (9.220.970 km²), maar zeer dun bevolkt. De 29 miljoen inwoners wonen dan nog voor 90% 'geconcentreerd' aan de 8.800 km lange grens met de VS. De nettomigratie bedraagt 4,55 per 1000 inwoners en het jaarlijks immigratiesaldo ongeveer 131.000. Het is opvallend dat ongeveer één vierde van de immigranten later opnieuw emigreert, hoofdzakelijk naar de VS. Maar het zijn niet enkel de migranten die Canada willen verlaten. Ondanks het feit dat Canada zeer hoog scoort op de *Human Development Index* ziet het zeer veel van de eigen professionals en artiesten emigreren naar de VS.

In het algemeen zet zich een dalende trend door in de Canadese immigratieaantallen. In 1997 werden 216.000 permanente vergunningen toegekend. Ongeveer 15% van de aanvragen gebeurt vanuit Canada zelf. Het is opvallend dat de volgmigratie daalt terwijl het aantal economische migranten stijgt. (tabel 15) Het aantal geschoolde werknemers is in 1997 met 7% gestegen. Tussen 1995 en 1996 is dat aantal met 21% gestegen. De volgmigratie die met de economische migratie meekomt, is vrij hoog. In 1997 worden 5.600 mensen toegelaten in de businesscategorie, maar dat impliceert 14.300 extra migranten die met de persoonlijke aanvragers meekomen.

Om de tijdelijke arbeidsmigratie naar Canada op het spoor te komen, moeten de *employment authorisations* worden geteld. Deze vergunningen worden zowel om humanitaire als om economische redenen uitgereikt. Vooraleer sommige vergunningen kunnen worden afgeleverd, dient te worden gecontroleerd of er geen Canadezen zijn die voor het werk in aanmerking komen. De meeste aanvragen voor een tijdelijke arbeidsvergunning zijn echter vrijgesteld van deze eis. Het gaat dan om vluchtelingen of mensen die zich al in Canada bevinden en in afwachting zijn van een permanente verblijfsvergunning. Op 1 juni 1998 hadden 98.300 mensen een tijdelijke arbeidsvergunning, waaronder 29.000 asielzoekers en vluchtelingen. Daarbovenop moeten nog de tijdelijke migranten gerekend worden die op basis van *the North American Free Trade Agreement* (*NAFTA*) Canada zijn binnen gekomen. Binnen de *NAFTA* zijn afspraken gemaakt inzake de tijdelijke migratie vanuit de VS en Mexico naar Canada. Er worden vier categorieën onderscheiden: *trader and investor, business visitor, professional* en *inter-company transferee*. Tussen 1994 en september 1998 werden ongeveer 38.000 vergunningen afgeleverd. De categorie *professional* is veruit de grootste.

Tabel 15: Immigranten in Canada tussen 1994 en 1997

	1994	1995	1996	1997	
Aantal Percent					
Familiemigratie	93.700	77.100	68.300	60.000	28%
Hooggeschoolden	69.100	81.400	97.800	105.600	50%
'Principal applicants'	*28.600*	*34.500*	*42.100*	*44.900*	
'Accompanying dependents'	*40.500*	*46.900*	*55.700*	*60.700*	
Business	27.400	19.400	22.500	19.900	9%
'Principal applicants'	*7.000*	*5.300*	*6.200*	*5.600*	
'Accompanying dependents'	*20.300*	*14.100*	*16.300*	*14.300*	
Vluchtelingen	19.700	27.700	28.400	24.100	11%
Andere		400	3.900	3.400	2%
Totaal	**223.900**	**212.500**	**226.100**	**216.000**	**100%**

Bron: SOPEMI, 1999, 119

Australië

Korte geschiedenis van de migratiewetgeving in Australië

Tot 1958 verliep de selectie van migranten vrij arbitrair en etnische overwegingen speelden een belangrijke rol. Ook na de *Migration Act* van 1958 werd de etnische selectie op verschillende wijzen instandgehouden. De administratie was aan een vorm van discretie gehouden en de selectiecriteria zijn nooit echt geëxpliciteerd geweest. In de wetgeving werden drie categorieën onderscheiden: migratie om familiale, om humanitaire en om economische redenen. Vanaf 1968 kwam verzet tegen *the White Australia policy* en in 1972 werd het beleid afgeschaft waardoor de immigratiebronnen zich verlegden van Europa naar Azië en andere delen van de derdewereld. Het belang van hooggeschoolden werd wel steeds meer onderkend. Vanaf midden de jaren zeventig werden tal van voorstellen gedaan om het immigratieprogramma selectief te sturen. Eind de jaren zeventig was het puntensysteem als selectiemiddel algemeen aanvaard. Het werd toegepast op bepaalde categorieën van economische en familiale migratie. Oorspronkelijk werd het systeem ingevoerd onder de naam *Numerical Multi-facto Assassment System (NUMAS)*.

In de *Migration Legislation Amendment Act* van 1989 werden de criteria voor toelating duidelijker omschreven. De voorkeur ging uit naar mensen met werkervaring, een diploma dat in Australië erkend werd en goede kennis van het Engels. Wie binnen de prioriteitscategorie van het departement tewerkstelling viel, kreeg extra punten. Er kwamen begin de jaren negentig echter steeds meer aanvragen voor familiehereniging binnen, waardoor opnieuw minder nadruk lag op de scholing en het economisch nut van de nieuwkomers. Tijdens de jaren negentig is nog dikwijls aan het migratiebeleid gesleuteld. Het puntensysteem werd steeds meer afgestemd op de selectie in functie van de Australische arbeidsmarkt. Belangrijk is dat in de programma's die het aantal permanente visa voorzien voor het volgend jaar er meer plaats wordt vrijgemaakt voor de migratie van geschoolden, terwijl het aantal voorziene vergunningen in het totaal en in het bijzonder voor de familiemigratie daalt. (tabel 16) De breuk ligt in het voorjaar van 1997.

Het beleid werkt met *Migration Programmes*: 1) *Migration Programme* vooral voor familie- en economische migratie, 2) *Humanitarian Programme* voor vluchtelingen en asielzoekers, 3) *Temporary Resident Programme* en 4) een programma voor studenten. Daarbovenop moet men nog de *non-Program migrants* rekenen, namelijk de Nieuw-Zeelanders.[23]

Permanente vergunningen

Het gewone *Migration Programme* wordt gewoonlijk opgesteld in mei of juni. Het programma bepaalt het aantal permanente verblijfsvergunningen dat men voor het komende jaar voorziet voor elke migratiecategorie (*Family, Skill, Special Eligibility*[24]). De permanente vergunningen zijn zowel voorzien voor nieuwkomers als voor mensen die een tijdelijke vergunning hebben en zich al in Australië bevinden. De familie die familiemigranten uitnodigt, moet voor het onderhoud van de nieuwkomers instaan. De familiemigratie is niet afhankelijk van een taaltest of van de genoten opleiding.

Tabel 16: Het migratie programma in Australië zoals het jaarlijks bepaald werd in het voorjaar van 1995-2000

	1995-96	1996-97	1997-98	1998-99	1999-00	2000-1
Familiemigratie	56.700	44.580	31.310	32.040	32.000	34.400
Hooggeschoolden (skilled stream)	24.100	27.550	34.670	35.000	35.000	40.000
Bijzondere kwaliteiten	1.700	1.730	1.100	890	3.000	1.600
Totaal	**82.600**	**73.900**	**67.100**	**67.900**	**70.000**	**76.000**

Bron: *http://www.immi.gov.au/statistics/statistics/statistics_menu_main.htm*

In 1997 werd het quotum voor familiemigratie teruggeschroefd, ten gunste van het quotum voor geschoolden. De *skilled stream* is nog eens onderverdeeld in vier categorieën (tabel 17): 1) zij die voldoende kapitaal en ervaring hebben om onder *the Business Migration Programme* te vallen, 2) zij die gevraagd worden voor een welbepaalde job omdat men geen Australiërs vindt om de job in te vullen (*Employer Nomination Scheme*), 3) zij waarvan men vermoedt, op basis van een puntensysteem dat rekening houdt met de leeftijd, het diploma en de kennis van het Engels, dat ze zullen bijdragen tot de Australische economie (*independents*) en 4) zij die zich op de één of andere manier internationaal hebben weten te onderscheiden, bijvoorbeeld op kunstzinnig of sportief vlak (*special talents*). Onder de categorie *skilled migration* valt sinds juli 1997 ook de *Skilled-Australian Linked* migratie (vroeger *Concessional Family migration*). Sinds 1 juli 1999 spreekt men van *the Skilled-Australian Sponsored category*. Ook hiervoor bestaat een puntensysteem op basis van het diploma, de leeftijd, de kennis van het Engels en de hoeveelheid sponsoring van verwanten in Australië.

Tabel 17: Permanente immigratie in Australië volgens categorie van 1990-1995[1], 1998-1999[2]

	1990-1	1991-2	1993-4	1994-5	1998-9
Familiemigratie	64.000	56.000	45.000	47.000	
Skilled stream	50.000	42.500	17.000	25.000	34.820
Employer Nomination	9.500	7000	3000	4.600	5.650
Business migration	10.000	5000	1.500	1.600	6.080
Special talents	500	500	200	200	210
Independents	30.000	30.000	12.300	10.300	13.640
Skilled-Australian Linked					9.240
Humanitair programma	11.000	12.000	13.000	13.000	
Ander	1.000	500	1.000	1.000	
Totaal	126.000	111.000	76.000	86.000	

[1] Bron: Freeman, 1999, 90.
[2] Bron: Australian Department of Immigration and Multicultural Affairs, 1999, 16.

Het totaal aantal toegelaten nieuwkomers is in de jaren negentig gevoelig gedaald. De economische categorie is gehalveerd tussen 1990 en 1995. In de piekjaren 1989-1991 werden telkens 50.000 *independents* toegelaten. In december 1993 stelde men vast dat het vooropgezette aantal voor 1993-4 niet gehaald zou worden en het puntensysteem werd versoepeld zodat iedereen die voldoende geschoold was en drie jaar geschoolde werkervaring had kon worden toegelaten. In 1994 moest de regering onderkennen dat de tekorten aan (hoog)geschoolden op de arbeidsmarkt niet langer kunnen worden gecompenseerd door de immigratie. De scholing en tewerkstelling van de eigen bevolking moest absoluut prioriteit krijgen. Toch werd het voorgestelde aantal *skilled migrants* in 1997 sterk omhoog getrokken en in 1998-1999 was het voorgestelde aantal van 35.000 bijna volledig ingevuld. (tabel 17)

Tijdelijke vergunningen

Sinds 1992-93 is het aantal tijdelijke visa dat Australië uitreikt sterk gestegen. (tabel 18) Het aantal hooggeschoolden is lichtjes gestegen, maar de stijging wordt vooral veroorzaakt door *the Working Holiday Maker* (WHM) *Programme[25]*. Het aantal toelatingen is gestegen tot 64.550 in 1998-99. Sinds het *Temporary Resident Programme* van 1994-95 wordt ook een limiet bepaald voor WHM visas (57.000 in 1997-98). In 1997-98 werden 63.600 studentenvisa uitgereikt, 7% minder dan het jaar ervoor. De studenten zijn vooral afkomstig van Indonesië, Japan, VS, India, Korea, Maleisië en Singapore. Sinds 1 december 1998 is een wet van kracht die de groei van het aantal studentenvisa moet controleren.

Tabel 18: Tijdelijke migratie naar Australië van 1994-95 tot 1997-98

	1994-95	1995-96	1996-97	1997-98
Temporary Resident Programme	77.400	83.000	90.600	98.000
Skilled temporary resident programme	14.300	15.400	12.500	14.800
Independent executive	200	400	–	–
Executive	3.700	4.300	–	–
Specialist	8.500	8.500	–	–
University teacher	1.100	1.100	1.800	1.900
Medical practitioner	800	1.100	1.800	1.900
Social/cultural programme	18.300	16.900	15.300	15.100
International relations programme				
of which Working Holiday Maker (WHM)	44.600	50.700	62.800	68.200
	35.400	40.300	50.000	55.600
Student Programme	51.400	63.100	68.600	63.600

Bron: SOPEMI, 1999, 95.

Illegalen

Eind 1997 werd het aantal illegalen op 51.000 geschat, in juni 1999 op 53.200. Omdat Australië geen landgrenzen heeft, is het moeilijk Australië zonder geldige papieren binnen te komen. De illegale migranten zijn voornamelijk studenten, bezoekers of tijdelijke werknemers wiens visum verlopen is. De meerderheid van de *overstayers* is binnengekomen met een bezoekersvisum. De grootste groep illegalen (27,3%) zou bestaan uit mensen wiens visum al meer dan 9 jaar is verstreken. Zij wiens visa één jaar is verstreken, vertegenwoordigen 26,2% en zij wiens visa tussen de één en twee jaar is verstreken 12,2%. De *short-term overstayers* vormen een grote groep maar zij vertrekken meestal vrijwillig na enkele dagen of weken.[26]

Ook het aantal illegale vluchtelingen en asielzoekers dat Australië per boot bereikt, stijgt. Het gaat vooral om Afghanen, Pakistanen en mensen uit het Midden-Oosten. Met de hulp van georganiseerde mensensmokkelaars zetten de migranten op illegale wijze voet aan wal. In 1999 werden bijna 8.000 illegale immigranten vastgehouden. De asielprocedure kan de aanvragen niet meer binnen een redelijke termijn verwerken, waardoor sommige asielzoekers tot 9 maanden in een gesloten centrum moeten verblijven.

171

VS

Korte geschiedenis van de migratiewetgeving in de VS

In 1952 werd de *Immigration and Nationality Act* (INA) uitgevaardigd. Het was een eerste poging om de migratiewetten onder één noemer te brengen. De INA combineerde een kwaliteitscontrole, een systeem van preferentie voor bepaalde migranten en een quotasysteem op basis van het land van herkomst. Deze Act is de basis gebleven voor de verdere ontwikkelingen van de migratiewet. In 1965 werd met een nieuwe *United States Immigration Act* een eind gemaakt aan het quotasysteem op basis van de nationale afkomst. Vóór 1965 lagen de quota voor de ontwikkelingslanden zeer laag. Na 1965 ligt minder nadruk op de nationaliteit en gaat men praktisch enkel selecteren op basis van *skill and occupation*. Er werd ook meer ruimte gemaakt voor familieleden van de mensen die al in de VS verbleven.

In 1986 keurde het Congres de *Immigration Reform and Control Act* (*IRCA*) goed. Hierin werd vooral aandacht besteed aan de illegale immigratie. De controle op arbeid werd verstrengd en er werd een amnestiemaatregel uitgewerkt.[27] De *Immigration Act* van 1990 (IMMACT 90) is in werking vanaf 1992 en verhoogde de legale immigratie-mogelijkheden met 35%. Wat betreft de permanente verblijfsvergunningen worden er sinds IMMACT 90 drie types onderscheiden: familiemigratie, arbeidsmigratie en het loterijsysteem. Er worden jaarlijks 140.000 visa voorzien voor arbeidsmigratie op basis van voorkeurscategorieën. In de praktijk wordt dit aantal nooit gehaald. Door een minimum van 226.000 familievergunningen vast te leggen, werd ook meer ruimte gemaakt voor de *family-sponsored migration*. De IMMACT 90 voorziet ook in een regeling om de diversiteit van de immigranten te garanderen en om inwoners van landen die nog ondervertegenwoordigd zijn in de VS een kans te geven via het *green card visa lottery*.[28] (cf. infra)

De *US-Commission on Immigration Reform* adviseerde in haar rapport van 1995 aan het Amerikaans Congres om de immigratie in te perken en meer aandacht te besteden aan de integratie (*the Americanisation*). De familiehereniging werd beperkt tot de naaste familieleden en de jaarlijkse quota werden verlaagd. Er werd nogmaals de nadruk gelegd op het nationaal belang van de selectie van nieuwkomers. De competitiviteit van de economie en de behoeften van de arbeidsmarkt moeten hierbij centraal staan. In 1996 nam het Congres een verstrengde houding aan ten aanzien van illegalen. De *Illegal Immigration Reform and Immigration Responsibility Act* (IIRIRA, uitgesproken als IRA-IRA) legt zware straffen op aan elk migratiemisdrijf. Het uitgangspunt van de verstrengde regelgeving was eigenlijk dat nieuwe migranten (uitgezonderd asielzoekers en vluchtelingen) de belastingbetaler geen cent meer mogen kosten. Daarom werd in de IIRIRA ook de *sponsor responsability* ingevoerd, een onderhoudsplicht voor VS-burgers en legale migranten die familieleden willen laten overkomen. Sinds december 1997 moeten familieleden een document (*affidavit of support*) tekenen dat de sponsor financieel verantwoordelijk maakt voor de nieuwkomer totdat deze laatste zich naturaliseert of tien jaar legaal heeft gewerkt.

Sinds 1998 is de *Labor Condition Application* van kracht. Dit maakt het mogelijk om tegemoet te komen aan de nood van bedrijven aan tijdelijke gespecialiseerde arbeidskrachten. De werkgevers moeten wel kunnen aantonen dat ze eerst een inspanning hebben geleverd om een VS-werknemer in te schakelen.

Ondanks het quotasysteem heeft de VS veel illegalen. Sommigen zijn illegaal de VS binnengekomen, anderen hadden een tijdelijke vergunning die ondertussen verlopen is. Men schat dat deze laatste groep ongeveer 40% van de illegalen uitmaakt. Sommigen blijven geen jaar in de VS terwijl anderen er definitief willen blijven. Sommigen schatten de illegale vreemdelingenpopulatie in 1990 op maximum 6 miljoen.[29] De *Immigration and Naturalization Service* (INS) schatte ze in oktober 1996 op 5 miljoen, met een jaarlijkse aangroei van 275.000. Ongeveer 55% is afkomstig van Mexico, de anderen van Polen, Midden-Amerika, Canada en de Caraïben.

Immigrant versus non-immigrant

Men kan op twee manieren een visa aanvragen: in het Amerikaans consulaat van het thuisland of in de VS zelf via het INS. Er wordt een onderscheid gemaakt tussen permanente immigranten en *non-immigrants*, mensen die maar tijdelijk blijven voor een bepaald doel (studenten, toeristen, diplomaten en seizoenwerkers). De immigranten met een permanente vergunning kunnen altijd in de VS blijven en werken. Na vijf jaar kunnen ze naturalisatie aanvragen. Het totaal aantal permanente toelatingen is in de loop van de jaren negentig gedaald van 1.827.200 in 1991 naar 660.477 in 1998 met nog een uitschieter van 916.000 in 1996. (tabel 19) Men moet er wel rekening mee houden dat er nog enkele honderdduizenden aanvragen binnen zijn bij de administratie voor een regularisatie van tijdelijke en verstreken visa.[30] Het is opvallend dat bijna de helft van de aanvragen uit de VS zelf komen. In 1998 verbleven 45,9% (303.440) van de vreemdelingen die een permanente verblijfsvergunning kregen gemiddeld al drie jaar in de VS en hebben zodoende hun status geregulariseerd. Ook de vluchtelingen en erkende asielzoekers zitten in dit cijfer.

Tabel 19: Permanent toegelaten migranten in de VS volgens categorie tussen 1991 en 1998

Categorie	1991 Aantal	1992 Aantal	1993 Aantal	1994 Aantal
Totaal	**1.827.167**	**973.977**	**904.292**	**804.416**
Nieuwkomers	443.107	511.769	536.294	490.429
Wijziging van de status	1.384.060	462.208	367.998	313.987
IRCA regularisaties	**1.123.162**	**163.342**	**24.278**	**6.022**
Migranten sinds 1982	214.003	46.962	18.717	4.436
Speciale landbouwwerkers	909.159	116.380	5.561	1.586
Familiemigratie	**453.191**	**448.607**	**481.835**	**461.725**
Family-sponsored preferences	216.088	213.123	226.776	211.961
Directe familiehereniging	237.103	235. 484	255.059	249.764
Arbeidsmigratie	**59.525**	**116.198**	**147.012**	**123.291**
Diversity programs (loterij)	X	X	X	X
Vluchtelingen en asielzoekers	**139.079**	**117.037**	**127.343**	**121.434**
vluchtelingen	116.415	106.379	115.539	115.451
asielzoekers	22.664	10.658	11.804	5.983
Andere	**52.210**	**128.793**	**123.824**	**91.944**

Categorie	1995 Aantal	1995 Percent	1996 Aantal	1996 Percent	1997 Aantal	1997 Percent	1998 Aantal	1998 Percent
Totaal	**720.461**	**100**	**915.900**	**100**	**798.378**	**100**	**660.477**	**100**
Nieuwkomers	380.291	52.8	421.405	46.0	380.718	47.7	357.037	54.1
Wijziging van de status	340.170	47.2	494.495	54.0	417.660	52.3	303.440	45.9
IRCA regularisaties	**4.267**	**0.6**	**4.635**	**0.5**	**2.548**	**0.3**	**955**	**0.1**
migranten sinds 1982	3.124	0.4	3.286	0.4	1.439	0.2	954	0.1
Speciale landbouwwerkers	1.143	0.2	1.349	0.1	1.109	0.1	1	/
Familiemigratie	**460.376**	**63.9**	**596.264**	**65.1**	**535.771**	**67.1**	**475.750**	**72.0**
Family-sponsored preferences	238.122	33.1	294.174	65.1	213.331	26.7	191.480	29.0
Directe familiehereniging	222.254	30.8	302.090	33.0	322.440	40.4	284.270	43.0
Arbeidsmigratie	**85.336**	**11.8**	**117.499**	**12.8**	**90.607**	**11.3**	**77.517**	**11.7**
Diversity programs (loterij)	**47.245**	**6.6**	**58.790**	**6.4**	**49.374**	**6.2**	**45.499**	**6.9**
Vluchtelingen en asielzoekers	**114.664**	**15.9**	**128.565**	**14.0**	**112.158**	**14.0**	**54.709**	**8.3**
vluchtelingen	106.827	14.8	118.528	12.9	102.052	12.8	44.709	6.8
asielzoekers	7.837	1.1	10.037	1.1	10.106	1.2	10.000	1.5
Andere	**8.573**	**1.2**	**10.147**	**1.2**	**7.920**	**1.1**	**6.047**	**1.0**

Bron: Statistical Yearbooks of the INS.

Zij die een *non-immigrant* visum aanvragen moeten de INS aantonen dat ze de intentie hebben om tijdelijk te blijven en in het bezit zijn van een verblijf in het land van herkomst. De INS tolereert echter dubbele intenties. Het is mogelijk om een *non-immigrant* visum aan te vragen terwijl men in afwachting is van een permanente verblijfsvergunning of eerder is afgewezen voor een permanente vergunning. Veel hangt af van de redenen waarom men naar de VS wil komen. Bovendien kan een tijdelijk visum worden verlengd en in bepaalde gevallen kan het zelfs in een *adjust status* veranderen, met dezelfde rechten van een permanente verblijfsstatus. Dit voorrecht kan enkel die migranten te beurt vallen die niet op kosten van de overheid leven.

Voor de meeste *non-immigrant* categorieën bestaat geen numerieke limiet. Het aantal stijgt lichtjes. (tabel 20) In 1996 waren het er 25 miljoen waarvan 19 miljoen toeristen. Ook het aantal tijdelijke migranten met een visa die hen toegang biedt tot de arbeidsmarkt stijgt. Sommigen blijven voor langer dan een jaar in de VS. In het geval van geschoolde professionals (H-1B visa) kan de vergunning tot zes jaar worden verlengd. In oktober 1998 werd in de *American Competitiveness and Workforce Improvement Act* beslist om het aantal H-1B visa (tijdelijke visa voor technisch en hooggeschoolden) op te trekken. De Amerikaanse senaat ging akkoord met een aanvullend quotum van 142.500 visa voor de komende drie jaar. Dit is een verhoging van bijna 50.000 per jaar: 115.000 voor 1999 en 2000, en 107.500 voor 2001. Daarna zou het aantal teruglopen naar de gebruikelijke 65.000 (inclusief gezin). Maar begin oktober 2000, vlak vóór de presidentsverkiezingen, keurde het Congres quasi unaniem een wetsontwerp goed dat voorziet in 195.000 extra H-1B visa per jaar, en dat gedurende drie jaar. Meer dan de helft zou voor computerspecialisten bestemd zijn, de rest voor architecten, ingenieurs, professoren en modellen. Om in aanmerking te komen voor het visum moeten de kandidaten worden gesponsord door een Amerikaans bedrijf. Het bedrijf betaalt de regering per visum vijfhonderd dollar. Dat geld zal gebruikt worden voor de opleiding van Amerikaanse werknemers en studenten.

Tabel 20: Toegelaten *Non-immigrants* per categorie tussen 1994 en 1996, VS[1]

Duizenden

Categorie	1994	1995	1996
Ambtenaren van buitenlandse regeringen, partners en kinderen	105.3	103.6	118.2
Tijdelijke bezoekers *for business*	3 164.1	3 275.3	3 770.3
Tijdelijke bezoekers *for pleasure*	17 154.8	17 611.5	19 109.9
Vreemdelingen in doortocht	330.9	320.3	325.5
Studenten	386.2	356.6	418.1
Beroepsopleidingen	7.8	7.6	8.8
Partners en kinderen van studenten	33.7	31.3	32.5
Internationale vertegenwoordigers	74.7	72.0	79.5
Tijdelijke werknemers	450.0	464.6	533.5
verpleegsters	*6.1*	*6.5*	*2.0*
professionals (visa H-1B)s	*105.9*	*117.6*	*144.5*
tijdelijke landbouwwerkers (visa H-2A)	*13.2*	*11.4*	*9.6*
tijdelijke niet-landbouwwerkers	*15.7*	*14.2*	*14.3*
industriële trainees (visa H-3)	*3.1*	*2.8*	*3.0*
professionals (NAFTA, visa TN)	*24.8*	*23.9*	*27.0*
werknemers met bijzondere kwaliteiten (visa O)	*5.0*	*6.0*	*7.2*
werknemers die de werknemers met bijzondere kwaliteiten begeleiden	*1.5*	*1.8*	*2.1*
atleten en entertainers	*28.1*	*28.4*	*33.6*
internationale culturele uitwisseling	*1.5*	*1.4*	*2.1*
werknemers in non profit religieuze organisaties	*6.0*	*6.7*	*9.0*
intracompany transferees	*98.2*	*112.1*	*140.5*
handelsvertegenwoordiger en investeerders	*141.0*	*131.8*	*138.6*
Partners en kinderen van tijdelijke werknemers[2]	43.2	46.4	53.6
Partners en kinderen van *NAFTA professionals*	6.0	7.2	7.7
Partners en kinderen van *intracompany transferees*	56.0	61.6	73.3
Journalisten en mediamensen	27.7	24.2	33.6
Uitwisselingsprojecten	216.6	201.1	215.5
Partners en kinderen via uitwisselingsprojecten	42.6	39.3	41.3
Verloofden van VS burgers	8.1	7.8	9.0
Kinderen van de verloofden	0.8	0.8	1.0
NAVO afgevaardigden en hun partners en kinderen	9.1	8.6	10.9
Andere	0.9	0.8	0.3
Totaal	**22 118.7**	**22 640.5**	**24 842.5**

[1] De data kunnen overschat zijn omdat sommige personen meermaals binnenkomen.
[2] Exclusief de partners en kinderen van *NAFTA professionals* en *intracompany transferees*.

Bron: SOPEMI, 1999, 226.

Quotasysteem

Jaarlijks worden er quota vastgelegd voor drie categorieën: familiemigratie (480.000 [71,1%] plus ongebruikte visa van de economische migratie van het vorig jaar), economische migratie op basis van voorkeurscategorieën (140.000 [20,8%] plus ongebruikte visa van de familiemigratie van het vorig jaar) en de *diversity based* loterij (55.000 [8.1%]). Enkel de directe familiehereniging (partners, ouders en minderjarige kinderen van VS-burgers en baby's van legale immigranten) is niet aan numerieke quota onderhevig. Er wordt wel een richtinggevend getal (X) vooropgesteld op basis van de aanvragen van het jaar ervoor. De rest van de visa binnen de *family-sponsored* categorie (Y) is dan bestemd voor immigranten die door (verre) familie gesponsord worden (480.000–X=Y). Als er het vorig jaar visa voor arbeidsmigratie over waren, worden die bij Y opgeteld. De Act van 1990 specificeert dat de *familysponsored limit* (Y) niet onder de 226.000 per jaar mag gaan.

Anders dan Canada en Australië wordt voor de selectie van de economische migranten geen puntensysteem toegepast, maar een preferentiesysteem. Voor de arbeidsmigratie zijn vijf *preferences* voorzien: 1) *priority workers*; 2) professionals met een hoog diploma en bijzondere capaciteiten; 3) geschoolde of ongeschoolde werknemers waar vraag naar is op de arbeidsmarkt; 4) speciale immigranten (bijvoorbeeld ministers, religieuzen en werknemers van de overheid) en 5) investeerders of immigranten die werkgelegenheid creëren. Er wordt in grote mate rekening gehouden met de vraag op de arbeidsmarkt. Hooggeschoolden en specialisten krijgen al snel een voorkeursbehandeling. (tabel 21)

Voor de economische migratie bestaat ook nog een beperking per land. Voor de onafhankelijke landen geldt een maximum van 7% van de totale familie- en arbeidsmigratiequota (226.000+ 140.000=366.000), voor de afhankelijke gebieden is dat 2%. Dit betekent concreet dat maximum 25.620 migranten per jaar van éénzelfde onafhankelijk land mogen komen en 7.320 van een afhankelijk gebied.

Voor de *preference* categorieën voor familie- en arbeidsmigratie bestaan enorme wachtlijsten. Begin 1997 telde de lijst 3.6 miljoen mensen, vooral voor de familiemigratie: broers en zussen van VS burgers (1.5 miljoen) en partners en ongehuwde kinderen onder de 21 jaar van permanente inwoners (meer dan 1 miljoen). Voor werknemers zijn de wachtlijsten minder groot mede omdat begin de jaren negentig de quota van 54.000 naar 140.000 (inclusief de gezinsleden) zijn opgetrokken. In 1995 en 1997 werden de arbeidsvisa zelfs niet opgebruikt, in 1997 was er een overschot van 40.710 visa. Vooral ongeschoolden staan op de wachtlijst, voor hen geldt immers een beperking van 10.000 per jaar.

Tabel 21: *Employed-based immigration, by preference*, 1994-1998, VS

Duizenden

	1994	1995	1996	1997	1998
Total, employment 1st preference	**21.1**	**17.3**	**27.5**	**21.8**	**21.4**
Vreemdelingen met bijzondere kwaliteiten	1.3	1.2	2.1	1.7	
Bijzondere academici en onderzoekers	1.8	1.6	2.6	2.1	
Afgevaardigden en managers van multinationals	5.0	3.9	6.4	5.3	
Partners en kinderen van de 1st preference	13.0	10.6	16.5	12.7	
Total, employment 2nd preference	**14.4**	**10.5**	**18.5**	**17.1**	**14.4**
Bijzondere beroepen, bijzondere diploma's	6,8	5.0	8.9	8.4	
Partners en kinderen van de 2nd preference	7.6	5.5	9.6	8.7	
Total, employment 3rd preference	**77.0**	**50.2**	**62.8**	**42.6**	**34.3**
Hooggeschoolden	10.1	9.1	16.0	10.6	28.0
Baccalaureate holders	7.7	5.8	5.5	4.0	
Partners en kinderen van bovenstaande categorieën	28.4	23.3	29.0	19.2	
Chinese Student Protection Act	21.3	4.2	0.4	0.1	
Andere werknemers (laaggeschoolden)	4.1	3.6	6.0	4.0	6.3
Partners en kinderen van laaggeschoolde werknemers	5.3	4.2	5.8	4.7	
Total, employment 4th preference	**10.4**	**6.7**	**7.8**	**7.8**	**6.6**
Speciale immigranten	4.6	2.9	3.5	3.7	
Partners en kinderen van de *4th preference*	5.8	3.8	4.4	4.1	
Total, employment 5th preference	**0.4**	**0.5**	**0.9**	**1.4**	**0.824**
Creatie van werkgelegenheid, zonder doelgebied	0.1	0.1	0.1	0.1	
Partners en kinderen	0.2	0.2	0.3	0.2	
Creatie van werkgelegenheid, naar doelgebied	0.1	0.1	0.2	0.3	
Partners en kinderen	0.1	0.2	0.3	0.7	
Total, employment preferences, principals	*62.7*	*37.4*	*51.6*	*40.3*	
Total, employment preferences, dependents	*60.6*	*47.9*	*65.9*	*50.3*	
Total, employment preferences	**123.3**	**85.3**	**117.5**	**90.6**	**77.5**
percentage van het totale aantal definitieve nieuwkomers	15.3	11.8	12.8	11.3	

Bron: Statistical Yearbooks of the Immigration and Naturalization Service

Loterij

Opdat niet alle migranten uit dezelfde landen zouden komen, werkt men sinds 1995 met de *green card visa lottery* (op basis van *Immigration Act* van 1990). Elk jaar worden door dat loterijsysteem maximum 55.000 permanente werk- en verblijfsvergunningen (*green cards*) uitgereikt. Landen die de voorbije vijf jaar meer dan 50.000 immigranten hebben geleverd, komen niet in aanmerking. Het aantal visa dat via het loterijsysteem kan afgegeven worden wordt bepaald op basis van de jaren ervoor met een maximum van 3.850 visa per land. Men kan een *green card* aanvragen als men zelf geboren is of als de echtgenoot geboren is of in sommige gevallen als de ouders geboren zijn in een land dat voor de loterij in aanmerking komt. Engels spreken is geen voorwaarde. Wel wordt een hogeschooldiploma vereist of moet men twee jaar werkervaring hebben in een functie waar minstens twee jaar opleiding voor nodig was. Men kan jaarlijks één aanvraag per persoon sturen naar de *State Department*. De *State Department* selecteert op basis van loterij, de onvolledige dossiers worden er vooraf uitgehaald. De mensen die uitgeloot zijn, worden uitgenodigd voor een kort interview op de ambassade of het consulaat van de VS. De geselecteerden die al in de VS verblijven, kunnen hun kaart ontvangen zonder de VS te verlaten. De partner en de kinderen onder de 21 jaar van de geselecteerde persoon verkrijgen automatisch een *green card*.

Voor het systeem bestaat een enorme belangstelling. In 1999 zijn er 3.4 miljoen aanvragen binnengekomen. Wanneer het quotum is opgebruikt, verschuiven de overblijvende aanvragen naar het volgend jaar. Zo bestaat er een wachtlijst van meer dan 3 miljoen potentiële migranten. In 1998 werden 45.499 mensen uitgeloot. Ongeveer 40% is afkomstig uit Afrika en nog eens 40% uit Europa.

Hoofdzakelijk familiemigratie

Arbeidsmigratie heeft een kleiner aandeel dan dikwijls wordt voorgesteld. Slechts 5% van de immigranten zijn werknemers en hun partner en kinderen maken nog eens 6% van de immigratie uit. Concreet gaat het voor 1997 over 40.300 werknemers en 50.300 gezinsleden. (tabel 21) Daarbovenop moet nog de migratie gerekend worden via het loterijsysteem. Via deze weg komt gemiddeld tussen de 6,5 en de 7% van de immigratie tot stand.

Uit tabel 19 blijkt dat de familiemigratie het grootste aandeel heeft in de permanente immigratie, 2/3 in 1997 tot bijna 3/4 in 1998. Omdat het quotum voor de arbeidsmigratie in 1995 niet opgebruikt was, werden de resterende vergunningen bij de familiemigratie gevoegd in 1996. Hierdoor bestond een uitzonderlijk hoog quotum voor volgmigratie. (311.819). In 1997 was er geen dergelijke overdracht mogelijk waardoor het quotum zakte tot 226.000 (het minimum), terwijl het aandeel van directe familiehereniging van VS burgers nog steeg van 302.000 tot 322.440. Dit is het gevolg van de naturalisatie van migranten. In 1996 verwierven ongeveer 1 miljoen vreemdelingen de Amerikaanse nationaliteit.

Conclusie

Canada, Australië en de VS proberen de immigratie van geselecteerde hooggeschoolden te stimuleren. Uit onderzoek blijkt dat Australië en Canada er beter in geslaagd zijn op de kwaliteit van de migranten te selecteren dan de VS. Dit doet vermoeden dat een puntensysteem op dat gebied toch vrij efficiënt werkt. De gemiddelde scholingsgraad van de hooggeschoolde immigranten in Australië en Canada ligt ook iets hoger dan die bij de autochtone bevolking, hoewel het verschil niet echt groot is.[31]

Het is vrij moeilijk, zowel technisch, institutioneel als politiek om *skilled migration* programma's te organiseren op basis van de vraag op de arbeidsmarkt. Men moet weten welke mensen de arbeidsmarkt nodig heeft, hoe men de aanvragen zal selecteren en hoe men de nieuwkomers in de economie en de maatschappij zal integreren. Uit de ervaring in Canada blijkt dat het niet eenvoudig is de immigratie aan te wenden om een 'gat in de arbeidsmarkt' op te vullen. Ook bij het selecteren duiken onvermijdelijk moeilijkheden op. Als men te streng is, krijgt men de quota nauwelijks of niet vol. Aan de andere kant blijkt uit de ervaring van Australië dat sommige geschoolde migranten die toegelaten werden nooit op hun niveau tewerkgesteld zijn, sommigen zijn zelfs in de werkloosheid terechtgekomen. Bovendien kan men altijd maar een deel van de migratie selecteren. De volgmigratie die op gang komt heeft men niet in de hand. Meestal groeit juist die 'onge-regelde' volgmigratie uit tot één van de belangrijkste instromen. Een migratiebeleid dat vooruitziend wil zijn moet dit zeker in de planning opnemen. De aantallen die men in het nationaal migratieplan uitstippelt, zijn geen politieke en beleidsmatig weloverwogen keuzen, maar voorspellingen van een realiteit die aan de controle ontsnapt.

De landen met een actief regulerend migratiebeleid blijven niet gespaard van de aanwezigheid van illegale migranten. De illegale migratie naar de VS aan de grens met Mexico blijft, ondanks het feit dat de Amerikaanse autoriteiten een poging doen de grens hermetisch af te sluiten. De verscherpte grenscontroles op de traditionele over-steekpunten verplichten de illegalen om over te steken in meer afgelegen gebieden, met alle bijhorende risico's.[32] De parallel met de situatie aan de grenzen van de EU is treffend. Een quotasysteem biedt voor de VS geen oplossing om de migratiedruk te regelen, men kan hoogstens de legale migratie wat bijsturen. Canada en Australië hadden wegens hun ligging minder last van illegale binnenkomst van mensen. Dit wil echter niet zeggen dat deze landen geen illegale migranten op hun grondgebied zouden hebben. Veel migranten zijn met een tijdelijke vergunning het land binnengekomen, maar hebben hun visum laten verstrijken.

Wie tijdelijke migratie toelaat, moet rekening houden met (illegale) blijvers. Het is dan ook niet verwonderlijk dat zowel in de VS, Canada als in Australië de mogelijkheid geboden wordt aan tijdelijke migranten om hun situatie te regulariseren door vanuit het land waar ze al verblijven een permanente vergunning aan te vragen. In de VS gaan telkens ongeveer de helft van de permanente verblijfsvergunningen naar mensen die zich al in de VS bevinden, met een tijdelijke verblijfsvergunning die al dan niet verlo-pen is. In Canada is dat 15%. Volgens het *Department of Immigration and Multi-cultural Affairs* bedraagt de gemiddelde *non-return rate* van mensen die met een tijde-lijke vergunning Australië zijn binnengekomen 2,2%. De landen met de laagste *non-return rate* zijn Japan, Singapore en Taiwan, maar landen als China, Polen, de Filipijnen, Pakistan, Turkije hebben een *non-return rate* van meer dan 10% en Viet-nam, ex-Joegoslavië en Libanon scoren zelfs boven de 20%.[33]

In tegenstelling tot Europa noemt men de VS, Canada en Australië immigratieregio's.

Deze tegenstelling heeft echter meer te maken met het discours en de attitude ten aanzien van nieuwkomers dan met de cijfers. (tabel 22) Ondanks het uitgewerkt immigratiesysteem hebben Australië en Canada een relatief laag immigratiecijfer, zeker in vergelijking met de VS en Europa. Uit de cijfers blijkt dat Europa niet moet onderdoen voor de zogenaamde immigratielanden. Het gaat niet op om Europa aan Australië of Canada te spiegelen. De geografische ligging, de bevolkingsdichtheid, het immigratiecijfer, het aantal asielzoekers en de omvang van de illegale migratie zijn zozeer verschillend dat elke vergelijking onmiddellijk mank loopt. Alleen de situatie in de VS kan enigszins de vergelijking met Europa doorstaan. Toch neemt de EU meer vreemdelingen op dan de VS, ondanks hun actief migratiebeleid. Gemiddeld ontvangt de EU 1 miljoen nieuwkomers van buiten de EU hoofdzakelijk in het kader van de asiel- en volgmigratie. De tijdelijke arbeidsimmigratie, zowel van hooggeschoolden als van laaggeschoolde seizoen- en grensarbeiders, is bovendien vrij hoog. Ondanks de migratiestop overtreffen de EU-cijfers wat dat betreft zelfs de cijfers van de verschillende immigratielanden. (cf. supra) Niet alleen in absolute aantallen scoort de VS lager dan Europa, het verschil tussen de VS en Europa wordt nog groter als men de immigratie beschouwt in verhouding met de bevolkingsdichtheid. De immigratie per 1.000 inwoners ligt in de EU dan weer iets lager dan in de VS. Tussen 1990 en 1998 kende de EU een nettomigratie van 2,2 per 1.000 inwoners, voor de VS was dat meer dan 3 per 1.000 en voor Canada 6 per duizend.

Tabel 22: Jaarlijkse immigratie, de bevolking en de bevolkingsdichtheid van Australië, Canada, de VS en de EU

	Bevolking	Bevolkingsdichtheid	Jaarlijkse immigratie in grote orde***
Australië	18.250.000*	2 per km²*	100.000 permanente vergunningen begin de jaren negentig naar 75.000 vanaf 1993-94. 150000 tijdelijke vergunningen (incl. studenten)
Canada	30.000.000*	3 per km²*	220.000 permanente vergunningen Gemiddeld telt Canada 90.000 tot 100.000 vreemdelingen met een tijdelijke arbeidsvergunning (inclusief asielzoekers)
VS	271.448.000*	28 per km²*	1.000.000 begin de jaren negentig naar 700.000 in 1997-1998 (exclusief tijdelijke vergunningen), waarvan 2/3 familiemigratie
EU (15 lidstaten)	375.000.000**	140 per km²	1.000.000 nieuwkomers van buiten de EU voor langer dan 3 maanden (in 1999 gezakt tot 700.000)

* schatting begin 1997, cf. http://www.un.org/Pubs/CyberSchoolBus/infonation/e_infonation.htm
** schatting begin 1999, cf. http://europa.eu.int/comm/eurostat
*** cf. supra

Het verschil met Europa is dat een deel van de nieuwkomers wordt geselecteerd op basis van een preferentiesysteem dat rekening houdt met de vraag op de arbeidsmarkt en de scholing van de migrant en dat er voor bepaalde categorieën maximumquota worden bepaald. In Europa wordt de gezinshereniging als een onvoorwaardelijk recht van de migrant erkend. In de VS geldt dit recht enkel voor VS-burgers, waardoor het op dit punt restrictiever is dan de EU. De immigratielanden laten meer gecontroleerde migratie toe en beperken zich niet tot de categorieën vluchtelingen, asielzoekers en volgmigranten, hoewel dit ook in Europa eigenlijk al is veranderd. De cijfers in tabel 23 tonen duidelijk aan dat Europa wat betreft de immigratie van werknemers niet moet onderdoen voor de immigratielanden. De immigratielanden lopen alleen meer te koop met het feit dat ze migratie toelaten, en leggen steeds opnieuw de nadruk op de positieve effecten die migratie met zich kan meebrengen. In de EU heerst hieromtrent nog steeds een duidelijk andere mentaliteit.[34] Het verschil tussen de EU en de zogenaamde immigratielanden ligt dus minder in de cijfers dan wel in de manier waarop migratie wordt toegelaten en de politieke en publieke houding er tegenover.

Tabel 23: Instroom van buitenlandse werknemers in Europa, de VS, Canada en Australië

	Duizenden									
	1988	1989	1990	1991	1992	1993	1994	1995	1996	1997
Europa[1]	**168.6**	**229.2**	**369.7**	**627.9**	**891.2**	**555.7**	**455.3**	**516.8**	**589**	**630.4**
Australië[2]										
Permanente vergunning	34.8	43.8	42.8	48.4	40.3	22.1	12.8	20.2	20.0	19.7
Tijdelijke vergunning[3]	–	–	–	–	14.6	14.9	14.2	14.3	15.4	12.5
Totaal					**54.9**	**37.0**	**27.0**	**34.5**	**35.4**	**32.2**
Canada[2]										
Permanente vergunning	–	–	–	–	137.5	–	–	–	–	–
Tijdelijke vergunning[3]	–	–	–	–	92.9	–	–	–	–	–
Totaal	–	**298.2**	**229.5**	**233.8**	**230.4**	**185.6**	**172.9**	–	–	–
VS[2]										
Permanente vergunning	58.7	57.7	58.2	59.5	116.2	147.0	123.3	85.3	117.5	90.6
Tijdelijke vergunning	113.4	141.3	144.9	169.6	175.8	182.3	210.8	220.7	254.4	–
Totaal	**172.1**	**199.0**	**203.1**	**229.1**	**292**	**329.3**	**334.1**	**306**	**371.9**	

[1] Europa staat hier voor de som van Oostenrijk, België, Denemarken, Frankrijk, Duitsland, Ierland, Italië, Spanje, Zwitserland en het Verenigd Koninkrijk. De getallen zijn gebaseerd op tabel 10.
[2] Voor meer gedetailleerde cijfers betreffende de VS, Canada en Australië zie tabel 15-21.
[3] Exclusief de *Working Holiday Makers*

Bron: SOPEMI, 1999, 25, 266.

2.4 Het quotasysteem

Waarom een quotasysteem?

In de meeste voorstellen voor het herinvoeren van arbeidsmigratie denkt men in termen van quota en contingenten. Het kan hierbij gaan om quota per land en/of om quota per categorie (vluchtelingen, arbeidsmigranten, ontheemden of gezinshereniging) en/of om quota per beroeps- of opleidingsspecialiteit. In de Europese context gaat men er meestal van uit dat het, zeker op de lange duur, wenselijk zou zijn als de migratieplanning op Europees niveau wordt uitgewerkt. Is dit de taak van het Europees parlement, de Europese Commissie of de Raad van ministers, of moet er zoiets als een Europees Hoog Commissariaat voor de Migratie worden opgericht? Het spreekt vanzelf dat deze planning hoe dan ook moet opgemaakt worden in onderling overleg met de nationale en federale parlementen, de lokale overheden, de sociale partners en het lokale middenveld.

Een quotasysteem biedt het voordeel dat men alvast die migratie kan reguleren zowel kwalitatief als kwantitatief. Het systeem werkt met vooropgestelde aantallen en duidelijke toelatingscriteria. Voor het opstellen van die aantallen kan rekening gehouden worden met zeer veel verschillende elementen: maatschappelijk draagvlak, de demografische evoluties, de arbeidsmarktsituatie, de bevolkingsdichtheid en de economische conjunctuur. Door middel van quota kan men de migratie zo regelen dat men zicht heeft op wie binnenkomt. Bovendien biedt een quotasysteem ook de mogelijkheid tot sturing. Men kan prioriteit geven aan bepaalde groepen migranten naargelang van de scholing, de leeftijd, de situatie in de landen van herkomst, de band die bestaat met het land van herkomst, de taal enzovoort. Tot slot, en dat is misschien wel het belangrijkste, biedt een quotasysteem de mogelijkheid om een migratiebeleid te voeren dat een middenweg is tussen open grenzen en de nulmigratie. Door een quotasysteem kan de deur op een kier gezet worden.

Artificiële quota

Bij het uitdenken van een quotasysteem botst men op elementaire, dikwijls zeer praktische, maar toch soms fundamentele moeilijkheden. Zo is er de starheid van het getal: waarom nummer q+1 niet en nummer q wel? Wat vangt men aan met de volgmigratie en gezinshereniging? Om aan dit probleem tegemoet te komen, kunnen de quota als richtcijfers dienen die op zich niet strikt bindend zijn of men kan opteren om de directe gezinshereniging niet door quota te beperken. De vraag blijft evenwel of de gezinshereniging als een volledig onafhankelijk instroomkanaal zal worden beschouwd, of zal men de rest van de quota laten afhangen van de hoeveelheid familiemigratie zoals dat in de VS het geval is?

Er kunnen wel criteria worden afgesproken om het aantal nieuwkomers vast te leggen, maar een eenduidige toepassing van die criteria is niet altijd evident. Zo wordt

Vanuit ethisch standpunt lijkt het meest ernstige alternatief voor het voorstel van een arbeidsquotum de situatie zoals zij nu feitelijk in ons land bestaat. Het is een situatie waarin de beleidsvoerders harde woorden spreken en een streng imago proberen op te bouwen, maar feitelijk relatief menselijk zijn. Er worden tot nog toe geen grootse razzia's gehouden om illegalen op te sporen. Uitwijzing gebeurt meestal niet manu militari, uitgeprocedeerden krijgen gewoon een briefje met het bevel om het land te verlaten. Slechts een minderheid wordt opgesloten en op een vliegtuig gezet. Behalve de regularisatiecampagne die recent in ons land werd opgestart zijn er de voorbije jaren voortdurend individuele regularisaties geweest op humanitaire gronden. Men voert dus een vrij tolerant beleid, maar men zet een hard masker op om potentiële migranten af te schrikken. Dit is een tersluikse wijze om een gedoog-beleid te voeren waarbij er een informele rechtsorde in stand wordt gehouden door het quasi-beleidsmatig onderbekrachtigen van de wet.

De quotaregeling laat in principe een strenger uitwijzingsbeleid toe. Het is een regeling van het migratievraagstuk die teruggaat op abstracte rechtvaardigheids-regels en voorbijgaat aan de logica van het medelijden. Filosofen herkennen hier het conflict tussen particularisme en universalisme. Wie helpen we? Degenen die hier, al dan niet toevallig, al in levende lijve zijn, die hier illegaal leven en werken, kinde-ren opvoeden, zich in onze wijken integreren, mensen met een gezicht die aan onze deur kloppen? Of anonieme buitenlanders die een dossier indienen en beter aan ideale criteria voldoen?

De aanwezigheid van grote aantallen illegalen die worden gedoogd, kan negatieve gevolgen hebben voor de burgers van ons land, stimuleert maffieuze bendes en perverteert de migrantengemeenschap. Illegaliteit ondermijnt de sociale zekerheid en is koren op de molen van het Vlaams Blok. Verdedigers van de welvaartsstaat, die al altijd opkomen voor de regulering van het vrije marktsysteem, zouden daarom moeten kiezen voor een relatief genereus quotasysteem, gekoppeld aan de effec-tieve uitwijzing van illegalen. Het quotasysteem geeft een ethische vrijbrief om ille-galiteit te bestrijden, maar het zal de illegaliteit niet doen verdwijnen. Het zal ook de vraag om regularisaties om humanitaire redenen nauwelijks doen verminderen. Een gedoogbeleid zal dus onvermijdelijk blijven.

De wereld is niet in orde en zal dat nooit zijn. Ik ben geneigd om het quotasysteem te verdedigen, maar tegelijk moet ik erkennen dat er iets futiel steekt in de begeerte van orde die dit voorstel inspireert. Het migratiebeleid confronteert ons concreet met ons onvermogen om de wereld in orde te krijgen. Dat wil niet zeggen dat we hele-maal niets moeten doen. Politiek staat haaks op de wanordelijke wereld waarin we leven. Weten dat de wereld nooit in orde komt, maar toch proberen om meer solida-riteit in te bouwen in structuren en om de meest stuitende onrechtvaardigheid uit te bannen en dat ook eerlijk aan de mensen uitleggen: dat is wat een ethisch geïnspi-reerd politicus mijns inziens moet doen.

Toon Vandevelde
Centrum voor Economie en Ethiek, KUL
Januari 2001

de krapte op de arbeidsmarkt nogal verschillend benaderd door de vakbonden aan de ene kant en het patronaat aan de andere kant. Op welke manier kan de opname-bereidheid van de bevolking worden gemeten? Aan de hand van welke parameters gaat men over het sociaal-economisch draagvlak van een land of een streek spreken? Ook de criteria die zouden worden gehanteerd om te bepalen welke individuele migranten binnen het vooropgestelde quotum zullen worden toegelaten zullen altijd voor discussie vatbaar zijn: wat moet zwaarder doorwegen de talenkennis of het bezit van een arbeidscontract, de scholingsgraad of de werkervaring, familiale banden of de persoonlijkheidskenmerken?

Bovengenoemde vragen wijzen duidelijk op het arbitraire van elk quotasysteem. Het kan niet verwonderen dat dergelijke willekeur inzake een beleid, waarbij het toch rond mensen en hun fundamentele rechten draait, velen tegen de borst stoot. Sommigen vrezen dat in het debat over de invoering van quota exclusief rekening gehouden zal worden met economische criteria en het eigenbelang van het westen.

Gezien de onvermijdelijke arbitraire kantjes is het van het allergrootste belang dat bij de uitwerking van het quotasysteem voldoende overleg wordt gepleegd tussen zoveel mogelijk betrokken partijen. Op basis van communicatie en dialoog moet men tot een consensus proberen te komen waarin zoveel mogelijk mensen zich kunnen terugvinden. Het is hierbij belangrijk dat men met zoveel mogelijk 'objectieve' gegevens rekening houdt.

Het invoeren van quota is niet gelijk aan volledige controle over de migratie

Niet alle migratie kan met het quotasysteem worden geregeld. Omdat het asielrecht voor iedereen gegarandeerd moet blijven, kunnen er in dit verband geen quota worden ingevoerd. Bovendien is het niet wenselijk dat er quota worden vastgelegd inzake directe familiemigratie. Gezinshereniging en -vorming is een fundamenteel basisrecht waar men niet zomaar kan aan raken. Die gezinshereniging kan wel serieuze proporties aannemen. De migratierealiteit zowel in de VS, Australië, Canada als in Europa is hier een duidelijk voorbeeld van. We verwijzen nogmaals naar het al aangehaalde beeld van de *TransAtlantic Migration Group* die stelt dat gastarbeidersprogramma's het begin zijn van een rivier die zich kan ontpoppen tot een immense delta waar geen dam nog tegen opgewassen is.[35]

Bovendien is het een illusie te geloven dat een quotasysteem een grote invloed zou hebben op de illegale migratie. In bepaalde gevallen biedt het wel een mogelijkheid om de migratie wat te kanaliseren langs officiële weg, maar ook het omgekeerde effect kan plaatsvinden. Gezien de vluchtelingenconventie, de regelingen voor de volgmigratie en het onvermijdelijke van illegale migratie verliest het argument dat men quota wil invoeren om de immigratie beter te kunnen reguleren aan kracht. Het is natuurlijk wel zo dat de controle over een deel van de migratie toch beter is dan helemaal geen controle. Bovendien kan men duidelijk maken dat als het de doelstelling is van de quota om de volledige controle en dus gedeeltelijke uitbanning van migratie te bewerkstelligen, men eigenlijk met een verkeerde en irrealistische doelstelling aan het werken is. Een immigratieplanning kan de immigratie niet voor 100% reguleren, ze kan de immigratie in de toekomst enkel schatten en proberen te voorzien. Of zoals de Bimal Ghosh en zijn collega's van *IOM* het stellen: een migratiebeleid kan enkel streven naar *the orderly movement of people*. De migratie volledig controleren is voor individuele liberale staten een onmogelijke opdracht, zelfs met inzet van de meest draconische maatregelen. Een regime dat zichzelf liberaal, beschaafd en democratisch wenst te noemen, beschikt niet over de middelen dit te realiseren, zonder de fundamenten vanonder de eigen voeten weg te halen.[36] Een goed immigratiebeleid moet enkele goede instrumenten aanreiken die de migratiebewegingen die nu al plaatsvinden meer voorspelbaar en transparant kunnen maken. Quota kunnen een deel van dergelijk beleid uitmaken.[37]

Een quotasysteem komt ook niet tegemoet aan het euvel van 'te veel procedures' en aan de uitwijzingsproblematiek. Het invoeren van een quotasysteem kan, net als bij het huidige beleid, gepaard gaan met (al dan niet gedwongen) uitwijzingen en opsluiting. Sommigen vinden dat dit niet kan. In de meest extreme consequentie leidt dit tot een open-grenzenbeleid. Veel van de argumenten die in het debat worden aangewend om vóór open-grenzen te pleiten, richten zich in principe ook tegen het invoeren van een quotumreglementering. De vrees bestaat dat het instellen van quota de overheid juist de nodige legitimatie zal geven om des te meer jacht te maken op de illegale migratie.[38] Sommige voorstanders van een quotasysteem wijzen er inderdaad op dat het openen van een extra toegangsdeur geen oplossing biedt voor de problematiek van de illegale migratie, maar wel een grotere legitimiteit geeft aan de strijd tegen die illegale migratie. Wanneer men vasthoudt aan de nulmigratie bestaat er voor de potentiële migrant die niet onder de Conventie van Genève valt en geen beroep kan doen op de regelingen die bestaan voor volgmigratie geen enkele mogelijkheid om naar hier te komen, tenzij illegaal of door oneigenlijk gebruik van de asielprocedure. Indien men een ruimer migratiebeleid uitzet, kan de potentiële migrant zijn kans wagen in het quotum en men kan dus als overheid met meer recht optreden tegen de migranten die toch nog langs andere kanalen proberen binnen te komen dan deze die voor hen zijn bestemd. Dit argument gaat op in theorie, maar de praktijk is complexer. Het quotasysteem is niet voor iedere migrant (even) toegankelijk, hetzij omdat het land geen overeenkomsten heeft met het gastland, hetzij omdat de individuele migrant niet aan de vooropgestelde criteria voldoet. In vergelijking met de migratiedruk en het aantal aanvragen gaat het altijd om een zeer beperkt aantal dat toegelaten kan worden.

Selectiecriteria

Gezien een open-grenzensysteem onhaalbaar is, impliceert de versoepeling van het toelatingsbeleid criteria om mensen te selecteren. Vooreerst is de migratiedynamiek zelf al selectief. Uit verschillende casestudies blijkt dat het migratiepotentieel veel groter is bij mensen met een zekere scholing en een bepaald inkomensniveau. De allerzwaksten komen om verschillende redenen nooit aan migratie toe. Er zijn tal van externe factoren die ervoor zorgen dat de potentiële migranten vooraleer ze werkelijk migreren al een soort van selectie hebben doorgemaakt, die door de gastlanden niet meer ongedaan kan worden gemaakt.[39]

Bij de selectie speelt opnieuw het genoemde argument van de *brain drain*. Als men bij de selectie enkel rekening houdt met de noden van de arbeidsmarkt in de gastlanden, bestaat de kans dat het westen de meest capabele mensen uit landen wegtrekt, terwijl die landen die mensen het best zelf zouden kunnen gebruiken. Zoals we al aangeduid hebben, moet dit land per land en per categorie afzonderlijk worden bekeken. Het migratiebeleid moet zo georganiseerd worden dat een *brain drain* wordt vermeden. Als Europa een actiever immigratiebeleid wil voeren zou het op zijn minst hierin moeten verschillen met de VS, Canada en Australië, namelijk dat het de immigratie wil managen in samenwerking met de landen van herkomst, op basis van bi- of multila-terale akkoorden. Dit betekent dat ook de rekrutering moet gebeuren in onderling overleg met actoren in de landen van herkomst.

Bij de selectiecriteria moeten misschien niet enkel de diploma's worden bekeken maar ook een aantal humane kwalificaties die nuttig kunnen zijn om in de nieuwe situatie goed te overleven. Sommigen suggereren in dit verband om ook rekening te houden met het 'emancipatie- en integratievermogen' van bepaalde groepen mensen. Op het gevaar af van in al te gemakkelijke generalisaties te vervallen blijkt dat bepaalde mensen minder moeilijkheden hebben dan anderen om zich de nieuwe taal eigen te maken en om zich op een soepele manier een weg te banen in de gastsamenleving. Hoewel hierover nog maar weinig harde gegevens bestaan, is het niet ondenkbeeldig, want in haar eigen voordeel, dat de gastsamenleving – al dan niet expliciet – met deze speculatieve elementen rekening houdt. Maar gezien de vaagheid van de begrippen (wat is integratie?) moet men uiterst voorzichtig zijn met dit genre criteria. Het crite-rium kan al te gemakkelijk dienen als laagje vernis voor een racistisch en discrimine-rende invalshoek.

Toch zal de selectie in laatste instantie rekening houden met de behoeften van de gastlanden. Uiteindelijk zal 'de inzetbaarheid' van de migrant altijd in rekening worden gebracht. Enkel die mensen (hoog- of laaggeschoolden) die in de economie kunnen meedraaien maken kans om toegelaten te worden. Dit kan, zo men wil, als eigenbelang geduid worden: alleen de migranten die onze economie in termen van tewerkstelling kan gebruiken kunnen worden geselecteerd. Aan de andere kant kan men zich afvragen wie men ermee vooruit zou helpen als men migranten naar hier zou halen die geen kans maken op legale tewerkstelling. Dat er bij de selectie altijd factor eigenbelang zal zijn, belet niet dat er ook geen andere elementen kunnen meespelen waarbij ook de landen van herkomst betrokken moeten worden. Het is niet omdat een stuk eigenbelang in de afweging wordt opgenomen dat men niet moet streven naar een rechtvaardige rekrute-ring dat niet in het nadeel is van de emigratielanden.

Het lot beslist

Rechtvaardige selectie lijkt al even noodzakelijk als onmogelijk te zijn. Bijna elke vorm van selectie door het gastland wordt al snel verdacht gemaakt omdat de criteria die men hanteert betwistbaar zouden zijn en omdat de selectie in het voordeel van de gastlanden zou gebeuren. Een loterijsysteem kan aan dit euvel tegemoetkomen. Het berust op toeval en is strikt neutraal.[40] Wanneer men een schaars goed moet verdelen onder een aantal mensen en men alleen arbitraire criteria kan vinden, kan loterij ethisch te verantwoorden zijn. In de medische ethiek is het een gangbare procedure. Voor het verdelen van bedden, het verdelen van organen, en het verdelen van de middelen en tijd voor de zorg in het algemeen zijn immers niet in alle situaties valabele criteria voor handen. Het verschil met de medische ethiek is dat we in het migratievraagstuk niet te maken hebben met een objectieve schaarste die ons van buitenaf wordt opgelegd. Men houdt rekening met een schaarste die men zich tot op zekere hoogte zelf oplegt. Landen kunnen immers zelf bepalen hoeveel mensen ze willen toelaten.

Toon Vandevelde van het Centrum voor Economie en Ethiek van de KUL pleit voor een systeem van 'gewogen loterij'.[41] In de gewogen loterij worden de elementen neutraliteit en toeval met een zekere graad van eigenbelang gecombineerd. Het systeem is analoog met de loting in Nederland die bepaalt wie voor arts mag studeren. Iedereen die wil kan een lotje krijgen, maar op basis van bepaalde criteria kunnen mensen er meerdere krijgen. Wat betreft de potentiële migranten moet de politiek uitmaken waardoor men meer kans zou kunnen maken. Volgende elementen zouden in aanmerking genomen kunnen worden: talenkennis, diploma, invitaties, werkervaring, de bereidheid een inburgeringscursus te volgen, de leeftijd of het land van herkomst.

Niet iedereen is overtuigd van de loterij als keuzemechanisme. Het zou teveel op toeval en willekeur berusten. Het is toch geen schande dat we rekening houden met het draagvlak van onze eigen samenleving om te bepalen hoeveel en welke mensen we extra toelaten? Arbeidsmigratie kan beschouwd worden als een gunst en niet als een plicht. Anders dan bij de familiemigratie of bij de conventievluchtelingen is een samenleving niet verplicht om die persoon tot het grondgebied toe te laten. Met Walzer kan men verdedigen dat de beslissingen omtrent toelating steeds door de leden van de gemeenschap zelf moeten worden genomen, en dat men zich kan laten leiden door interne en externe overwegingen. De gewenste toekomst van de eigen samenleving mag hierbij een belangrijke rol spelen. We moeten immers sowieso een selectie maken, welke reden is er dan om niet – al is het maar een beetje – met de vraag en de noden van de eigen samenleving rekening te houden. Instaan voor het eigenbelang van de gastlanden moet bovendien niet noodzakelijk impliceren dat het schade aanricht bij de landen van herkomst. Theoretisch en ethisch zou het beter zijn dat men iedereen kan toelaten, los van elke notie van eigenbelang. De realiteit is helemaal anders. Het denken in termen van gunsten impliceert helemaal niet dat de nieuwkomers geen rechten zouden hebben. Wie we toelaten, is ook gewenst en moet volledige toegang krijgen tot de verzorgingsstaat en een actief burgerschap.

2.5 Tijdelijke of permanente migratie

Het gastarbeider- versus het naturalisatiemodel

Wat betreft de verblijfsduur bestaan er twee modellen: het gastarbeidermodel dat uitgaat van tijdelijke tewerkstelling en tijdelijk verblijf en het naturalisatiemodel dat uitgaat van een definitief verblijf. Het gastarbeidermodel wordt bijvoorbeeld door de Golfstaten gebruikt, terwijl VS het naturalisatiemodel toepassen. De immigranten met een *green card* kunnen altijd in de VS blijven en werken. Na vijf jaar kunnen ze naturalisatie aanvragen. In de praktijk worden de twee modellen door elkaar gebruikt. Naast het *green card* systeem kennen de VS immers ook zeer veel werknemers met een tijdelijk visum *(non-immigrants)*. Bovendien lopen beide systemen dikwijls door elkaar en zijn ze in de praktijk minder goed van elkaar te onderscheiden. Zo hadden de West-Europese landen in de jaren vijftig en zestig het gastarbeidermodel voor ogen, maar ze zijn er niet in geslaagd het in praktijk te brengen. Veel migranten zijn niet naar het land van herkomst teruggekeerd waardoor men na verloop van tijd naar het naturalisatiemodel is moeten overstappen.

In de EU klinkt de roep naar tijdelijke nieuwkomers steeds luider. Het gaat dan niet enkel meer om laaggeschoolden, het gaat ook om managers, specialisten, informatietechnici en andere hooggeschoolden. Sommigen leggen graag de nadruk op de potentiële voordelen van tijdelijke migratie: de kosten die permanente migratie met zich meebrengt zouden gedeeltelijk vermeden kunnen worden, het zou de flexibiliteit van de arbeidsmarkt versterken, het kan tegemoetkomen aan een acuut tekort op de arbeidsmarkt en het zou de illegale tewerkstelling van mensen zonder papieren minder aantrekkelijk maken.[42]

Een immigratiebeleid moet duidelijk weten naar welk model het wil streven want dat heeft nogal wat consequenties. Indien men een gastarbeidermodel wil invoeren moeten er voldoende terugkeerstimuli in de regeling zijn ingebouwd. Men moet er bovendien vanuit gaan dat er steeds mensen zullen zijn die bijvoorbeeld wegens de sociale banden die ze hier opbouwden toch wensen te blijven. Daar kan men vanuit een moreel oogpunt weinig tegenin brengen. Mensen zijn geen wegwerpproducten. Je kunt migranten niet louter instrumenteel gebruiken voor zover we ze strikt nodig hebben.[43] Wanneer men anderzijds voor een naturalisatiemodel kiest, moet men ervoor zorgen dat de nieuwkomers na verloop van tijd toegang hebben tot het volledige burgerschap en geen tweederangsburgers worden. Ze moeten op afdoende manier toegerust worden om op gelijke voet met anderen aan de samenleving te participeren. Dit impliceert een goed uitgewerkt en gedifferentieerd onthaal- en integratiebeleid.

Het is opvallend dat voor de migratie van hooggeschoolden sneller met het naturalisatiemodel wordt gewerkt dan voor de migratie van laaggeschoolden Tijdelijke migratie is nu al aan de orde voor de vele duizenden seizoenarbeiders die elk jaar naar Europa komen, hetzij vanuit Noord-Afrika, hetzij vanuit Oost-Europa. Veel van die migratie is geregeld door middel van bilaterale akkoorden. Om de terugkeer te stimuleren zijn strenge controles en maatregelen nodig tegen elke vorm van illegale tewerkstelling. Velen blijven immers in de EU omdat ze er toch vrij gemakkelijk aan een (illegale) job geraken. Om gecontroleerde migratie en remigratie te kunnen organiseren is de steun van het land van herkomst absoluut noodzakelijk.[44]

Gezien de economische realiteit en naar gelang van de doelgroep lijkt het zinvol dat men zowel van het gastarbeider- als van het naturalisatiemodel gebruikmaakt om arbeidsmigratie te organiseren. De beide modellen moeten niet alleen naast elkaar bestaan, ze moeten ook op elkaar aansluiten. De migranten die langere tijd in een tijdelijk model meedraaien moeten de mogelijkheid krijgen om een permanente verblijfsvergunning te krijgen.

Kansen en beperkingen van een rotatiesysteem

Verschillende voorstellen om opnieuw een regeling te treffen voor arbeidsmigratie vertrekken vanuit het gastarbeidersmodel. Johan Wets stelt voor dat de Europese landen vier toegangspoorten voor migratie openen: de vluchtelingenprocedure, een humanitair statuut voor oorlogsontheemden, een duidelijk systeem voor studenten en een arbeidsmigratiesysteem.[45] Wat betreft dit laatste vertrekt hij van de gedachte van een roterend systeem. Mensen komen drie jaar hier werken, krijgen ondertussen een opleiding, keren terug en worden dan vervangen door iemand anders.

Ook in de voorstellen van GroenLinks en van de IMES onderzoekers[46] staat dat de arbeidsmigratie die de EU toelaat in eerste instantie tijdelijk zou moeten zijn. De remigratie van de gastarbeiders moet bevorderd worden door bepaalde maatregelen, bijvoorbeeld door een 'proefterugkeer' of het 'sparen van sociale premies en die pas uit te keren na remigratie'. Dergelijke procedure is niet in strijd met de rechten van werknemers zoals gecodificeerd door de *ILO*. De onderzoekers zijn zich bewust van de problematische kant van afgedwongen terugkeer, maar zo stellen ze, men moet de migrant voldoende voorlichten zodat hij weet waar hij staat. In alle redelijkheid kan dan toch worden verwacht dat de migrant ook effectief zal terugkeren. De onderzoekers geloven ook dat de economische en sociale ontwikkeling van het land van herkomst gediend is met terugkerende migranten.[47]

Dit laatste vormt ook een deel van de basisfilosofie van de *politique de codéveloppement* dat sinds 1998 in Frankrijk wordt uitgewerkt. De voorstellen zijn afkomstig van Sami Naïr de kabinetsmedewerker van de toenmalige minister van Binnenlandse Zaken Chevènement en het rapport van Patrick Weil (1997). Deze politiek was er initieel op gericht om de mensen die niet geregulariseerd konden worden tijdens de campagne van 1997-1998 begeleid terug te sturen en hen in het land van herkomst bij te staan in hun poging tot reïntegratie. Maar de *politique de codéveloppement* heeft ook een breder opzet: het wil een poging doen om de migratiegolven te beheersen door ook aandacht te hebben voor de ontwikkelingsproblemen van de migratielanden in de derdewereld. Frankrijk wil de migranten inzetten voor de economische, sociale en culturele ontwikkeling van de landen van herkomst. Wie wil, kan naar Frankrijk komen, maar binnen welbepaalde voorwaarden en zonder vaste verblijfsvergunning. De flexibiliteit van het personenverkeer moet worden bevorderd ten voordele van de landen van herkomst. Desondanks kan een rigoureus beleid inzake verblijfsvergunningen worden gehandhaafd. Op die manier wordt ook een vorm van migratie mogelijk gemaakt zonder het gevolg dat de derdewereldlanden hun beste krachten verliezen. Het idee is dat Frankrijk investeert in de opleiding van de migranten en hen ervaring meegeeft, op voorwaarde dat ze terugkeren zodat ze in hun landen van oorsprong nog een ontwikkelingsrol op zich kunnen nemen. Op die manier wil men aan de internationale solidariteit werken en de migratie uit het strikt politionele discours halen. Op het gebied van het *discours* sprak men van een copernicaanse revolutie, in de praktijk blijken de mooie woorden op niet veel uitgelopen te zijn.[48]

Ook de *TransAtlantic Migration Group* stelt dat het migratiebeleid de hooggeschoolde professionals die in het buitenland zijn tewerkgesteld, moet stimuleren om een bijdrage te leveren aan de economische ontwikkeling van het thuisland. Dit moet niet met een definitieve terugkeer gepaard gaan. De onderzoekers pleiten ervoor om het huidige systeem ongedaan te maken waarbij de migranten die voor langere tijd teruggaan naar het land van herkomst hun verblijfsrecht in het voormalig gastland verliezen.[49] Hooggeschoolden en studenten die terugkeren naar het land van herkomst om er onderzoek te doen of om er te werken, zouden ook het recht moeten behouden om (tijdelijk) naar het westen terug te kunnen keren. Omdat men het recht op verblijf in het westen verliest, worden sommigen afgeschrikt om het westen te verlaten. Men weet immers niet of de remigratie een succes wordt. Met de terugkeeroptie hoopt men meer mensen te motiveren om terug te keren naar het land van herkomst.

Een creatieve implementatie van een gastarbeidersmodel biedt zeker enkele kansen, ook voor de landen van herkomst. Migranten kunnen met een grotere kennis en meer ervaring terugkeren. In de migratieakkoorden tussen de betrokken landen kunnen clausules worden opgenomen over de tewerkstelling van die migranten eenmaal ze terug zijn. Ook het bedrijfsleven kan hiervoor worden geëngageerd, bijvoorbeeld door middel van buitenlandse investeringen. Anderzijds moet men vaststellen dat een terugkeerbeleid nooit echt sluitend gerealiseerd kan worden. De ervaring met de arbeidsmigratie tussen 1950 en 1975 leert hoe moeilijk het kan zijn om mensen te doen terugkeren. Maar de problemen doen zich ook vandaag nog voor. Studenten uit derdelanden die hier komen studeren weten dat ze hier slechts tijdelijk kunnen verblijven. Velen keren inderdaad terug, maar er is altijd een restfractie dat in het gastland probeert te blijven, soms op illegale wijze.

Een afdwingbaar terugkeerbeleid is niet wenselijk omdat het opnieuw voor menselijke drama's zorgt. Wanneer de tijdelijkheid bindend is, zal men in bepaalde gevallen noodgedwongen moeten overgaan tot gedwongen verwijdering. Bovendien geeft het aanleiding tot illegaliteit. Het is mogelijk aan te sturen op tijdelijk verblijf en daartoe ook voldoende stimulansen aan te bieden, maar het is onmogelijk dit werkelijk af te dwingen. Dit impliceert dat men ook bij een gastarbeiderprogramma onmiddellijk in een serieus onthaal- en gelijke kansenbeleid moet voorzien.

Noten

1   Abella, 2000, 3-4, 13-22.
2   Harris, 1995, 132-136; Skeldon, 1997, 150-152; Stalker, 2000, 122-128.
3   Abella, 2000, 8-10, 30-38.
4   Fawcett, 1989; Gurak en Caces, 1993; Portes, 1995.
5   Abella, 2000, 19.
6   In dit verband is de praktijk van Chinese triades bekend. Chinezen worden vaak illegaal tewerkgesteld in Chinese restaurants om zo de onkosten die gemaakt werden voor de reis en de valse documenten terug te kunnen betalen. (CGKR, 2000, 78; Vidal, 1999a, 26-27) Ook de verhalen van jonge meisjes die als au pair, schouwspelartiest of illegaal naar hier worden gehaald om in de prostitutie te belanden zijn bekend. (De Stoop, 1991a; 1992, Van Hecke, 62-63)
7   Morrison, 2000.
8   Widgren, 1994; IOM, 1994; Savona, Di Nicola en Da Col, 1996; Smith, 1997; Salt en Stein, 1997; Godfroid en Vinckx, 1999; Vidal, 1999; 1999a; De Stoop, 1991a; 1992; Van Ammelrooy, 1987; Van Hecke, 1994; Sörensen, 1994; CGKR, 1999; 2000; Morrison, 2000 en themanummer van *International Migration* 38 (2000), 3: *Special issue: perspectives on trafficking of migrants.*
9   Entzinger, 1994, 154-161.
10   Moulaert, 1985, 61.
11   We schreven bijna 'iedereen gelijk voor de wet', maar dat zou niet volledig juist zijn. Wat betreft de sociale rechten zijn alle legale inwoners in de meeste Europese staten wel gelijk voor de wet, maar dat geldt niet voor de politieke rechten. Het is opmerkelijk hoe de verzorgingsstaten op het punt van de politieke en burgerrechten veel minder genereus zijn (geweest) dan bij het toedelen van sociale rechten. Een opvatting van burgerschap die het aspect van politieke rechten en participatie negeert, kan geen volwaardige conceptie van burgerschap worden genoemd. Stemrecht is geen voldoende, maar wel een noodzakelijke voorwaarde voor de emancipatie van migranten in een samenleving. Het moet duidelijk maken dat hun inbreng en verantwoordelijkheid serieus wordt genomen en dat ze er werkelijk bijhoren als volwaardige burgers en niet langer met een tweederangsstatuut worden gepaaid. Voor literatuur over (het gebrek aan) politieke participatie en burgerschap verwijzen we naar Brubaker, 1989; Hammar, 1990; Layton-Henry, 1990; Bauböck, 1994; Soysal, 1994; De Haan, 1995; Jacobson, 1996; Hubeau en Foblets, 1997; Jacobs, 1998; Castles, 2000 en 2000a.
12   Voor een pleidooi in die richting: Lof, 1998, o.a. 22, 38.
13   Wat betreft huisvesting cf. VAN DUGTEREN, F., *Woonsituatie minderheden*, Rijswijk, Sociaal en Cultureel Planbureau (SCP), 1993.
14   Emmer en Obdeijn, 1998, 15-19.
15   Entzinger, 1994, 142.
16   Enzensberger, 1993, 60. Of zoals Vlaamse socialist Johan Vande Lanotte (1999) het schreef: wie rechtvaardig wil zijn in het land moet streng zijn aan de poort.
17   Het standpunt van Philip Muus in Vandaele, 1999, 100 e.v.. Dit scenario zou een voortzetting betekenen van Abram De Swaans historische trend die hij beschrijft in zijn *Zorg en de staat*, Bert Bakker, Amsterdam, 1989.
18   Pogingen om een omvattende kosten-batenanalyse te maken van de buitenlandse immigratie lopen steeds vast. Van enkele onderdelen van de sociale zekerheid kwam Ph. Muus tot de bevinding dat vreemdelingen er meer dan evenredig een beroep op doen: gezondheidszorg, volkshuisvesting, algemene bijstand en arbeidsbemiddeling. Aan de andere kant staat dan weer dat zij in hogere (en duurdere onderwijsvormen) ondervertegenwoordigd zijn en zelden naar de zwaar gesubsidieerde schouwburg of opera gaan. (MUUS, P., *Internationale migratie, arbeidsmarkt en sociale zekerheid*, in SOCIAAL-ECONOMISCHE RAAD, *Migratie, Arbeidsmarkt en Sociale Zekerheid*, 's-Gravenhage, 1992, 32-33; Entzinger, 1994) Voor de VS zijn er verschillende studies die erop wijzen dat immigranten gemiddeld meer bijdragen dan ze terugkrijgen: Simon, 1989, 105-142; Isbister, 1996, 153-156; Harris, 1995, 204-207.
19   Talhaoui, 1999, 61, Foblets, 1999, 301-304.

20 Pinto en Van Ree, 1998, 100.

21 Dit was één van de kerngedachten van het rapport *Allochtonenbeleid* (1989) van de Wetenschappelijke Raad voor het Regeringsbeleid (WRR) in Nederland. cf. Loobuyck, 2000, 23.

22 Zie ondermeer Akbari, 1999, 156-160.

23 De *Trans-Tasman travel Agreement* bepaalt dat burgers van Nieuw-Zeeland en Australië zich vrij kunnen vestigen en werken in één van de twee landen.

24 Voormalige Australische burgers of Australische inwoners of familie van Nieuw-Zeelanders die permanent in Australië verblijven.

25 *Working Holiday Makers program* laat mensen tussen de 18 en 25 jaar toe om hun vakantie in Australië door te brengen en er te werken met de lokale bevolking om in hun onderhoud te voorzien. Elk jaar gaan ook meer dan 22.000 jonge Australiërs naar het buitenland (ondermeer naar Groot-Brittannië) voor dergelijke werkvakantie.

26 Australian Department of Immigration and Multicultural Affairs, 1999, 48.

27 Bean e.a., 1990.

28 Isbister, 1996, 60-91. Zie ook Massey e.a., 1998, 60-107 en Harris, 1995, 93-102.

29 Woodrow-Lafield, 1998, 145-173. Zie ook Simon, 1989, 277-306 en Bean e.a., 1990.

30 SOPEMI, 1999, 222-227.

31 Akbari, 1999, Freeman, 1999, 95; SOPEMI, 1999, 121.

32 Tussen 1993 en 1997 zijn op die grens, aan de Rio Grande, 1600 doden gevallen. Eschbach en Hagan, 1999.

33 Australian Department of Immigration and Multicultural Affairs, 1999, 41.

34 Cross en Waldinger, 1997.

35 Martin e.a., 2000, 33-34.

36 Hollifield, 1992; 1998. Zie ook Habermas in Deraeck, 1994, 142.

37 Heuser en Hillenbrand, 1996. Dit is ook de teneur van de Mededeling van de Europese Commissie (november 2000) over een gemeenschappelijk migratiebeleid (cf. infra).

38 Hollants, 1998.

39 cf. Reniers, 1999.

40 Cohn-Bendit, 1995; Vandevelde, 1999, 113-114. Zie ook Elster 1992.

41 Vandevelde, 1999 en Vandevelde in Stichting Gerrit Kreveld, 2000.

42 SOPEMI, 1999, 24.

43 Vandevelde in Stichting Gerrit Kreveld, 2000.

44 Martin e.a., 2000, 27-28.

45 Wets, 2000, 254. Hij wordt ook geciteerd in Vandaele, 1999, 95 en Vidal, 2000. Wets lijkt niet te spreken over volgmigratie. Deze procedure moet hier ongetwijfeld als vijfde poort aan toegevoegd worden.

46 Groenlinks, 1999; Doomernik e.a., 1996, 69.

47 De IMES-onderzoekers zijn niet ondubbelzinnig. Ze houden er al rekening mee dat het waarschijnlijk binnen afzienbare tijd wenselijk zal zijn dat de migranten hier blijven. De terugkeerstimulans zou dus maar tijdelijk worden ingesteld. Bovendien zouden de migranten die van ver en op eigen kosten komen het recht op blijvende vestiging moeten krijgen. Voor hen moet een duurzame werkkring en opname in de gastsamenleving gegarandeerd worden. Men moet bovendien rekening houden met een mogelijke deels illegale volgmigratie.

48 *Le Monde*, 22 juni 1999.

49 Martin e.a., 2000, 26.

3. Naar een internationaal migratiebeleid

3.1 Bouwstenen en strategieën voor een internationaal migratiebeleid

Ondanks de globalisering blijven de staten zich profileren op het gebied van migratie-controle.[1] Dit is niet verwonderlijk aangezien het migratieprobleem maar bestaat omdat er afgebakende staten zijn. Vreemdelingencontrole en immigratieregelingen werden op initiatief van de staten uitgevoerd om de eigen gemeenschap te beschermen en om de bestaansgrond van de staten zelf niet te ondermijnen. Tot zover past het migratiebeleid in de neorealistische theorie die de staten als de belangrijkste actoren beschouwt op het internationale forum. De staten handelden meestal ook op eigen houtje. De internatio-nale samenwerking op het gebied van het migratiebeleid staat nog niet ver. Het interna-tionale vluchtelingenbeleid op basis van de Conventie van Genève en onder leiding van *UNHCR* is hierop een uitzondering, en dan nog. De samenwerking was vooral ingege-ven door de realiteit van de koude oorlog die de liberale staten deed samenspannen tegen de landen achter het IJzeren Gordijn. De *UNHCR* werd na 1945 al verschillende keren met enorme vluchtelingencrisissen geconfronteerd, maar initiatieven om de sa-menwerking te verdiepen (*burdensharing*, harmoniseren van asielprocedures, steun aan vluchtelingen ter plaatse, het opzetten van vluchtelingenkampen, conflictpreven-tie) krijgen weinig bijval. Ondanks de erkenning van een internationaal vluchtelingen-regime blijft de *UNHCR* een relatief zwakke organisatie die teveel op de goodwill van enkele sponsorlanden moet rekenen.

Op het gebied van arbeidsmigratie was de samenwerking lange tijd helemaal on-bestaand. Tussen 1945 en 1975 hadden de West-Europese landen nood aan extra werk-krachten, maar aangezien het potentieel arbeiders, eerst in Zuid-Europa daarna in Turkije en de Maghreblanden, quasi onuitputtelijk was, stelden zich geen problemen die tot meer samenwerking noopten. Het resultaat was dat elk land een eigen systeem van rekruteren en een eigen opvangbeleid had. In veel gevallen bestond er wel een bilateraal akkoord tussen het gastland en het land waar werd gerekruteerd.[2] Dit was niet enkel zo voor de Europese gastarbeidersprogramma's, ook het *bracero* programma van de jaren veertig tot in de jaren zestig was een bilaterale overeenkomst tussen de VS en Mexico.

Het migratiebeleid van de OESO-landen na 1974 stond hoofdzakelijk in het teken van de migratiestop en de strijd tegen illegale migratie. De bestaande arbeidsmigratie-programma's in de westerse wereld (VS, Canada en Australië) en de Golfstaten zijn meestal niet meer bilateraal maar unilateraal georganiseerd.[3] Dit betekent dat landen op basis van eigen criteria buitenlandse werknemers kunnen toelaten, zonder dat het emigratieland enige regulerende invloed heeft. Ondanks het bestaan van de Internatio-nale Organisatie voor Migratie (*IOM*), het Internationaal Arbeidsbureau (*ILO*) in Genève en enkele internationale organisaties binnen de Verenigde Naties zijn maar weinig inspanningen geleverd door de afzonderlijke landen om de migratie op een multilaterale basis te benaderen. De EU is slechts tot op zekere hoogte een uitzondering op het soloslimgedrag van de natiestaten.

Bilaterale en multilaterale samenwerking

Een unilateraal migratiebeleid is onvoldoende in staat de migratie in goede banen te leiden. Daarom werden dikwijls bilaterale akkoorden afgesloten tussen het land van herkomst en het gastland. Beide landen kunnen voordeel halen uit de samenwerking.[4] Het gastland heeft de hulp nodig van het land van herkomst om de kwaliteit van de paspoorten te verbeteren, het gebruik van valse papieren tegen te gaan, de rekrutering te organiseren, te controleren of de migranten hun land op een legale wijze verlaten hebben, de mensensmokkel aan de basis aan te pakken, mensen terug te kunnen sturen die niet over een legaal verblijfsrecht beschikken (readmissie), de mensenrechtenschendingen en de corruptie te bestrijden of andere taken op zich te nemen die het reguleren van de migratie ten goede komen.

De landen van herkomst kunnen zorgen dat de rekrutering niet enkel door het gastland wordt georganiseerd waardoor het mensen verliest die men liever niet wil laten vertrekken; ze moeten erop aansturen dat hun emigranten een volwaardig statuut krijgen, dat ze voldoende worden beschermd, dat er voldoende onderwijs is en dat ze visa krijgen voor hun zakenmensen; ze kunnen er eventueel op aandringen dat er met een terugkeerformule wordt gewerkt en erop aansturen dat het gastland in de ontwikkeling van het land investeert (DBI en ontwikkelingshulp) en dat er handelsrelaties worden aangeknoopt; ze moeten zorgen dat het geld dat migranten willen terugsturen gemakkelijk ter plaatse raakt en dat er een goed investeringsklimaat heerst.

De bilaterale samenwerking tussen de gastlanden en de landen van herkomst kan gebaseerd zijn op het veiligstellen van de eigen belangen die dikwijls zijn tegengesteld aan die van de partner. De onderhandeling voor samenwerking kan daarom de vorm aannemen van een ruilovereenkomst. Dit ligt anders voor de samenwerking tussen landen met dezelfde belangen, bijvoorbeeld tussen immigratielanden.

Omdat er geen internationaal verdrag is en er geen internationale organisatie bestaat die zwaar genoeg weegt om de staten rond het onderwerp te verenigen of hen in collectieve acties te begeleiden, kan een internationaal migratieregime enkel ontstaan uit bi- of multilaterale samenwerking. De samenwerking kan in een latere fase worden uitgebreid zodat een gemeenschappelijk beleid kan ontstaan op transnationaal niveau. De geschiedenis van de EU toont hoe een multilaterale samenwerking kan uitgroeien tot een transnationale instantie.

John Gerard Ruggie (1998) onderscheidt drie voorwaarden voor een multilaterale samenwerking. Vooreerst moet het onderwerp van samenwerking als een publiek goed worden aanzien. Dit betekent dat men het niet wenselijk acht dat één enkel land of een kleine groep landen de kosten en/of baten van het goed volledig op zich neemt. Men gaat ervan uit dat de kosten en baten van dat publieke goed zoveel mogelijk gelijk verdeeld moeten worden onder de verschillende staten. De tweede voorwaarde is dat er enkele principes en regels totstandkomen waar de verschillende betrokken landen zich moeten aan houden en die het gedrag van de verschillende betrokken landen kunnen veranderen. Tot een consensus komen over deze principes en regels is niet altijd even gemakkelijk aangezien de verschillende landen meestal ook zeer uiteenlopende belangen te verdedigen hebben. Een derde voorwaarde is de reciprociteit. De landen moeten elkaar vertrouwen en ervan uitgaan dat iedereen zich aan de regels van het spel zal houden. Reciprociteit wordt gestimuleerd als er een gemeenschappelijk doel is, op lange termijn, waar alle betrokken landen in geloven en beter kunnen van worden.

Hoe verhouden deze drie voorwaarden zich tot het migratiebeleid? Zijn staten bereid hun soevereiniteit op te geven om te evolueren naar een internationaal beleid dat minder rekening zal houden met strikt nationale belangen? Ondanks het feit dat veel landen met eenzelfde migratierealiteit geconfronteerd worden, is het nog onduidelijk in hoeverre de internationale gemeenschap de migratie als een publiek goed beschouwt. De situatie is in dat opzicht volledig anders voor de handel en de economie aan de ene kant en de migratie aan de andere kant. De vrijhandel werd onder druk van de VS vrij snel als een publiek goed beschouwd waar iedereen zijn voordeel kon uithalen. Het *GATT*-systeem moest verzekeren dat de kosten en de baten van de vrije handel eerlijk werden verdeeld. Vrije handel zou niet enkel leiden tot een verhoging van de productie, een verhoogde output en een optimaal evenwicht tussen vraag en aanbod, het zou ook de onderlinge afhankelijkheid, en de internationale stabiliteit en vrede bevorderen (*peace through trade*). Deze economische argumentatie lijkt minder aan te slaan op het gebied van de migratie. Er bestaat geen equivalent van de *GATT*-rondes inzake migratie. Migratie wordt teveel benaderd vanuit het standpunt van de staten en de nationale overheden, terwijl er een universeel perspectief nodig is dat aanstuurt op gemeenschappelijke politieke actie.[5] De belangen van de lageloon- en ontwikkelingslanden zijn meestal moeilijk in overeenstemming te brengen met de belangen van de geïndustrialiseerde wereld. De eerste groep landen wil haar arbeids- en bevolkingsoverschot laten emigreren, terwijl de geïndustrialiseerde landen slechts in bepaalde periodes grote aantallen buitenlandse arbeiders toelaten. Terwijl de economische groei in de geïndustrialiseerde wereld bestendig groeit, verloopt de vraag naar migratie eerder in hoogtes en laagtes. Migratie zal dus niet op basis van een economische logica maar eerder op basis van socio-culturele en politieke redenen als een publiek goed behandeld worden: ondermeer omdat migratie bedreigend overkomt voor de natiestaten en omdat het onmogelijk is als staat om de migratie op unilaterale basis te controleren zonder draconische niet-liberale maatregelen te nemen die de basis van de liberale staat zelf aantasten. Om deze redenen kunnen en zullen individuele landen zich genoodzaakt weten multilaterale afspraken te maken omtrent migratiemanagement om tot een *orderly movement of people* te komen.

Welke regels en principes de basis kunnen vormen voor internationale samenwerking is nog altijd onderwerp van debat. De basisvoorwaarde opdat men überhaupt over een gemeenschappelijk migratiebeleid kan nadenken is de erkenning dat de westerse landen immigratielanden zijn. Het beleid moet weten dat migratie een blijvend fenomeen is waar alle vergevorderde industrielanden mee te maken krijgen.[6] Dit inzicht is pas recent verworven.

De regels die bepalen of economische migranten al dan niet toegelaten kunnen worden tot een land zijn nog steeds stevig in handen van de natiestaten en noch de VN, noch de *IOM* noch de *ILO* hebben daar veel over te zeggen. Deze organisaties nemen het wel op voor de rechten van de migranten. Aangezien de migratie in veel geïndustrialiseerde landen negatief wordt benaderd, ziet men geen voordeel in multilaterale samenwerking hieromtrent. De meeste staten kiezen voor een meer kortzichtige uni- of bilaterale vorm van controle: er wordt een streng visumbeleid gehandhaafd, enkel het gastland bepaalt wie binnenkomt, de grenzen worden zoveel mogelijk dichtgehouden en er worden terugnameakkoorden gesloten.

In een regio waar de asymmetrie tussen de landen minder uitgesproken is, kan gemakkelijker gedacht worden aan een systeem van collectieve actie op basis van samenwerking. Wanneer de belangen van landen gedeeltelijk op één lijn kunnen worden gezet, kan er samenwerking ontstaan op basis van vertrouwen en reciprociteit. De samenwerking binnen de EU is hiervan een voorbeeld. Staten mogen zelfs maar toetreden tot de EU nadat ze voldoende blijk gegeven hebben dat ze dezelfde belangen behartigen als de andere EU-lidstaten. In feite wordt het probleem van een fundamenteel gebrek aan samenhorigheid op die manier op institutionele wijze vermeden. De landen die op termijn willen aansluiten bij de EU werken ook samen met EU-landen om hun beleid in toenemende mate op de EU-vereisten af te stemmen. Polen en Hongarije (01-02-1994), Roemenië, Bulgarije, Tsjechië en Slovakije (01-02-1995) en Slovenië (01-02-1999) hebben de *Europe Agreements* aanvaard als onderdeel van een bredere *pre-accession strategy* die door de Europese Raad werd aangenomen op de vergadering in juni 1993 in Kopenhagen. De *Europe Agreements* zijn bilaterale akkoorden tussen de EU en het respectieve land en ze bevatten ondermeer afspraken aangaande migratie en de bewegingsvrijheid van goederen en arbeid.

Ook de samenwerking tussen de verschillenden landen in Centraal- en Oost-Europa zit in de lift. Deze landen zijn na 1989 in toenemende mate ook immigratielanden geworden. Bepaalde landen worden steeds meer als transitland gebruikt. Om de migratie van en naar het voormalige Oost-Europa beter te controleren werken de verschillenden landen onderling samen. Bovendien wordt ook samengewerkt met verschillende OESO-landen.

In november 1997 onderschreven Canada en de VS de *Strategic Vision for Canada-US Border Co-operation*, een bilateraal samenwerkingssysteem om hun gemeenschappelijke grenzen beter te controleren. In het kader van de *North American Free Trade Agreement* (*NAFTA*) bestaat er voor businessmensen, investeerders en professionals een grote bewegingsvrijheid tussen de landen. Deze categorie van mensen mag ook tijdelijk in één van de landen verblijven. Sinds 1987 ontmoeten de VS en Mexico elkaar jaarlijks in de *Working Group on Migration and Consular Affairs of the U.S.-Mexico Binational Commission* en sinds 1996 komt de *Regional Migration Conference* (of *Puebla Group*) jaarlijks samen om de migratiethematiek in Noord- en Centraal-Amerika en de Caraïben te bespreken. Beide groepen maken vorderingen in de onderhandelingen over de rechten van migranten en werken samen om de mensen-smokkel te bestrijden. Mexico dringt ook aan om onderwerpen als economische ont-wikkeling en tewerkstellingsbeleid in de onderhandelingen op te nemen. De resultaten van deze bijeenkomsten zijn de eerste bouwstenen van een Noord-Amerikaans migratieregime. Wat betreft het asielbeleid wil Canada met de VS en een aantal andere landen een soort Dublinconventie afsluiten.

De TransAtlantische denktank rond migratie insisteert niet alleen op meer samen-werking in Europa en Noord-Amerika maar ook over de Oceaan heen.[7] Amerika en Europa hebben wel een erg verschillende geschiedenis en traditie, maar toch dient het migratiethema zich op veel punten op een gelijkaardige wijze aan. Het is daarom zeker zinvol de koppen bij elkaar te steken om van elkaar te leren en om op beleidsniveau naar meer convergentie te kunnen streven. Grotere harmonisering op beleidsniveau laat toe om enkele globale migratieproblemen, bijvoorbeeld de mensensmokkel en de ille-gale migratie, beter aan te pakken. Bovendien zendt een geharmoniseerd beleid duide-lijke boodschappen uit naar potentiële migranten over de toelatingsregels in de ver-schillende landen en continenten.

Strategieën

Door de marktverhoudingen groeit de economische interdependentie en de internatio-nale markt zowel voor hoog- als laaggeschoolden. Gezien de omvang en de complexi-teit van het migratiefenomeen zal de roep naar internationale samenwerking op het gebied van de migratie steeds pregnanter worden. Als het genoemde vertrouwens- en reciprociteitsprincipe geen voldoende basis kan zijn voor samenwerking, kunnen an-dere strategieën worden aangewend. We noemen er twee: samenwerking op basis van centralisatie en samenwerking door overreding, desnoods door migratie te koppelen aan andere onderwerpen. De Schengenovereenkomsten en de regelingen op het niveau van de EU zijn voorbeelden van samenwerking op basis van centralisatie. Dit was vrij eenvoudig omdat de verschillen tussen de landen niet extreem waren zodat men zich kon inspannen voor gemeenschappelijke doelen. Bovendien was er een vrij goed uitge-bouwd institutioneel kader.

Maar de migratie kan ook op de internationale agenda worden geplaatst via een omweg. Staten kunnen internationale migratie als politiek instrument of als drukkings-middel gebruiken binnen hun politieke buitenlandse betrekkingen of het onderwerp binnenbrengen in hun onderhandelingen over handel en economie.[8] Samenwerking op economisch gebied kan in een later stadium als basis dienen voor meer samenwerking inzake migratie (cf. NAFTA en de EU). Migratie en economie zijn immers op verschil-lende punten met elkaar verweven. Veel migratie blijkt nog steeds economisch te zijn gemotiveerd. Zo kunnen migratie en economie worden gelinkt. Landen kunnen daarom samenwerken om de migratiedruk te verminderen.[9] Wanneer landen door samenwer-king met specifieke migratieregio's en -landen erin slagen de loonsverschillen te ver-minderen, de economische groei te bestendigen en de arbeidsmarkt te stabiliseren zullen ook de motieven om te migreren op termijn verminderen. De landen kunnen ook samenwerken om ervoor te zorgen dat het geld dat wordt teruggestuurd goed wordt besteed, in het voordeel van het thuisland. Ook de genoemde *migration hump* die op korte termijn kan optreden bij economische veranderingen kan beter opgevangen worden als er een samenwerking tussen de betrokken landen bestaat.

Op het niveau van de EU is de *High Level Working Group (HLWG)* opgericht tijdens de top van Wenen (december 1998). De *HLWG* wil door samenwerking met immigratielanden de dieperliggende oorzaken van migratie aanpakken. De geselecteerde landen waren: Afghanistan, Iran, Pakistan, Irak, Marokko, Somalië, Sri Lanka en Albanië. De *HLWG* werd in haar opdracht bevestigd tijdens de top van Tampere (oktober 1999), hoewel er ook veel kritiek was. Verschillende ngo's vonden de keuze van de landen op zijn minst ongelukkig. Men vroeg zich ook af of het rechtvaardig is om de landen die in aanmerking komen voor hulp te selecteren op basis van de migratie en niet op basis van de behoefte. De organisaties laakten ook het verschil dat bestaat tussen het gevoerde discours en het effectieve beleid. In plaats van over economische steun gaan de maatregelen vooral over het tegenhouden en terugsturen van migranten. Zo komt er geen samenwerking tot stand in het belang van beide partijen. Het is vooral de EU die de samenwerking oplegt ten voordele van zichzelf.

De kritiek is terecht. Toch is de strategie waarbij een machtig land of een machtige groep landen de migratie als onderwerp oplegt aan andere landen niet a priori verkeerd. Net zoals het respect voor de mensenrechten in onderhandelingen opduikt, kan ook migratie een negotiatiethema worden. Dit gebeurt bijvoorbeeld bij de onderhandelingen over de toetreding tot de EU. Ook hier lijkt de strategie initieel meer op een manipulatiespelletje, maar het kan op lange termijn wel uitmonden in een meer evenwaardige samenwerking in het belang van de verschillende partners. De *tactical issue linkage* is een strategie die kan worden gebruikt bij gebrek aan beter, bij gebrek aan overeenkomstige belangen inzake migratie waardoor de samenwerking anders helemaal zou uitblijven.

Het westen kan het voortouw nemen om internationale samenwerking inzake migratie tot stand te brengen. In plaats van paniekerig te reageren en ad hoc maatregelen te nemen, moet het migratiefenomeen door de lange-termijn-bril worden bekeken. De vermindering van de migratie is geen doel op zich, het gaat erom de migratie beter te reguleren en sociale misstanden te verhinderen. Samenwerkingsverbanden bieden ook de mogelijkheid om andere dingen ter sprake te brengen: democratisering, mensenrechten, handelsvoorwaarden en het stimuleren van een goed economisch beleid. De liberale staten moeten assertief zijn om migratie op de internationale agenda te krijgen, multilaterale samenwerking tot stand te brengen opdat migratie niet langer als bedreigend overkomt voor de sociale, culturele, politieke en economische stabiliteit. Gastlanden en herkomstlanden moeten samenwerken op basis van partnerschap. Het doel van de samenwerking is de migratie te managen, in het voordeel zowel van alle betrokken landen als van de migrant zelf.

3.2 De aanzetten voor een gemeenschappelijk Europees migratiebeleid

In de EU zijn de drie voorwaarden die Ruggie noemt voor de uitbouw van een multi-lateraal migratiebeleid misschien nog het best vervuld in vergelijking met andere delen van de wereld. De EU-lidstaten zijn nauw op elkaar betrokken waardoor een beleid op nationaal niveau ontoereikend is. Significante verschillen in nationale regelgeving kunnen directe repercussies hebben voor andere lidstaten. Alleen al het openstellen van de binnengrenzen impliceerde gemeenschappelijke afspraken, ondermeer betreffende het migratiebeleid.

In Europa worden pogingen ondernomen om verder te gaan met de internationale samenwerking inzake migratie. Voor de Europese burgers geldt alvast een eigen migratieregime binnen de EU. Maar men wil ook afspraken maken omtrent de toelating van nieuwkomers van buiten de EU. Het gaat echter om een langzaam en vrij moeizaam proces. Vooralsnog stond het gemeenschappelijk streven vooral in het teken van de beperking van het aantal asielzoekers en illegalen. Daarom wordt de nadruk gelegd op de controle van de buitengrenzen, het visumbeleid en het harmoniseren van het asielbeleid.[10] Over een actief en gemeenschappelijk uitgewerkt migratiebeleid is nog maar weinig gesproken, hoewel hier en daar eerste aanzetten worden gegeven.

Intergouvernementele samenwerking

De besluitvorming binnen de EU over het toelatingsbeleid is intergouvernementeel, buiten de communautaire instellingen om. De rol van het Europees parlement en de Europese Commissie is minimaal. Veel werkgroepen die voorbereidend en uitvoerend werk verrichtten, bestonden uit ambtenaren van de nationale overheden. Ook het Verdrag van Schengen (juni 1985) is op intergouvernementele wijze totstandgekomen. De Schengenovereenkomst was vrij summier omdat de regeringsleiders nauwelijks een beeld hadden van de gevolgen van het besluit om de binnengrenscontroles op te heffen. Daarom is het akkoord in juni 1990 aangevuld met een uitvoeringsovereenkomst. Het akkoord voorziet in de afschaffing van de grenscontroles, gekoppeld aan een omvangrijk pakket veiligheidsmaatregelen, die ondermeer betrekking hebben op de harmonisering van de controles aan de buitengrenzen, visumverstrekking, asiel- en vreemdelingenrecht.

Het Verdrag van Maastricht (februari 1992) bepaalt dat de ministers in de toekomst zouden streven naar een harmonisatie van het toelatingsbeleid (visa, asielprocedure, de familie- en arbeidsmigratie). Het visumbeleid valt onder de communautaire eerste pijler, het asiel- en migratiebeleid vallen onder de derde pijler.[11] Titel VI van het Verdrag betreft de politiële en justitiële samenwerking waarvan het asiel- en migratiebeleid onderdeel zijn. Migratie wordt dus onder hetzelfde dak gestoken als misdaadbestrijding. De migratie wordt op die manier wel erkend als een 'aangelegenheid van gemeenschappelijk belang', die de lidstaten tot samenwerking verplicht, ook al blijft die samenwerking binnen de derde pijler intergouvernementeel. Zowel de lidstaten als de Europese Commissie kunnen voorstellen doen en het Europees parlement moet op de hoogte worden gebracht van de werkzaamheden en worden geraadpleegd omtrent de voornaamste aspecten van de activiteiten van de Raad. Alleen de Raad van ministers kan – met unanimiteit – beslissingen nemen.

Het verdrag van Amsterdam (juni 1997, in werking sinds 1 mei 1999) betekent een belangrijke stap op weg naar een gemeenschappelijk migratiebeleid. Het verdrag heeft het Schengenacquis in het EU-recht geïncorporeerd en brengt een deel van de derde pijler over naar de eerste pijler. Deze 'communautarisering van de derde pijler' zal van toepassing zijn op alles wat betrekking heeft op de overschrijding van de buitengrenzen, de immigratie en de gerechtelijke samenwerking. Na een periode van vijf jaar neemt de Raad met eenparigheid van stemmen, na raadpleging van het Europees parlement, een besluit ten einde de communautaire procedures en het stemmen bij gekwalificeerde meerderheid toe te passen op de betreffende beleidsthema's. Tijdens de overgangsperiode kan enkel de Raad beslissingen nemen onder de unanimiteitsregel. Na die vijf jaar, in 2004, zouden de normale Europese procedures van toepassing zijn waardoor het Europees parlement en de Europese Commissie meer bij de besluitvorming betrokken zullen worden. De Commissie krijgt dan het exclusieve initiatiefrecht, wat ze nu nog moet delen met de lidstaten.

Ter voorbereiding van de top in Tampere (oktober 1999) hebben Duitsland en Frankrijk samen een nota opgesteld, waar het Verenigd Koninkrijk zich heeft bij aangesloten. Er wordt gepleit een einde te maken aan de idee van de migratiestop. De zeromigratie bestaat toch niet en het komt erop aan de immigratie gecoördineerd aan te pakken. Dat betekent dat er naast de asielprocedure en het recht op gezinshereniging een extra toegang tot Europa moet worden gecreëerd. Er moet worden nagedacht over de concrete toelatingsvoorwaarden. Deze moeten aangepast zijn aan 'de particuliere situatie van elk land' en aan hun 'integratiecapaciteit'. De landen zouden quota kunnen invoeren die bepalen hoeveel vreemdelingen elk land kan binnenlaten en onder welke voorwaarden. Het oordeel hieromtrent moet wel een nationale bevoegdheid blijven. Ook de Nederlandse nota stelde dat een volwaardig Europees migratiebeleid een luik over arbeidsmigratie moet bevatten. Ondanks de voorbereidende nota's is arbeidsmigratie op de top zelf niet aan bod gekomen. De nota's maken wel duidelijk dat een Europees debat hierover er onvermijdelijk aankomt.

Onder het Franse voorzitterschap van de EU kwamen in juli 2000 de EU-ministers van Binnenlandse Zaken bijeen in Marseille. Op uitnodiging van Jean-Pierre Chevènement werd daar ook over de migratiepolitiek van gedachten gewisseld. Men concludeerde dat in de toekomst op selectieve wijze opnieuw meer gastarbeiders zouden moeten kunnen worden toegelaten. De ministers legden er wel de nadruk op dat de immigratie gecontroleerd moet blijven. Ze reageerden ook op het VN-rapport *Replacement Migration*. De instroom die het rapport nodig acht, is niet haalbaar omdat ze voor meer sociaal-economische problemen zou zorgen dan ze er oplost.

In de tweede helft van 2001 moet België het voorzitterschap van de EU waarnemen.

Met haar mededeling over migratie heeft de Europese Commissie het debat over het Europees immigratiebeleid opnieuw gelanceerd. In de mededeling kondigt Commissaris Vitorino aan dat hij de lidstaten wil vragen vooruitzichten te maken over hoeveel migranten zij in de toekomst willen toelaten en over welke kwalificaties ze moeten beschikken. Op basis van jaarrapporten zou een evaluatie gemaakt worden van de arbeidsmarktbehoeften die besproken worden met de sociale partners, de regionale en lokale overheden en de organisaties die instaan voor de opvang en integratie van migranten. Europa zou dit proces coördineren. De reactie van de regeringen in de lidstaten varieert van aarzelend tot negatief. Voorlopig is enkel afgesproken dat er een grondig debat zal worden gevoerd over economische migratie op een conferentie tijdens het Belgisch voorzitterschap in de tweede helft van 2001. In de toekomst zou de Commissie werk maken van een wetgevend voorstel over toelating en wettelijke status van migranten in de EU.

Nochtans is het de hoogste tijd dat men onder ogen ziet dat het 'zero-migratiebeleid' heeft gefaald. Politiek komt het misschien goed uit om te roepen dat de Europese deur stevig op slot zit, maar in de praktijk is de migratiestop een façade die in de kaart speelt van georganiseerde criminele circuits van mensenhandelaars en van gewetenloze patroons. Hoe strenger de controle, hoe meer migratie ondergronds gaat, met alle gevolgen voor de migranten en voor de samenleving. Of blijven we weigeren te zien dat de renovatiebouw volop draait op Poolse bouwvakkers, dat Oost-Europese poetsvrouwen en Afrikaanse bordenwassers eerder de regel dan de uitzondering geworden zijn? In vele sectoren is een onzichtbaar arbeidsleger aan het werk zonder papieren, goedkoop en makkelijk uit te buiten. De officiële migratiestop zorgt er ook voor dat mensen enkel door de asielpoort (eerder het asielsleutelgat) Europa binnen kunnen. Negen op tien van die asielzoekers maakt geen kans op erkenning. De druk op de asielprocedure bedreigt dit onmisbare humanitaire instrument. Wie bescherming nodig heeft wegens vervolging krijgt ze misschien niet langer, want overal worden de asielprocedures verscherpt, vluchtelingen worden tegengehouden in herkomst- en transitlanden en sluitende rechten op non-refoulement zijn er ook niet meer. Dus komt er beter een nieuw legaal kanaal voor arbeidsmigratie.

De Europese Commissie heeft nog andere argumenten. Verschillende lidstaten kennen nu al aanzienlijke tekorten in sommige sectoren op de arbeidsmarkt. Italië en Spanje hebben quota voor seizoenarbeiders, in Duitsland kunnen werkgevers tijdelijke contracten afsluiten met arbeiders uit Oost-Europa en worden er informatici gerekruteerd uit India. De krapte op de arbeidsmarkt zal in de toekomst nog scherper worden. Alhoewel de bevolking in de EU tegen 2025 nog zal stijgen tot 386 miljoen, daalt het aantal actieven met 5%, terwijl de 65+ ers bijna een kwart van de bevolking zullen uitmaken. Zelfs de meest doorgedreven politiek van de actieve welvaartstaat, met hogere activiteitsgraden, langere loopbanen, opleiding en begeleiding van werklozen zal niet volstaan om dit demografisch en arbeidsmarktprobleem op te lossen.

Daarom komt de oproep van de Europese Commissie om op gecontroleerde manier meer immigratie toe te laten op een goed moment. Of er daardoor een echt Europees migratiebeleid komt in de volgende jaren, is nog de vraag. Duitsland en Oostenrijk laten nu al horen dat ze overgangstermijnen willen voor het vrij personenverkeer vanuit de kandidaat-lidstaten. Andere landen halen terecht aan dat er in de EU nog veel werklozen zijn en dat sociale dumping met lage loonwerkers absoluut moet vermeden worden. Maar men kan niet ontkennen dat het probleem ook te maken heeft met een diepe angst voor vreemdelingen. Officieel erkennen dat Europa een immigratiecontinent is, lijkt een brug te ver. De Europese Commissie zegt dan ook terecht dat men rekening moet houden met de integratiecapaciteit van de samenleving en de aanvaarding door de publieke opinie. Het toekomstig Europees migratiebeleid zal in elk geval nood hebben aan een sterk politiek leiderschap, een duidelijk engagement voor een multiculturele samenleving en een vastberaden verwerping van racisme en xenofobie.

Anne Van Lancker
SP Europees parlementslid
Februari 2001

Dit voorzitterschap valt samen met een eerste evaluatie van het gemeenschappelijk Europees beleid inzake asiel en migratie.

De Europese Commissie over arbeidsmigratie

Ondanks de intergouvernementele besluitvorming, zijn er toch enkele communautaire initiatieven. In februari 1994 presenteerde de Europese Commissie haar tweede mededeling aan de Raad en aan het Europees parlement over migratie en asiel.[12] De eerste mededeling verscheen in 1991. Beide documenten vertrekken vanuit drie uitgangspunten: het antwoord van de EU en van de lidstaten op de immigratiedruk, de controle van de migratiestromen en de bevordering van de integratie van migranten. In de tweede mededeling merkte de Commissie op dat sommige lidstaten wegens de slechte socio-economische situatie en de hoge werkloosheid niet alleen een restrictief beleid voeren inzake migratie om arbeidsredenen, maar ook de andere immigratiekanalen vernauwd hebben. De Commissie pleitte ervoor de migratie in een breder kader aan te pakken. Op korte termijn moet men inderdaad restrictief blijven optreden tegen economische migratie, maar er wordt ook een eerste opening gemaakt om op termijn over aanvullende quota na te denken. Gelet op de demografische veranderingen en de noden van de arbeidsmarkt moet onderzocht worden in hoeverre migratie in de toekomst aan deze evoluties tegemoet kan komen. De Commissie adviseert om minder restrictief te zijn inzake bepaalde tijdelijke arbeidsmigratieprogramma's.

In juli 1997 heeft de Europese Commissie (Gradin) een voorstel van akte aan de Raad geformuleerd over de toelating van derdelanders tot de lidstaten. Het was de bedoeling een juridisch bindend rechtsinstrument te bieden dat de negatieve spiraal naar beneden moest milderen. De Commissie ging akkoord dat de huidige arbeidsmarktsituatie de volledige opheffing van het huidige beleid niet toelaat, maar de Europese Commissie maakt wel een opening voor het toelatingen van migranten in functie van de arbeidsmarkt. Er wordt echter niet gesproken over immigratiequota. De tekst is afgeschoten door de lidstaten en de Raad heeft het voorstel naast zich neer gelegd.

In 1999 voorspelde de Europese Commissie dat Europa jaarlijks gemiddeld zeven miljoen migranten nodig zou hebben om het tekort aan arbeidskrachten op te vangen. In 2000 herhalen Commissievoorzitter Prodi en justitiecommissaris Vitorino dat Europa in de toekomst niet zonder immigranten zal kunnen. In de mededeling van de Europese Commissie aan de Raad en aan het Europees parlement (november 2000)[13] zet António Vitorino enkele bakens uit voor een Europees immigratieplan waarin een deur wordt geopend voor meer (arbeids)migratie. Enkele suggesties van 1994 worden nieuw leven ingeblazen. De Commissie stapt wel af van een vooraf vastgelegd quotasysteem, maar wil in samenspraak met de afzonderlijke lidstaten en andere betrokken instanties en op basis van enkele indicatoren een 'gepast migratieniveau' per lidstaat bepalen. Er moet hierbij rekening gehouden worden met de demografische situatie en de arbeidsmarkt van de betrokken landen, met het maatschappelijk draagvlak van de lidstaten en met de culturele en historische banden met de landen van herkomst. Het immigratiebeleid moet worden uitgewerkt op basis van partnerschap met de landen van herkomst. Met haar voorstel wil de Commissie inspelen op de migratierealiteit en op de economische en demografische evoluties. De Commissie stelt vast dat verschillende landen op eigen houtje al regelingen getroffen hebben om op economische basis laag- en/of hooggeschoolde migranten toe te laten. Ze pleit ervoor een gemeenschappelijke Europese regeling uit te werken in blijvende samenwerking met de afzonderlijke lidstaten, de sociale partners en het lokale middenveld. De mededeling maakt duidelijk dat het toelaten van meer migratie geen oplossing biedt voor de illegale migratie en dito tewerkstelling, noch voor de overbelaste asielprocedures. Migratie is ook geen alternatief voor een activeringsbeleid. Volgens de Commissie biedt migratie geen oplossing voor demografische en economische problemen, maar ze gelooft wel dat immigratie een deel moet zijn van een breed en gedifferentieerd sociaal-economisch beleid.

Een steile weg naar boven

Ondanks het streven naar een gemeenschappelijk beleid is het toelatingsbeleid de laatste jaren nog hoofdzakelijk op het nationale niveau uitgewerkt. De verschillende lidstaten zijn zelfs in een vorm van competitie terechtgekomen, waarbij elk land zijn best doet om weinig ongevraagde nieuwkomers aan te trekken. Dit leidt tot strengere immigratiewetgevingen. Wat betreft de gewenste arbeidsmigratie hebben verschillende landen al initiatieven genomen om de nodige arbeidskrachten van buiten de EU te kunnen aantrekken.

Hoe moeilijk het gaat om het immigratiebeleid te uniformeren blijkt ook uit andere samenwerkingsverbanden die nooit in dat opzet geslaagd zijn. In 1957 stelde de Noorse Unie haar binnengrenzen open (Denemarken, Finland, Noorwegen en Zweden en vanaf 1965 IJsland), dit leidde echter niet tot een gemeenschappelijk toelatingsbeleid. Ook de Benelux is er niet in geslaagd de afgifte van verblijfsvergunningen te harmoniseren. Wat de EU betreft, zijn er verschillende elementen die de tocht naar een gemeenschappelijk beleid bemoeilijken. Vooreerst is de samenwerking wat betreft migratie, van Schengen tot Amsterdam, op intergouvernementele basis gebeurd. Alle besluiten moesten met unanimiteit worden genomen, waardoor een log beslissingsmechanisme ontstond dat de besluitvorming snel deed vastlopen. Vijftien lidstaten, elk met hun eigen uiteenlopende belangen, zijn niet zomaar op één lijn te krijgen. In dit verband heeft het de besluitvorming ook lange tijd ontbroken aan de inbreng van een onafhankelijk orgaan als de Europese Commissie dat de nationale belangen zou kunnen samenbrengen en overstijgen. Uiteenlopende belangen, politieke standpunten en tradities staan een harmonisering van het migratiebeleid in de weg. Volgens het Verdrag van Amsterdam zal dit in de toekomst veranderen. Een deel van wat binnen de derde pijler wordt behandeld (waaronder ook de migratie) moet op termijn onder de eerste pijler worden gebracht. Dit betekent dat na die periode van vijf jaar de communautaire procedures en het stemmen bij gekwalificeerde meerderheid van toepassing moeten zijn, zodat snellere besluitvorming mogelijk wordt.

Tussen de lidstaten bestaat nog een grote diversiteit in wetgeving en aanpak, maar de vraag naar harmonisatie op Europees niveau klinkt steeds luider. Het inzicht groeit dat een adequaat migratiebeleid in de toekomst een gemeenschappelijke opdracht van verschillende landen zal zijn. Het Verdrag van Maastricht, maar vooral het Verdrag van Amsterdam en de Mededelingen van de Europese Commissie hieromtrent geven een eerste vage gestalte aan dat inzicht. Voor de uitbouw van een gecontroleerd, effectief en humaan migratiebeleid zal het Europees niveau steeds belangrijker worden.

De Europese wendingen zijn uitermate belangrijk voor het bepalen van een politieke strategie. Weinig mensen lijken een helder zicht te hebben op wat de concrete gevolgen zullen zijn van de communautarisering van de derde pijler. Weten de lidstaten aan welke bevoegdheidsverdeling ze zich mogen verwachten? Indien de communautaire procedures van kracht worden, wordt de rol van de politiek op het niveau van de lidstaten immers sterk ingekrompen. Naast de communautarisering zal men ook rekening moeten houden met de uitbreiding van de EU. De Unie krijgt dan meer dan 100 miljoen extra inwoners. In de kandidaat-lidstaten bestaat een hoog werkloosheidspercentage en een grote sociaal-economische divergentie. Tot nog toe is nog niet beslist of de landen zullen toetreden met inbegrip van het vrij personenverkeer. Duitsland en Oostenrijk dringen aan op een bufferperiode van een aantal jaren waarin het vrij verkeer van personen nog niet van toepassing is voor de nieuwe lidstaten. Ten derde moet ook werk worden gemaakt van een Europees burgerschap op basis van verblijf (in plaats van op nationaliteit) zodat vreemdelingen die al geruime tijd in Europa verblijven ook onder de rechten en plichten van het burgerschap kunnen vallen. Dit impliceert ook een vrij verkeer van derdelanders die al een bepaalde tijd in Europa verblijven. Het is van belang op de komende veranderingen goed voorbereid te zijn. Er is voor het ogenblik nog teveel onduidelijkheid opdat instellingen en politieke partijen op nationaal niveau een duidelijke strategie zouden kunnen uitstippelen.

Noten

1   Guiraudon en Lahav, 2000, 164; Joppke, 1998; Brochman, 1998; Brochmann en Hammar, 1999; Baldwin-Edwards en Schain, 1994; Freeman, 1994 en 1995; Cornelius e.a., 1995; Miller, 1994.

2   Miller, 1992, 303-311.

3   Miller, 1992, 311.

4   We volgen Martin e.a., 2000, 34.

5   Zolberg, 1992a, 315-319; Harris, 1995, 157, 219-220; Bigo, 1996; Straubhaar, 1992, 478-479 en 1992a, 123.

6   Heuser en Hillenbrand, 1996; Martin e.a., 2000, 10.

7   Martin e.a., 2000, 13, 19 e.v..

8   Hollifield, 1998; Bigo, 1996; Mitchell, 1989; Teitelbaum, 1984.

9   cf. OECD (1994), *Migration and Development: New Partnerships for Co-operation*; OECD (1993), *Development Challenges. Development Cooperation and migration*.

10   Hollifield, 1992a; Kruyt, 2000.

11   Sinds Maastricht is de Unie en haar besluitvorming gebaseerd op drie pijlers: (i) de Europese Gemeenschap (haar voornaamste werkterrein is de interne markt en de klassieke gemeenschappelijke beleidsterreinen: landbouwbeleid, milieunormering, etc.), (ii) het gemeen-

schappelijk buitenlands en veiligheidsbeleid (GBVB) en (iii) de samenwerking op het gebied van justitie en binnenlandse zaken (SJBZ). De besluitvorming binnen de derde pijler gebeurt exclusief op intergouvernementele basis, op basis van unanimiteit.

[12] *Communication to the Commission from Commissioner Flynn*, Brussel, 1994, § 77-78.

[13] *On a community immigration policy.* We baseren ons op een *provisional version* van de mededeling, november 2000. De Commissie heeft gelijktijdig ook een mededeling naar voren gebracht voor een gemeenschappelijk asiel- en vluchtelingenbeleid: *Towards a common asylum procedure and a uniform status for those who are granted asylum valid throughout the Union* (2000).

4. Niets dan dilemma's

4.1 Dilemma van links

Solidariteit, sociale rechtvaardigheid en herverdeling zijn kernwoorden in het socialistische en sociaal-democratische discours. Wat dit betekent voor de migratieproblematiek is niet altijd even duidelijk. Impliceert solidariteit meer migratie toelaten, of impliceert het veeleer dat men alle middelen moet inzetten om het sociaal-democratisch model hier en op andere plaatsen in de wereld zo goed mogelijk uit te voeren om in diezelfde beweging ook onze sociale welvaartsstaat te redden? De staat heeft als het ware twee gezichten: het ene kijkt naar buiten en staat in verhouding met de andere staten, het andere kijkt naar binnen en staat in verhouding tot de eigen *civil society*.[1] Sommigen spreken in dit verband van 'solidariteitsvallen': wie voor meer migratie ijvert, legt een grote druk op de interne solidariteit, wie daarentegen de interne solidariteit veilig wil stellen moet concessies doen op de internationale solidariteit en de migratie inperken. Het is moeilijk om een afweging te maken tussen de individuele rechten van mensen uit arme(re) regio's om hun kansen te verbeteren door migratie, aan de ene kant en het recht van een samenleving om zich op een welbepaalde manier te organiseren zodat een zekere graad van welvaart en sociale bescherming voor de eigen inwoners gegarandeerd is, aan de andere kant. Moreel gezien is het niet te rechtvaardigen dat een Afrikaan of een Aziaat minder kansen krijgt dan een Europeaan puur op basis van geboorte, en men kan dan ook moeilijk volhouden dat men deze mensen mag verhinderen een poging te ondernemen om hun lot te verbeteren door migratie. Maar er valt ook iets te zeggen voor het recht van een democratische verzorgingsstaat om die maatregelen te nemen opdat het zichzelf in stand kan houden. Met ondermeer Walzer en Whelan moeten we vaststellen dat dergelijke *protectionist policy* de idee van open grenzen uitsluit. Sociale rechtvaardigheid is maar mogelijk binnen een afgesloten gemeenschap en massale en ongecontroleerde migratie zou die gemeenschap ondermijnen. Men kan het recht van de gemeenschap op die manier laten primeren, boven het individuele recht van de migrant om tot de gemeenschap toegelaten te worden, omdat anders de individuele rechten van de individuele leden van die gemeenschap in het gedrang zouden komen. In dat opzicht hebben de staten het recht om migranten te weigeren, maar de wil om te migreren is in veel gevallen even legitiem. Deze tegenstelling is de koord waarop een evenwichtig migratiebeleid zich staande moet houden zonder teveel aan de één of andere kant over te hellen. De perfecte uitvoering van deze evenwichtsoefening is waarschijnlijk niet van deze wereld, maar de politieke acrobaten moeten er zich willens nillens aan wagen.

In plaats van de sociale voorzieningen af te bouwen, moet omgekeerd, door middel van economische en politieke samenwerking het Europese model over geheel de wereld uitgedragen worden. De sociaal-democraten, die toch in verschillende Europese landen aan de macht zijn, lijken er echter niet goed in te slagen hun model uit te dragen en ook herverdeling te bewerkstelligen buiten de EU. De 'socialistische internationale' heeft al moeite om de ontwikkelingshulp, als bescheiden vorm van solidariteit en herverdeling, op een degelijke manier uit te bouwen. Nederland en Zweden zijn zowat de enige Europese landen die de oude belofte om 0,7% van het BNP aan ontwikkelingshulp te besteden ook daadwerkelijk waarmaken. Bovendien is het in bepaalde linkse kringen zeker niet meer populair om nog met ontwikkelingshulp te komen aandragen. Het wordt afgedaan als neokolonialistisch, het werkt niet en het zou enkel de zakken vullen van de multinational van de ontwikkelingssamenwerking zelf. Ook van de economische samenwerking lijkt er weinig in huis te komen. Heel wat emigratielanden krijgen (bijna) geen directe buitenlandse investeringen. Hoewel het soms op het eerste gezicht anders lijkt (de delokatie van bedrijven in het westen), blijken bepaalde lagelonenlanden nog steeds niet te kunnen rekenen op significante investeringen door privaat of overheidskapitaal. Bovendien moet men voor ogen blijven houden dat de investeringen vanuit een geheel ander oogpunt gebeuren: het privaat en commercieel belang primeren voor de investeerders, het verminderen van de migratie is het minste van hun zorgen.

De pleidooien voor meer en vrijere migratie kunnen door linkse onderzoekers en politici nauwelijks economisch onderbouwd worden. Men spreekt wel over een wereldwijde rechtvaardige verdeling van welvaart, en men vertrekt wel vanuit een algemene notie over de 'maakbaarheid' van de samenleving, maar een algemeen economisch onderbouwd model dat vrije migratie integreert met de sociaal-democratische uitgangspunten ontbreekt. Elk (economisch) pleidooi voor vrijere migratie heeft een liberaal kantje, of kan althans liberaal geduid worden: in die zin namelijk dat de vrije markt dan ook wordt toegepast op de arbeidskrachten en dat men een migrantenmarkt creëert. Bovendien geldt dat wanneer men arbeidsmigratie economisch poogt te rechtvaardigen, steeds het argument om de hoek loert dat men enkel begaan zou zijn met het eigenbelang. Het meest 'economische' is nog de verwijzing naar de eeuwenlange uitbuiting van het zuiden. Vandaar uit wordt geredeneerd dat het logisch en terecht is dat mensen het geld achterna reizen dat hen ontstolen is. Daarmee is echter niet de vraag beantwoord hoe mensen hier dan een daadwerkelijk economisch en sociaal perspectief kan worden geboden.

Tot slot is er nog het probleem van de werkloosheid onder de eigen bevolking, ondanks het feit dat steeds meer bedrijven hun vacatures niet meer ingevuld krijgen. De vraag komt blijkbaar niet overeen met het aanbod. Het zijn vooral de laaggeschoolde jongeren die werkloos blijven, terwijl de vraag naar geschoolde werknemers steeds luider klinkt. Bovendien zijn juist de allochtonen oververtegenwoordigd in de werkloosheidscijfers. Migranten raken ook moeilijk aan de slag in de 'betere' sectoren en de kansen op beroepservaring, bijscholing en vorming zijn eerder gering.

Als Europa er nog niet in slaagt de aanwezige migranten van een goede plaats op de arbeidsmarkt te voorzien, waarom zou men dan nog meer migranten aantrekken? Als men (laaggeschoolde) migranten naar hier haalt, vergroot men misschien nog het huidige potentieel werklozen voor de toekomst. Als men enkel hooggeschoolden wenst toe te laten, bestaat het gevaar dat dit als alibi kan dienen om niet te investeren in de scholing en de tewerkstelling van het sociaal-economisch zwakkere gedeelte van de eigen bevolking. De Vlaamse socialistische partij (SP) heeft al verschillende keren het argument aangehaald.[2] Ook de Wiardi Beckmanstichting signaleert het probleem als bijzonder pregnant voor sociaal-democraten. In de VS is het al zo dat het eigenlijk de werkgevers zijn die er in grote mate het immigratiebeleid bepalen en de consequenties van een globale en open arbeidsmarkt benutten, waardoor in bepaalde gevallen voor de hooggeschoolde in Thailand of Peru een betere toekomst is weggelegd in de VS dan voor de ongeschoolde die nu al in de VS verblijft. Het gevolg is dat de nationaliteit onbelangrijk wordt, enkel de volgende liberale concurrentielogica geldt: wie goed is en presteert krijgt veel kansen, wie zwak is, vervalt in armoede en marginaliteit. De ongelijkheid binnen dergelijk bestel zal er zeker niet op verminderen. De Wiardi Beckmanstichting probeert zich uit dit netelig nest te redden door te stellen dat de langdurig werklozen in de eigen maatschappij uiteraard in de gelegenheid moeten worden gesteld, en in bepaalde gevallen – op straffe van vermindering van hun uitkering – zelfs gedwongen zouden moeten worden, om het openstaande werk te verrichten. Maar, zo voegt de studiegroep eraan toe, het is van werkelijkheidszin verstoken om elke vorm van arbeidsmigratie van de hand te wijzen, door te verwijzen naar de werkloosheid in de gastlanden.[3]

4.2 Dilemma van rechts

De globale apartheid bewijst eigenlijk dat de liberalen hun grote waarden, vrijheid en vrije markt, zeer selectief toepassen. Wets heeft het over de 'aura van hypocrisie' die rond de retoriek van vrijhandel, liberalisering en afschaffing van beperkende maatregelen hangt.[4] Bij de meeste liberalen is slechts sprake van vrij verkeer van kapitaal en goederen. Het vrij verkeer van arbeid wordt maar met mondjesmaat toegelaten en dan nog altijd wanneer het ons in het westen goed uitkomt. Wie echter consequent doordenkt, kan het niet verwonderen dat vanuit (neo-)liberale hoek dikwijls wordt gepleit voor vrijere migratie. De liberale ideologie is in belangrijke mate de geestelijke vader van (het geloof in) de ratio van de globale en vrije economie. In de context van globalisering en vrije wereldeconomie zijn vrijhandel en migratie onafscheidelijke makkers: men kan niet anders dan bij het pleidooi voor vrijhandel ook een pleidooi voor vrijere migratie te doen. Bovendien stellen de liberalen in hun pleidooi voor globalisering en vrije markt, dat de staat moeten worden geminimaliseerd, en dat men zich moet bevrijden van de vele bureaucratische regels van overheidswege die de vrije economie en het vrij initiatief inperken.

Weinigen blijven echter consequent liberaal denken wanneer het gaat over het toelaten van migratie. Zelfs de meest rechtgeaarde liberaal moet in zijn denken plaatsmaken voor een overheid, hoe minimaal men die ook invult. Via het gebruik van contracttheorieën (contracten die afgesloten worden tussen vrije liberaal denkende individuen) komt men tot de legitimering van de liberale staat. Deze staat bestaat echter maar bij de gratie van haar contractanten, met name de burgers van die staat. Het is dus een noodzakelijke voorwaarde dat zo een staat weet wie haar burgers zijn en wie burger is van een andere natiestaat. Het is van fundamenteel belang voor het functioneren van die (minimale) overheid dat men weet wie onder de voorzieningen en de bescherming van het contract vallen. De natiestaat kan niet iedereen onder zijn bescherming nemen wil ze haar eigen legitimiteit niet ondergraven. De liberale staten kunnen het liberaal economisch denken daarom niet op zichzelf toepassen zonder zichzelf te ondermijnen. Men spreekt in dat verband van de *liberal paradox*.[5] De regels van de markt eisen openheid en vrijheid terwijl de regels van de liberale politieke gemeenschap, i.c. het burgerschap, een zekere vorm van afscherming impliceert wegens het eigen voortbe- staan. Deze afscherming komt hierop neer dat niet iedereen zomaar burger kan worden van gelijk welke staat, niet iedereen kan zomaar lid worden van een gemeenschap. Het liberale element op het niveau van de staat en de gemeenschap is dat de burgers steeds een exit-optie hebben: elke mens heeft het recht en is steeds vrij een bepaalde groep te verlaten indien hij/zij dat wenst. Een liberale gemeenschap kan het recht om toegelaten te worden in de gemeenschap echter niet garanderen. Om de liberale staat te bescher- men zullen dus immigratiebeperkingen aanvaard moeten worden. De vrijheid van de liberale individuen moet worden ingeperkt ten gunste van de liberale staat die de vrijheid van haar liberale burgers wil garanderen. Het willen reguleren van migratie stelt de liberalen voor een tegenstrijdig gegeven. Wie migratie wil inperken en contro- leren moet een beroep doen op de staat en de overheid, terwijl men die juist zo minimaal mogelijk wenst te houden. Men kan wel een beroep doen op privé-organisa- ties, bijvoorbeeld om de grenzen te controleren en dergelijke, maar dat is niet de kern van de zaak. Het probleem ligt dieper: de migratieproblematiek heeft immers wezenlijk te maken met het bestaan van natiestaten en hun macht. Migratie is in grote mate een probleem omdat de liberale staten hun burgers en zichzelf als gemeenschap willen beschermen. Een staat die de migratie wil controleren moet dus zichzelf profileren als staat en kan op die manier de flexibiliteit en het initiatief van het individu tegenwerken. Het resultaat van de redenering haalt de basisgedachte die de redenering schraagt onderuit.

Vandaar dat zij die pleiten voor een vrijere migratie kunnen stellen: 'sla rechtse politici met hun eigen uitgangspunten om de oren'. Bovendien kunnen zij met het werk van liberale economen aantonen dat grootschalige migratie ook binnen de huidige economische verhoudingen heel goed mogelijk en zelfs wenselijk is.[6] Dit laatste impli- ceert opnieuw een dilemma voor de linksen die voor een vrijere migratie pleiten. Ze kunnen dit nu immers doen door rechts in hun uitgangspunten te bevestigen, een contra- dictoire bezigheid die zowel verwarring zaait in het linkse als het rechtse kamp. De liberale ideologie en de dynamiek van de globalisering worden maar aanvaard als ze werkelijk in hun geheel en consequent worden uitgevoerd. Dat wil zeggen dat in een wereld die competitie verheerlijkt men ook moet aanvaarden dat het individu zich van zijn gemeenschap losmaakt en zijn arbeid daar zoekt te verkopen waar hij het meest opbrengt. Sedert de val van de Berlijnse Muur, lijkt het er bovendien steeds meer op dat de staten hun legitimiteit waarmee ze vroeger de bevolking konden oproepen mee te werken aan de ontwikkeling van het land, verloren hebben. Wie dergelijke realiteit erkent (los van het feit of ze al dan niet wenselijk is) moet erkennen dat 'de tijd aan het individu en zijn dromen is' en dat de tijd van al te collectieve projecten en plannen (voorlopig?) voorbij is.[7]

Soms wordt in het migratiedebat een onderscheid gemaakt tussen de links-liberalen en de rechts-conservatieven. Beide kampen zijn ervan overtuigd dat een kapitalistische wereldorde noodzakelijk en onvermijdelijk is en ze spreken hun geloof uit ten aanzien van het principe van de vrije markt. Links-liberalen lijken vooral hun vertrouwen te stellen in de internationale marktwerking, waarbij naast het kapitaal en de goederen ook de arbeid vrij moet kunnen bewegen. Rechts-conservatieven wijzen vooral op het belang van een sterke staat binnen de vrije wereldmarkt. Om die staat te handhaven zijn repressiemiddelen nodig aan de grenzen. In de optie van de links-liberalen zou deze controle aan de buitengrenzen mogen verminderen, maar dat impliceert dan wel dat de toegang tot de sociale voorzieningen wordt bemoeilijkt. Immigranten moeten eerst aan bepaalde voorwaarden voldoen vooraleer ze van dezelfde rechten kunnen genieten als de reeds inzittende burgers. Migranten worden toegelaten om hier een nieuw bestaan op te bouwen, maar dan zonder hulp van de overheid. Dit wordt dan weer op het schampere commentaar onthaald dat 'of de armen nu worden tegengehouden aan de poort van Fort Europa of aan de voordeuren van de rijken, wie hen niet aan tafel wil laten aanschuiven, moet ergens een grens stellen en bewaken. De armen mogen van de links-liberalen de overvloedige maaltijd hooguit als personeel serveren'.[8] Het onderscheid tussen de links-liberalen en de rechts-liberalen ligt vooral in de nadruk die ze leggen op de soort grens die de toegang van vreemdelingen zou moeten reguleren. De rechts-liberalen leggen de nadruk op de grens van het grondgebied terwijl de links-liberalen de toegang tot het grondgebied willen versoepelen, maar de toegang tot de welvaartsvoorzieningen willen bemoeilijken. Zij leggen dus de nadruk op wat we met Entzinger de 'systeemgrens' hebben genoemd.

4.3 De dilemma's voorbij

De klassieke links-rechts breuklijn is in grote mate achterhaald. Zowel op individueel, als op politiek of ideologisch niveau werkt deze – hoofdzakelijk economische – tegenstelling niet meer als conduidige scheidslijn. De programma's zijn de laatste jaren naar elkaar toegegroeid. Zo aanvaarden de meeste liberalen naast het principe van de vrije markt dat de overheid sociaal corrigerend optreedt en de sociaal-democraten erkennen openlijk het marktmechanisme als een motor van economische ontwikkeling. De paarse regeringen in Nederland en België en de populariteit van 'de derde weg' zowel in Europa (Blair en Schröder) als in de VS (Clinton) zijn hiervan de eerste politieke resultaten.

Dwars door de oude breuklijn heen heeft er zich een nieuwe breuklijn ontwikkeld die zich meer op ethische en sociaal-culturele kwesties richt. De aandacht gaat niet exclusief meer naar de organisatie van de economie; ook het milieu, de migratie, de solidariteit en de vrijheid eisen de aandacht op. In Vlaanderen heeft de nieuwe tegenstelling tussen progressief en conservatief zich politiek geconsolideerd rond Agalev en het Vlaams Blok. Migratie speelt hierbij als katalysator: aan de ene kant van de nieuwe breuklijn neemt men een positieve houding aan ten aanzien van immigratie en de mogelijkheid van de multiculturele samenleving, aan de andere kant doet men alsof immigratie en alles wat daar het gevolg van is het ergste is wat de samenleving kan overkomen.

De migratie is een voorbeeld van een onderwerp dat steeds pregnanter de politieke agenda bepaalt, maar waar de traditionele ideologieën van de oude links-rechts tegenstelling geen pasklaar antwoord op hebben. Dit heeft al voor de nodige verwarring gezorgd. Iemand die links is op de oude breuklijn kan zich ook progressief positioneren op de nieuwe breuklijn, maar dat is niet noodzakelijk zo. Er zijn nogal wat socialisten die ten aanzien van de nieuwe breuklijn in het conservatieve kamp zitten. Maar ook bij de liberalen is er verwarring ontstaan: er zijn er die zich ten aanzien van de nieuwe breuklijn als progressief en anderen die zich als conservatief profileren. Politieke partijen worden dus met een 'dubbel-electoraat' geconfronteerd en het is voor die partijen in kwestie daarom geen gemakkelijke oefening om zich over bepaalde onderwerpen duidelijk uit te drukken en standpunten in te nemen die ook electoraal aanslaan. Sommigen verwijten de partijen die zich op de oude breuklijn profileerden dat ze teveel hun aandacht gericht hebben op de recuperatie van de cultureel conservatieven waardoor migratie dikwijls in een al te negatief daglicht is komen te staan.

Het vervagen van de oude breuklijn biedt de mogelijkheid om de genoemde dilemma's te overstijgen. Liberalen en sociaal-democraten hebben elkaar gevonden in de notie van 'de actieve welvaartsstaat', en met dit gemeenschappelijk project op de achtergrond kan men de discussie over arbeidsmigratie voeren. Het heeft bijvoorbeeld niet langer zin om een socialist die het voor meer arbeidsmigratie opneemt aan te wrijven dat hij dan ook voor meer vrije markt pleit. Socialisten erkennen immers de vrije markt, en ze hebben er al zoveel toegevingen aan gedaan, dat dit nu geen punt meer kan zijn. Hetzelfde geldt omgekeerd voor de liberaal die tegen opengrenzen pleit. De opkomst van de ideologisch 'derde weg' maakt dat de dilemma's verleden tijd zijn.

Maar ook de realiteit zorgt ervoor dat de dilemma's zoals ze hierboven gepresenteerd zijn relevantie verliezen. Gelet op een aantal feitelijke elementen (migratierealiteit, de vergrijzing, de noden op de arbeidsmarkt, de globalisering) zijn er uitwegen om aan de gestelde dilemma's te ontsnappen. Los van elke ideologische ingesteldheid (uitgezonderd de xenofobe ingesteldheid) zijn er immers objectieve elementen aan te dragen die pleiten om in de toekomst naar een grotere openheid te evolueren en het toelatingsbeleid op bepaalde punten te versoepelen en dit hoeft, zoals we hebben aangetoond, zeker niet haaks te staan op de uitwerking van een activeringsbeleid.

Noten

1 Zolberg, 1992a, 316.
2 Zie o.a. Vande Lanotte, 1999. Vande Lanotte herhaalde het standpunt op de conferentie *New*

Manifestations of Racism in 21st century Europe: Threats and responses (Evens Foundation, 12/04/2000). Hij repliceerde op R. Pinxten die in zijn conclusies van het driedaagse congres stelde dat Europa zich beter zou bezighouden met het voorbereiden van de bevolking op de komst van een nieuwe groep mensen in de plaats van hen af te schilderen als potentiële criminelen. Hij legde de nadruk op het belang van de uitbouw van een interculturele opvoeding. Vande Lanotte legde veeleer de nadruk op de politieke en economische voorwaarden die vervuld moeten zijn, wil men nog meer nieuwkomers aantrekken en een gezonde multiculturele samenleving kunnen uitbouwen.

3   WBS, 1993, 31-32.
4   Wets, 1999, 170.
5   Hollifield, 1998.
6   Van Buuren, 1998.
7   Vandaele, 1999, 14-15, 60-61.
8   Westerlink, 1999.

Conclusies

1. Arbeidsmigratie als wetenschappelijk, politiek en maatschappelijk thema

Over migratie vervalt men nogal eens in doemscenario's. De extremen kunnen als volgt worden samengevat: 'onze welvaartsstaten en onze economie houden het niet zonder bijkomende migratie' of 'de samenleving zal verpauperen en onleefbaar worden als men meer migratie toelaat'. Ook op het politieke forum laat de kwaliteit van de discussie dikwijls veel te wensen over. Wegens electoraal gewin vervalt men al snel in politieke one-liners. Het debat naar de publieke opinie toe kan blijkbaar niet sereen en genuanceerd worden gevoerd. Ook hier duiken de genoemde extremen op. Sommigen maken het publiek blaasjes wijs alsof meer (arbeids)migratie het ei van Columbus zou zijn, anderen doen alsof meer immigratie sowieso het ergste is wat een samenleving kan overkomen. Deze scheiding van geesten is een deel van de huidige progressief-conservatief breuklijn. De doemscenario's zijn niet realistisch. Zoals wel meer met apocalyptische uitspraken, zijn de premissen overtrokken.

Het debat blijft dikwijls steken bij de waarom-vraag. Terwijl, meer dan over de vraag waarom men arbeidsmigratie zou toelaten, de politieke kleur naar boven kan komen in de reflectie over *hoe*, *wie* en onder welke *voorwaarden*. Maar zover gaat men meestal niet. Gezien de migratierealiteit is dat een gemiste kans. In de discussie over migratie komt men veelal niet tot een grondige analyse van de feiten omdat men zich in een ideologisch discours opsluit. De obstakels om tot een goede discussie te komen zijn vooral van politieke, sociale en culturele aard. De uitbouw van een coherent en meer adequaat Europees migratiebeleid wordt verhinderd door politieke en maatschappelijke factoren die het debat ideologisch kleuren en van de realiteit doen vervreemden. In tegenstelling met Amerika en Canada bestaat in Europa geen consensus over het feit dat immigranten een meerwaarde kunnen betekenen voor de gastlanden. Als er in Europa al gerekend wordt, gaat het over de hoeveelheid migratie die nodig is om de bevolking en de arbeidsmarkt stabiel te houden. Maar bij de politieke discussies in Europa over migratie gaat het meestal niet over economie of demografie. Het gaat veeleer om een ideologische discussie die al dan niet expliciet wordt bepaald door de bescherming van de nationale identiteit, xenofobie en de schrik voor het electoraat. Immigratie is een sterk geladen onderwerp waardoor het debat dikwijls onnodig scherp wordt gepolariseerd.

Wat kan de rol zijn van de wetenschap? Het onderzoek kan alvast proberen het debat te ontmijnen. Het kan objectieve elementen aanbrengen die een opening bieden om uit de ideologisch geladen discussie te stappen. Het onderzoek kan op verschillende vlakken demystifiërend werken. Maar de wetenschap heeft ook beperkingen. Ze verzamelt gegevens, analyseert, objectiveert, concretiseert en nuanceert maar moet geen beslissingen nemen. Ze kan enkel aanbevelingen doen. Wat betreft de verzorgingsstaat bijvoorbeeld, kan de wetenschap voorzien dat die in de nabije toekomst aan herziening toe is omdat ze onder druk staat van de verhouding actieven-niet-actieven. Voor de discussie is het in dat verband belangrijk te weten met hoeveel nieuwkomers men in de toekomst rekening moet houden. Het is echter niet aan de economen en de demografen om wat betreft de immigratie autonoom een definitieve keuze te maken, hoewel ze zeker hun stem moeten laten horen. Of wat betreft de effecten van migratie, kan men nog zolang onderzoek doen, men zal altijd zowel negatief als positief te duiden gevolgen op het spoor komen, zowel voor de gastlanden als voor de landen van herkomst. Het onderzoek naar en het onder ogen zien van potentiële effecten zijn van belang om de realiteit in te schatten en een objectieve balans te kunnen opmaken, maar het is het beleid dat knopen moet doorhakken.

Wil het realistische beslissingen nemen, dan kan het beleid niet voorbijgaan aan de wetenschappelijke gegevens uit het onderzoek. Een verantwoorde politiek houdt rekening met de objectieve elementen die vanuit de wetenschap kunnen worden aangereikt. Het baseert zich niet op ideologische slogans en louter electoraal gewin, maar probeert een beleid uit te werken op een realistische basis. Dit beleid moet bovendien op een transparante manier met de samenleving worden gecommuniceerd.

Uit onderzoeken vanuit verschillende invalshoeken blijkt nu dat meer immigratie in de toekomst wenselijk en onvermijdelijk zal zijn, maar het is het beleid dat in samenspraak met verschillende maatschappelijke actoren, voor een bepaalde optie zal moeten kiezen. Eenmaal gekozen zal men rekening moeten houden met de gevolgen die de optie met zich meebrengt. Om die gevolgen op het spoor te komen en vooral om die te voorzien is de wetenschap van groot belang.

Gezien de migratierealiteit, de gegevens die demografen aanbrengen en de prognoses inzake de noden van de arbeidsmarkt is de vraag naar de opnamecapaciteit van onze samenleving achterhaald. Vooralsnog sluimert achter de discussie rond arbeidsmigratie nog teveel de vraag of we in het westen wel bereid zijn meer migranten op te nemen dan tot nog toe het geval is. Deze vraag is niet wetenschappelijk te beantwoorden, ze is politiek en maatschappelijk van aard. Als die bereidheid om meer nieuwkomers tot de samenleving toe te laten er nog niet zou zijn, moet daar zo snel en zo goed mogelijk werk van worden gemaakt. Deze bereidheid heeft ongetwijfeld te maken met een attitude van de ingezetenen, zoals Enzensberger het suggereert in zijn analogie met de treincoupé. Toch zal het wijzigen van de attitude onvoldoende zijn, wanneer ze niet gekoppeld wordt aan structurele veranderingen die oorzaak en gevolg kunnen zijn van de attitudeverandering. Sociaal-psychologische leer- en gewenningsprocessen kunnen immers niet zomaar worden versneld en opgelegd.

Vanuit de wetenschap kan worden voorzien dat migratie niet zal afnemen en dat in de nabije toekomst een verruiming van het toelatingsbeleid wenselijk is. De eerste en belangrijkste aanbeveling die hieruit volgt is dat het beleid zich hierop zo goed mogelijk moet voorbereiden. Men kan beginnen nadenken over de manier waarop men de zaak technisch en procedureel zal organiseren, over de manier waarop het integratiebeleid naar de nieuwkomers toe gestalte moet krijgen, en ten slotte moet men migratie *an sich* op een positieve manier ingang doen vinden.

2. Krachtlijnen voor een realistische en genuanceerde discussie

Uit de discussie die we in het boek geschetst hebben, blijkt dat de standpunten en verwachtingen ten aanzien van het afbouwen van de migratiestop nogal verschillend zijn. Om uiteenlopende redenen vinden sommigen dat meer migratie geïnstitutionaliseerd moet worden, anderen blijven een eerder defensieve en restrictieve houding aannemen. Uit de feiten en uit de studie van verschillende analysekaders kan misschien niet naadloos een concreet standpunt geïnduceerd worden, maar ons overzicht kan wel tot een genuanceerd oordeel aanzetten. De bovenstaande gegevens moeten helpen om de discussie op een realistische basis te voeren. We kunnen dit niet genoeg beklemtonen aangezien het debat over migratie al te snel ideologisch geladen wordt en men zo de realiteit uit het oog verliest. Men kan pas een duurzaam en realistisch beleid opbouwen op basis van vrij objectieve gegevens. Dit is voor de uitbouw van een migratiebeleid niet anders.

Illusies doorprikken

Vooreerst is nog maar eens gebleken hoe complex de migratierealiteit is. Er zijn veel factoren waarmee men rekening moet houden wil men op een genuanceerde manier over migratie spreken. Er zijn drie betrokken partijen: het land van herkomst, het gastland en de migranten zelf en hun sociale netwerken. Elke partij heeft eigen, specifieke belangen. De beoordeling van migratie kan ook sterk verschillen naar gelang van het tijdperk en de geografische context, de motieven voor migratie, de sociaal-economische situatie en demografische evoluties in de betrokken landen en de achtergrond en het statuut van de migranten. De uiteenlopende situaties waarin migratie plaatsvindt, maakt het overigens moeilijk en delicaat om verschillende migratierealiteiten met elkaar te vergelijken en hieruit dwingende conclusies te trekken. Het erkennen van de complexiteit van het gegeven migratie staat haaks op de ongenuanceerder oneliners die nog al teveel over (arbeids)migratie worden geformuleerd.

Een analyse van de pushfactoren leert dat de migratiedruk in de toekomst niet zal afnemen. Het groeiend migratiepotentieel is een element waar rekening mee moet worden gehouden, hoewel dit niet noodzakelijk resulteert in meer migratie naar Europa. Arbeidsmigratie kan echter geen oplossing zijn voor de migratiedruk en de problemen in de landen van herkomst. Internationale solidariteit moet op basis van andere middelen gestalte krijgen. Sommigen doen echter alsof migratie sowieso ingaat tegen de principes van internationale solidariteit. Ze beroepen zich dan op het argument van de *brain drain*. Dit fenomeen moet ernstig worden genomen, maar het is niet op elke vorm van emigratie van toepassing. In bepaalde gevallen is er geen sprake van *brain drain* bijvoorbeeld omdat het emigratieland met een hoge werkloosheid te kampen heeft. Het argument van de *brain drain* gaat ook niet op voor de tijdelijke migratie, integendeel. Naast het verminderen van de werkloosheidsdruk kan migratie ook in het voordeel zijn van de emigratielanden voorzover de migrant geld terugstuurt naar het land van herkomst. Als dit geld goed wordt aangewend, kan dit een vorm van geografische herverdeling zijn van het wereldinkomen in het voordeel van armere landen.

Migratie kan als alleenstaande maatregel niet tegemoet komen aan de uitdaging van de vergrijzing aan het adres van de verzorgingsstaat. Sociaaldemografische evoluties brengen de verhouding tussen de actieven en inactieven uit evenwicht waardoor de financiering van de verzorgingsstaat in de problemen komt. Als men via *replacement migration* op de verhouding actieven-niet-actieven wil inwerken moeten enorm veel jonge arbeidskrachten en hun gezinnen aangetrokken worden. De cijfers zijn in dit verband totaal irrealistisch. Migratie heeft wel een invloed op het bevolkingsaantal maar het is onmogelijk dat hierdoor ook de leeftijdsstructuur van de bevolking afdoende wordt beïnvloed. Sowieso zal men dus naar andere maatregelen moeten zoeken om de verzorgingsstaat een nieuwe adem te geven. Een actiever immigratiebeleid kan dus geen alternatief bieden voor een activeringsbeleid. Een immigratiebeleid moet minstens gecombineerd worden met een beleid dat de werkloosheid onder de eigen bevolking radicaal terugdringt en de latente arbeidsreserve activeert.

Het is tevens een illusie te denken dat arbeidsmigratie een afdoende middel zou zijn om illegale migratie significant te doen verminderen of de druk op de asielprocedure te verlichten. De ervaring van landen die een uitgewerkt systeem voor arbeidsmigratie hebben, zijn duidelijk. Ook zij blijven geconfronteerd met een groot aantal asielzoekers die niet onder de Conventie van Genève vallen en illegale immigratie blijft ook in deze landen een ongewenst deel van de migratierealiteit. Er zijn hiervoor verschillende redenen. Vooreerst is het lang nog niet zeker dat de mensen die in aanmerking zouden komen om te migreren via het officiële kanaal voor arbeidsmigratie dezelfde mensen zullen zijn die nu illegaal of via de asielprocedure proberen te migreren. Bovendien kunnen de staten hun toegangsdeur niet helemaal openzetten voor iedereen die migratieaspiraties heeft, ze kan hoogstens wat meer op een kier gezet worden. Bij een versoepeling van het toelatingsbeleid zullen nog steeds mensen uit de boot vallen en de toegang worden geweigerd. Net zoals in de migratierealiteit van vandaag, zullen velen, zolang het mogelijk en aantrekkelijk genoeg blijft, op een illegale wijze of via de asielprocedure een poging tot migratie ondernemen. Werkgevers die geen beroep willen doen op legale arbeid zullen bovendien illegalen blijven aantrekken. Een beleid dat meer arbeidsmigratie institutionaliseert, is dus niet het zaligmakend alternatief voor het huidige immigratiebeleid (waar uitwijzing of regularisatie wezenlijke onderdelen van zijn). Het toelaten en reguleren van arbeidsmigratie is hoogstens een onderdeel van een ruimer immigratiebeleid dat de migratie op een doorzichtige wijze wil managen. De toegangsdeur iets meer openzetten zal ook niets veranderen aan de illegale tewerkstelling van immigranten, als een verruiming van het immigratiebeleid niet wordt gecombineerd met doortastende maatregelen op de arbeidsmarkt zelf.

Tot slot is er de illusie van de migratiestop. De immigratiecijfers tonen aan dat de immigratie nooit is stilgevallen en de term wekt dus valse verwachtingen. Niet alleen via volgmigratie en asiel, maar ook via (al dan niet tijdelijke) arbeidsmigratie komen jaarlijks honderdduizenden migranten Europa op legale wijze binnen. Daarnaast is er nog de migratie binnen de EU. De globalisering zet zich onverminderd voort waardoor de arbeidsmarkt, zowel voor hoog- als laaggeschoolden internationaal wordt. De argumenten die pleiten voor migratie van hooggeschoolden gelden evenzeer voor de migratie van laaggeschoolden, maar om verschillende redenen geeft men er minder aandacht aan. De vraag naar en de feitelijke migratie van laaggeschoolden zijn evenzeer aan de orde. De discussie over het statuut en de sociale bescherming van de laaggeschoolde nieuwkomers is belangrijker dan het debat over de kwantiteit ervan. De discussie over een voorzichtige en trapsgewijze afbouw van de migratiestop is een non-discussie want ze bestaat enkel op papier. Gezien de migratierealiteit is de vraag niet langer 'moeten we vasthouden aan de migratiestop?', maar 'hoe en onder welke sociale voorwaarden en modaliteiten kan migratie (via huidige en eventueel via nieuwe kanalen) georganiseerd worden? Men moet veeleer oog hebben voor de belangen die in het geding zijn zowel van het gastland, het land van herkomst als van de migrant zelf.

Welke elementen pleiten voor een realistische versoepeling van het toelatingsbeleid?

Verschillende prognoses over de krappe arbeidsmarkt en de haalbaarheid van de verzorgingsstaat zijn duidelijk: het is wenselijk, zoniet noodzakelijk dat er in de toekomst meer nieuwkomers zullen worden toegelaten. Er kunnen verschillende andere middelen ingezet worden om aan de noden van de verzorgingsstaat en de arbeidsmarkt tegemoet te komen, maar die zullen op zich ontoereikend zijn en kunnen worden aangevuld met een immigratiebeleid. Een actief immigratiebeleid moet dus deel uitmaken van een breed opgevat sociaal-economisch beleid. Dat beleid zal in de toekomst geen alternatief meer zijn voor een immigratiebeleid, maar ook omgekeerd kan een immigratiebeleid nooit een alternatief zijn voor de rest van het sociaal-economisch beleid. Beide moeten elkaar aanvullen, wil men adequaat aan de economische en sociaaldemografische realiteit tegemoet komen.

Vanuit sociaaldemografisch oogpunt is het wenselijk en mogelijk dat migratie een onderdeel is van een demografische politiek dat de bevolking numeriek op peil wil houden. Dit is niet dé oplossing voor de betaalbaarheid van het verzorgingssysteem, maar het kan toch een deel van de oplossing zijn, naast verschillenden andere maatregelen. Het zou onlogisch zijn deze deeloplossing niet in overweging te nemen. Op basis van demografische prognoses moet in dit verband een duidelijke strategie worden uitgestippeld voor de komende decennia. Deze strategie moet bepalen vanaf wanneer en hoeveel mensen extra kunnen worden toegelaten. Op het moment dat de vergrijzing het zwaarst doorweegt, moeten alle middelen worden ingezet om toch nog zoveel mogelijk actieven in te zetten. Dit moet voorbereid worden via een (middel)lange termijnplanning en een totaalpakket aan maatregelen.

Wat betreft de noden van de arbeidsmarkt is het van kapitaal belang dat men een onderscheid kan maken tussen objectieve tekorten en een vraag naar nieuwkomers die het gevolg is van een vorm van sociale dumping. De nood aan aanvullende arbeids-krachten moet worden geobjectiveerd door een onafhankelijke instantie. Op die manier kan migratie niet als alibi dienen om niet meer in de vorming en tewerkstelling van de eigen bevolking te investeren. Het spreekt ook vanzelf dat er garanties moeten zijn dat de nieuwkomers tegen dezelfde gangbare lonen en sociale voorwaarden worden te-werkgesteld zodat sociale afbraak en sociale dumping, zowel van de nieuwkomers als van de ingezetenen, absoluut vermeden wordt. Voorlopig is er een krapte op de arbeids-markt, maar er ligt ook nog een vrij groot potentieel bij bepaalde groepen niet-actieven. Een gericht beleid op basis van activeringsprogramma's en trajectbegeleiding kan soms nog soelaas brengen. Maar de meeste prognoses voorspellen toch problemen vanaf 2010. De activiteitsgraad zal dan een plafond bereiken, waardoor op middellange termijn meer immigratie onvermijdelijk wordt. Het is een misverstand te denken dat een beleid gericht op tewerkstelling van de bevolking en een actief immigratiebeleid elkaar zouden uitsluiten. Het is geen kwestie van of-of maar van en-en.

De uitbouw van een actief migratiebeleid biedt kansen

De situatie op de arbeidsmarkt en de sociaaldemografische evoluties bieden doorslag-gevende argumenten om na te denken over een versoepeling van het toelatingsbeleid in de nabije toekomst. Dit vooruitzicht maakt duidelijk dat het niet te vroeg is om over migratie, migratiemanagement en migratiemodaliteiten een open en creatief debat te starten met verschillende betrokken actoren. Bovendien draagt de versoepeling van het toelatingsbeleid nog enkele andere kansen in zich die op zichzelf niet doorslaggevend zijn, maar waar men ook niet zomaar aan voorbij kan gaan.

Zo kan een toelatingsbeleid waarin uitdrukkelijk plaats wordt gemaakt voor ar-beidsmigratie, als hefboom dienen om zich van het negatieve discours over migranten en migratie te bevrijden. Door verschillende redenen kwam in de voorbije decennia alles wat met migratie en vreemdelingen te maken had in een negatief daglicht te staan. Hierdoor is een gebrek aan draagvlak ontstaan om met de huidige en toekomstige migraties te leven. Er moet hoe dan ook aan een mentaliteitswijziging gewerkt worden. Arbeidsmigratie kan hiertoe bijdragen in die mate dat men beklemtoont dat deze migra-tie gewenst is. Het is ook een middel, hoe beperkt ook, om de economische motieven van mensen om te migreren ernstig te nemen en alvast een deel van de migratie uit de negatieve en criminele sfeer te lichten. Ondanks de mogelijkheden die arbeidsmigratie biedt, zal het niet eenvoudig zijn die mentaliteitswijziging tot stand te brengen. Uit het discours van de migratiestop stappen is al iets, maar er spelen nog zoveel andere sociale en psychologische mechanismen die het omgaan met vreemdelingen bemoeilij-ken. Om deze obstakels weg te nemen zal veel meer moeite gedaan moeten worden, maar de huidige context biedt, meer dan vroeger, enkele mogelijkheden om de *white backlash* tegen te gaan.

Het openen van een extra poort voor migranten die niet thuishoren in de asiel- of volgmigratie kan in combinatie met andere maatregelen ook een extra legitimiteit geven aan een uitwijzingsbeleid en de strijd tegen illegale migratie. Dit neveneffect is dubbelzinnig want het vergroot het dilemma inzake de houding van de overheid ten aanzien van illegale immigranten.

Een derde neveneffect is de mogelijkheid voor internationale solidariteit. Het is vrij duidelijk dat migratie geen strategie kan zijn om de internationale solidariteit gestalte te geven, maar het is niet onzinnig dat de politiek erover zou nadenken hoe ze migratie zou kunnen koppelen aan elementen van internationale solidariteit. Een actief migratie-beleid is noodzakelijk, want als de politiek het migratiedossier niet naar zich toetrekt en het aan privé-instanties overlaat, mist het kansen om voorwaarden in te bouwen die ook rekening houden met de belangen van de landen van herkomst. Een actief migratie-beleid kan alvast proberen de migratie te organiseren op basis van partnerschap met de landen van herkomst. In de onderhandelingen kunnen verschillende zaken aan de orde worden gesteld. De betrokken landen moeten er zich toe verbinden elke vorm van *brain drain* tegen te gaan en er kunnen incentives worden uitgewerkt voor een terugkeer-systeem, zonder daarvoor in een streng gastarbeidersbeleid te vervallen.

Gezien de globalisering en de migratierealiteit, is het niet wenselijk dat de politiek de andere kant blijft uitzien. De politiek, zowel op nationaal als op internationaal niveau, moet zich als gesprekspartner aandienen voor het migratiedebat, waarin veel meer te bespreken valt dan enkel het kwantitatieve vraagstuk over hoeveel nieuwko-mers men al dan niet wil toelaten. Door het debat aan te gaan kan men ondermeer ook de huidige realiteit van illegale en legale migratie, ondermaatse tewerkstellingsvoor-waarden, sociale dumping door een gebrekkig sociaal Europa, werkloosheid onder de eigen (allochtone) bevolking en de vastgelopen asielprocedure aan de kaak stellen. Verschillende landen handelen al op eigen houtje: Europese landen laten contingenten seizoenarbeiders toe en ook de slag om de geschoolde migrant is begonnen. Dit brengt een concurrentieverschil met zich mee waar men niet lang blind zal kunnen voor blijven.

Nieuwkomers ontvangen

Elke staat met een bepaald immigratieregime moet van meet af aan geïnteresseerd zijn in de sociale, culturele en economische integratie van de nieuwkomers, ook al is het de bedoeling dat men eventueel maar tijdelijk blijft. Wie migranten toelaat, moet bereid zijn om gezinnen naar hier te laten komen en moet rekening houden met volgmigratie. De gastsamenleving moet ervoor garant staan dat nieuwkomers na verloop van tijd alle burgerrechten en –plichten krijgen. De overheid moet bepaalde inspanningen leveren naar de nieuwkomers toe en omgekeerd. Als de nieuwkomers als volwaardige en ac-tieve burgers aan de gastsamenleving willen deelnemen, hoort daar een engagement bij van beide kanten. De aanpak van het onthaalbeleid is nu al onderwerp van discussie. De omvang van dat debat, en de omvang van de middelen zullen er niet op verminderen als men zou beslissen meer nieuwkomers toe te laten. De bedrijfswereld die vragende partij is om meer migranten toe te laten, kan ook op zijn verantwoordelijkheid gewezen worden. Een grondige reflectie vooraf en een poging om te leren uit het verleden zijn zeker geen overbodige luxe.

Immigratie moet als een gedeelde verantwoordelijkheid worden beschouwd. Uiteindelijk moeten we evolueren naar de uitbouw van een Europees en multicultureel burgerschap. De integratiebevorderende maatregelen moeten hierbij niet enkel uitgaan naar de nieuwkomers, maar ook naar de autochtone bevolking. Ze moet worden bewustgemaakt dat een multiculturele samenleving en arbeidsmarkt onafwendbaar zijn. Hiertoe moet de juiste mentaliteit gecreëerd worden en op dit punt is nog veel werk aan de winkel.

3. Arbeidsmigratie als noodzakelijk agendapunt

Uit de feiten blijkt dat migratie niet als een wondermiddel mag worden beschouwd. Men moet voldoende genuanceerd zijn bij de functies die men aan arbeidsmigratie toekent. De dag dat men beslist om meer of minder arbeidsmigratie te institutionaliseren, zullen de problemen die eigen zijn aan de globalisatie, de migratie, de Noord-Zuid verhouding, de overbevolking en de vergrijzing zeker niet verdwijnen. We volgen Philip Martin wanneer hij stelt dat programma's voor arbeidsmigratie niet teveel als *middel* moeten worden beschouwd, noch om de landen van herkomst te helpen, noch om de illegale migratie tegen te gaan, noch om de eigen economie te redden.[1] Arbeidsmigratie kan aan bepaalde noden tegemoet komen maar men moet ook oog hebben voor de neveneffecten die het met zich kan meebrengen. Wie teveel denkt over arbeidsmigratie als geïsoleerde maatregel om problemen op te lossen zal van een kale reis terugkomen. Arbeidsmigratie moet worden ingebed in een totaalbeleid. Geplaatst binnen een breder opgevat migratie- en sociaal-economisch beleid, biedt arbeidsmigratie wel enkele kansen. Gelet op de migratierealiteit, de vergrijzing en de prognoses over de arbeidsmarkt is het noodzakelijk dat de politiek, zowel op nationaal als op internationaal niveau, zich ernstig over het onderwerp bezint. Alleen al rond de arbeidsmigratie die nu plaatsvindt kan nog heel wat gedaan worden. Er zijn bovendien verschillende elementen die ervoor pleiten om het toelatingsbeleid, op zijn minst op halflange termijn te verruimen. In de nabije toekomst wordt deze beleidsoptie waarschijnlijk 'een verplichte keuze' en men kan daar maar best goed op voorbereid zijn.

Noten

[1] Martin, 1999, 77.

Glossarium

Allochtonen / mensen van allochtone afkomst: Onder de noemer allochtonen verstaan we mensen van buitenlandse origine. Het zegt op zich niets over hun verblijfsstatuut of hun nationaliteit: er zijn allochtonen die hier slechts tijdelijk zijn, anderen zijn hier definitief en zijn zelfs Belg.

Arbeidsmigranten: Deze categorie duidt op migranten die vrijwillig, dikwijls gestimuleerd door rekruteringsprogramma's of informele netwerken, het land van herkomst verlaten om in een ander land te werken. Arbeidsmigranten (soms spreekt men ook van economische migranten) worden meestal door de gastlanden aangetrokken omdat er op de één of andere manier een tekort aan werknemers bestaat. Arbeidsmigratie van hooggeschoolden gebeurt ook dikwijls in het kader van opleidingsprogramma's en uitwisselingsprojecten binnen internationale concerns.

Asielzoeker / kandidaat-vluchteling: Een asielzoeker is een vreemdeling die om asiel, bescherming vraagt, met andere woorden iemand die het vluchtelingenstatuut aanvraagt op basis van de Conventie van Genève. Dit is een tijdelijke toestand die ingaat wanneer de officiële aanvraag bij de bevoegde instanties wordt ingediend, en loopt tot het ogenblik dat het statuut van vluchteling al dan niet wordt toegekend. Uit de Conventie van Genève volgt de facto dat de staten de mogelijkheid moeten garanderen dat asiel kan worden aangevraagd.[1] De concrete rechten van de personen van wie de aanvraag in individueel onderzoek zijn, worden niet geregeld door internationale conventies maar enkel door de nationale vreemdelingenwetgeving. Ook over de te hanteren procedure en de concrete, inhoudelijke invulling van het statuut is weinig vastgelegd op internationaal niveau.

Buitenlandse studenten: Volgens art.58 van de Verblijfswet (1980) hebben buitenlandse studenten een verblijfsvergunning voor de duur van de studie. Gezinshereniging is mogelijk, als zij in staat zijn de kosten van het verblijf van de familie te dragen. Het statuut kan geen definitief verblijfsrecht worden. Het zijn de onderwijsinstellingen die belast zijn met het selecteren en bepalen van het aantal toegelaten buitenlandse studenten. De overheid subsidieert slechts een beperkt aantal buitenlandse studenten.

Contingent vluchtelingen zijn vluchtelingen die al erkend zijn, bijvoorbeeld door het *UNHCR*, maar die in het kader van *resettlement* programma's overgedragen worden aan andere landen.

Conventievluchteling: Op basis van de Conventie van Genève (1951) is een vluchteling iemand die met een gegronde vrees voor vervolging wegens zijn ras, godsdienst, nationaliteit, het behoren tot een bepaalde sociale groep of zijn politieke overtuiging, zich bevindt buiten het land waarvan hij de nationaliteit bezit, en die de bescherming van dat land niet kan of, uit hoofde van bovenbedoelde vrees, niet wil inroepen, of die, indien hij geen nationaliteit bezit en verblijft buiten het land waar hij vroeger zijn gewone verblijfplaats had, daarheen niet kan of uit hoofde van bovenbedoelde vrees, niet wil terugkeren.[2] Een vreemdeling die het vluchtelingenstatuut is toegekend na een individueel onderzoek van de asielaanvraag op basis van de Conventie van Genève en het Protocol van New York is een **erkend vluchteling**. De veelgebruikte term **politiek vluchteling** gebruiken we niet. De term dekt maar een deel van de lading omdat de Conventie op meerdere categorieën vluchtelingen van toepassing is en niet enkel op de politieke vluchtelingen. Er zijn immers nog vier andere criteria op basis waarvan men als vluchteling kan worden erkend.

De facto vluchtelingen zijn vluchtelingen die niet beantwoorden aan de criteria van de Conventie van Genève, maar die toch rechtsbescherming krijgen van de opvangstaat, gezien zij tengevolge van (burger)oorlogen, zware natuurrampen, of andere humanitaire redenen niet kunnen worden teruggestuurd naar het land van herkomst. Ze worden opgevangen met een bijzonder humanitair statuut (ook wel het **B-statuut voor ontheemden** genoemd). Niet alle Europese landen hebben dergelijk statuut en soms wordt het tijdelijk ingesteld ter bescherming van bepaalde groepen mensen. Elk land kan tot nog toe zelf bepalen aan wie het dit statuut toekent en wat de rechten zijn van die vluchtelingen.

Economische vluchtelingen: Deze categorie beschrijft een praktijk in de migratierealiteit maar komt niet overeen met een wettelijk erkend statuut. Anders dan arbeidsmigranten migreren economische vluchtelingen zonder dat er een officiële vraag bestaat op de arbeidsmarkt. Hun motivatie is een beter leven proberen op te bouwen en de moeilijkheden in het thuisland achter zich te laten. Economische vluchtelingen verlaten aan de ene kant hun herkomstland door de (al dan niet subjectieve) perceptie van een gebrek aan mogelijkheden en aan de andere kant worden ze aangelokt door een (al dan niet subjectieve) perceptie van grotere mogelijkheden in andere landen. De economische vluchtelingen komen niet in aanmerking om op basis van de Conventie van Genève als vluchteling te worden erkend. Omdat er voor economische vluchtelingen geen officieel migratiekanaal bestaat, doen zij een beroep op de asielprocedure en illegale vormen van migratie, verblijf en tewerkstelling. De term economische vluchteling is ook ideologisch geladen. Sommigen vinden dat mensen op basis van economische motieven het recht zouden moeten hebben om hier toegelaten te worden, anderen stellen dat de asielprocedure vol economische vluchtelingen zit en dat er tegen dat misbruik hard moet worden opgetreden.

Gastarbeider: De term is afkomstig uit Nederland en maakte opgang tijdens de jaren zestig. De arbeidsmigranten die in de jaren 50, '60 en begin de jaren '70 vanuit Zuid-Europa, Marokko en Turkije naar West-Europa zijn gemigreerd, werden als gastarbeiders aangeduid. De term werd in eerste instantie gehanteerd door een aantal sociale actoren die voor een humanisering van het vreemdelingenbeleid stonden, i.e. een integratiebeleid bepleiten. De term werd veralgemeend vanaf eind de jaren '60 en minder "nobel" geïnspireerde groepen hanteerden de term voor een op dwangmatige terugkeer gericht vreemdelingenbeleid. Algemeen, los van de Europese situatie van vóór de migratiestop, gebruikt men ook wel de term 'gastarbeidersmodel' voor een migratiesysteem dat op tijdelijke migratie is gericht.

Illegalen: Vreemdelingen die niet over verblijfsdocumenten beschikken noemt men illegalen. Het kan gaan om toeristen wiens visa verstreken is, studenten die hier langer blijven dan hun studie hen toelaat, vreemdelingen zonder visum die zich niet hebben aangemeld bij de Dienst Vreemdelingenzaken en geen asielaanvraag hebben gedaan of vreemdelingen die de asielprocedure doorlopen hebben, maar niet ontvankelijk werden verklaard, of niet tot het statuut van vluchteling, noch tot een statuut op basis van humanitaire redenen werden toegelaten. Een deel van de groep van illegalen zijn dus uitgeprocedeerden die de uitwijzingstermijn overschreden hebben. De groep illegalen wordt dikwijls ook aangeduid met de termen **documentloze migranten, mensen zonder papieren** en/of *sans papiers*. Deze termen worden meestal gebruikt in de context van acties (hongerstakingen, kerkasiel) in de strijd voor regularisatie en papieren. Omdat regularisatie niet ons onderwerp is, zullen we ondanks de negatieve bijklank over 'illegalen' en 'illegale migratie' spreken.

Migranten: personen die door omstandigheden het land van herkomst hebben verlaten en nu in een gastland verblijven. Het kan dus zowel gaan om een vluchteling, een gastarbeider, een student, enzovoort. Hoewel de term 'migrant' eigenlijk het meest overkoepelende begrip is, wordt in de literatuur toch dikwijls een terminologisch onderscheid gemaakt tussen 'vluchtelingen' en '(economische) migranten'. Bij het gebruik van de term migranten wil men dan de nadruk leggen op de motivationele factoren die het migreren bepalen, meer bepaald op de economische motieven. Met 'migranten' bedoelt men dus dikwijls arbeidsmigranten of gastarbeiders.

We moeten hier de noties gedwongen en vrijwillige migratie invoeren. Men spreekt ook van *reactive* en *proactive migration*. Hoewel er tussen deze twee categorieën een brede grijze zone bestaat, kan men hoe dan ook een onderscheid maken tussen de vluchteling die aan de burgeroorlog tussen Ethiopië en Eritrea probeert te ontkomen aan de ene kant, en de Turk die naar België komt in het kader van gezinsvorming of de migrant die in de VS wordt toegelaten op basis van het gespecialiseerde diploma, aan de andere kant. Terwijl men in het eerste geval op de vlucht gedreven wordt, kiest men in het tweede geval zelf voor de migratie. In deze tekst is de gedwongen migratie en de vluchtelingenproblematiek eigenlijk niet aan de orde, of toch niet op de eerste plaats.

Migratiestop: Tot de oliecrisis van 1973-1974 waren verschillende Europese landen importeur van arbeidskrachten. Sinds midden de jaren zeventig (1974 voor België) hebben de Europese landen de werving van buitenlandse werknemers stopgezet. Het woord migratiestop is misleidend omdat het niet betekent dat er geen immigratie meer kan plaatsvinden. De migratiestop is enkel van toepassing op de arbeidsmigratie. De toelating op basis van de procedures voor asiel, gezinshereniging en gezinsvorming zijn altijd gevrijwaard gebleven. De migratiestop heeft ook de arbeidsmigratie niet volledig kunnen uitbannen, hoewel ze nu wel op veel kleinere schaal en onder strikte voorwaarden gebeurt.

Regularisatie: Het toekennen van een machtiging tot verblijf aan bepaalde (categorieën van) vreemdelingen die daartoe niet de normale aanvraagprocedures volgden. Het gaat om illegale vreemdelingen of vreemdelingen die in de asielprocedure zitten. Zij kunnen worden erkend, los van enige verwijzing naar de Conventie van Genève. De regularisatiemogelijkheden binnen een staat kunnen permanent zijn of eenmalig en tijdelijk (regularisatiecampagne).

Uitgeprocedeerden zijn kandidaat-vluchtelingen aan wie een uitvoerbaar bevel om het grondgebied te verlaten werd betekend. Tegen zo een bevel is geen opschortend beroep meer mogelijk. Het gaat met andere woorden over diegenen die een negatieve beslissing gekregen hebben van het Commissariaat-Generaal voor de Vluchtelingen en de Staatlozen in de ontvankelijkheidsfase of om diegene die een negatieve beslissing ten gronde hebben gekregen van de Vaste Beroepscommissie voor de Vluchtelingen.

Volgmigrant: Op basis van internationale verdragen hebben legale migranten recht op gezinshereniging of gezinsvorming.[3] De mensen die in dit kader kunnen migreren noemt men volgmigranten.

Vreemdeling: Een persoon die al dan niet tijdelijk in België verblijft, maar niet over de Belgische nationaliteit beschikt is een vreemdeling. Vreemdelingen die ingeschreven zijn in het vreemdelingenregister maken deel uit van de Belgische bevolking maar hebben nog niet de Belgische nationaliteit. Op grond van de naturalisatiewetgeving kan een vreemdeling Belg worden. De Belgische nationaliteitswetgeving vereist niet dat men afstand doet van de nationaliteit die men had. Volgens de wetgeving die sinds mei 2000 van kracht is, kan iedereen die ouder is dan 18 en minstens drie jaar wettelijk in België verblijft een aanvraag tot **naturalisatie** indienen. Wat betreft de **nationaliteitsverklaring** kunnen in principe alle mensen die in België geboren zijn en hier verblijven Belg worden. Ook wie hier zeven jaar legaal verblijft, heeft het recht op een nationaliteitsverklaring.

Noten

[1] Zie ook de UVRM, artikel 14. 1. Eenieder heeft het recht om in andere landen asiel te zoeken en te genieten tegen vervolging.

[2] Conventie van Genève betreffende de status van de vluchteling, VN, 1951, art. 1; gewijzigd door het Protocol van New York, 1967, dit laatste wordt ook wel het protocol van Bellagio genoemd.

[3] Zie o.a. artikel 8 van de Europese Conventie ter bescherming van de mensenrechten en de fundamentele vrijheden (1950) en artikel 16 van de Universele Verklaring van de Rechten van de Mens.

Lijst van afkortingen

BNP: Bruto Nationaal Product.

CGKR: Centrum voor Gelijkheid van Kansen en Racismebestrijding. http://www.antiracisme.be

DBI: Directe buitenlandse investeringen.

ERCOMER: *European Research Centre on Migration and Ethnic Relations*. http://www.ercomer.org/

EU: Europese Unie. http://europa.eu.int, zie ook http://www.spfo.unibo.it/spolfo/EULAW.htm

GATT: *General Agreement on Tariffs and Trade*.

HIVA: Hoger Instituut Voor de Arbeid van de Katholieke universiteit Leuven. http://www.kuleuven.ac.be/hiva/

ILO: De *International Labour Organization* is opgericht in 1919. In de negentiende eeuw hadden twee industriëlen Robert Owen en Daniel Legrand op de noodzaak van dergelijke organisatie gewezen. Het belangrijkste doel was de verbetering van de toestand van de arbeiders op internationaal vlak. De organisatie streeft naar mondiale sociale rechtvaardigheid en ijvert voor de erkenning van de mensen- en arbeidsrechten. Als internationale organisatie besteedt het zeer veel aandacht aan het lot van de migranten, mensen die uit vrije wil naar een ander land gaan om daar tewerkgesteld te worden. http://www.ilo.int

IMES: The Institute for Migration and Ethnic Studies, Universiteit Amsterdam. http://www.pscw.uva.nl/imes/

IMF: Internationaal Muntfonds.

INS: *Immigration and Naturalization Service* van de VS. http://www.ins.usdoj.gov/graphics/index.htm

IOM: *International Organization for Migration*. De *Provisional Intergovernmental Committee for the Movement of Migrants from Europe* (PICMME) werd opgericht in 1951 op initiatief van België en de VS. Kort daarna werd het *Intergovernmental Committee for European Migration* (ICEM). In 1980 werd het ICEM het *Intergovernmental Committee for Migration* (ICM). In 1989 ten slotte werd het ICM omgevormd tot de *International Organization for Migration*

(IOM). De organisatie staat mee in voor de evacuatie van vluchtelingen, het opstarten van reïntegratieprojecten en ontwikkelingsprogramma's, de bescherming van de migrantenrechten en de terugkeer van migranten naar het land van herkomst. De *Migration for Development programmes* volgen sinds 1964 de beweging van geschoolde migranten en het *Return of Talent Programme* (1974) begeleidde en ondersteunde Latijns Amerikaanse professionals die onderwijs en werkervaring hadden opgedaan in Europa om terug te keren naar hun land van herkomst. http://www.iom.int

IT: Informatie Technologie.

KB: Koninklijk Besluit.

KCM: Koninklijk Commissariaat voor het Migrantenbeleid (1989-1992).

NAFTA: *North American Free Trade Agreement.*

NIDI: Nederlands Interdisciplinair Demografisch Instituut. http://www.nidi.nl

NIE's: *Newly Industrializing Economies* in Zuid-Oost Azië: Singapore, Maleisië, Thailand, Hong Kong, Taiwan en Zuid-Korea. Deze landen zijn nu echter al gedesindustrialiseerd voor zover ze van een arbeidsintensieve economie naar een diensteneconomie geëvolueerd zijn.

NIS: Belgisch Nationaal Instituut voor Statistiek. http://statbel.fgov.be/

OCMW: Openbaar Centrum voor Maatschappelijk Welzijn.

OESO: Organisatie voor Economische Samenwerking en Ontwikkeling. http://www.oecd.org/

VMC: Vlaams Minderheden Centrum. http://www.vmc.be

UNDP: *United Nations Development Programme.* http://www.undp.org/

UNHCR: De *United Nations High Commissioner for Refugees* is de vluchtelingenorganisatie van de VN en staat in voor de bescherming en de begeleiding van vluchtelingen over heel de wereld. Bij de oprichting door de VN in 1951 was de organisatie belast met 1,2 miljoen vluchtelingen, hoofdzakelijk mensen die in de nasleep van WOII nog steeds geen veilig dak boven het hoofd hadden. Ondertussen vallen 22,7 miljoen vluchtelingen in 140 landen onder de verantwoordelijkheid van de *UNHCR.* Oorspronkelijk was *UNHCR* tijdelijk opgericht, voor 3 jaar. Vijftig jaar later is het één van de grootste humanitaire organisaties met het hoofdkwartier in Genève en afdelingen in 122 landen. Sinds januari 2001 is Ruud Lubbers Hoog Commissaris voor de Vluchtelingen. In oktober 2000 werd hij door VN-secretaris-generaal Kofi Annan benoemd tot opvolger van Sadako Ogata die bijna tien jaar aan het hoofd stond van *UNHCR.* http://www.unhcr.ch

UVRM: Universele Verklaring van de Rechten van de Mens (1948).

VDAB: Vlaamse Dienst voor Arbeidsbemiddeling en Beroepsopleiding. http://vdab.be/

VEV: Vlaams Economisch Verbond. http://www.vev.be.

VN: Verenigde Naties. http://www.un.org/

WAV: Steunpunt Werkgelegenheid, Arbeid en Vorming. http://www.kuleuven.ac.be/stwav/

WBS: Wiardi Beckmanstichting, het studiebureau van de Nederlandse socialistische partij PvdA.

WTO: *World Trade Organisation.*

Literatuur

ABELLA, M. (2000[2]), *Sending workers abroad. A manual for low- and middle-income countries*, ILO, Genève.

ABELLA, M. (1990), *Workers to Work or Work to the Workers*, paper voor de conferentie *International Labour Migration*, Nihon University, Tokyo, september 1990.

ABICHT, L. (1999), *Voor de onmiddellijke en totale afschaffing van alle onrecht*, in *Samenleving en politiek* 6, 1, 3-9.

ADELMAN, H. (1999), *Modernity, globalization, refugees and displacement*, in AGER, A. (ed.), *Refugees. Perspectives on the Experience of Forced Migration*, Pinter, Londen/New York, 83-110.

AHMAD, M. (1982), *Emigration of scarce skills in Pakistan*, Working Paper, International Migration for Employment, ILO, Genève.

AKBARI, A.H. (1999), *Immigrant 'quality' in Canada: more direct evidence of human capital content, 1956-1994*, in *International Migration Review*, 33, 1, 156-175.

AKEL, I. (1998), *Immigratie en ontwikkeling in Nederland na 1945*, in EMMER, P. en OBDEIJN (red.), *Het paradijs is aan de overzijde. Internationale immigratie en grenzen*, Jan van Arkel, Utrecht, 143-155.

AKGÜNDÜZ, A., *Een analytische studie naar de arbeidsmigratie van Turkije naar West-Europa, in het bijzonder naar Duitsland en Nederland (1960-1974)*, in *Sociologische Gids*, 40, 5, 352-385.

ANDRIES, M. (1999), *Nood aan ander 50-plussersbeleid*, in *De Morgen*, 13-04-1999, 2.

APPLEYARD, R. (red.) (1989), *The Impact of International Migration on Developing Countries*, OECD, Parijs.

ARNOLD, F. (1992), *The contribution of remittances to economic and social development*, in KRITZ, M.M., LIM, L.L. en ZLOTNIK, H. (eds.), *International migration systems. A global approach*, Clarendon press, Oxford, 205-220.

ATALIK, G. en BEELEY, B. (1993), *What mass migration has meant for Turkey*, in KING, R. (ed.), *Mass migration in Europe: The legacy and the future*, John Wiley & Sons, New York, 156-173.

AUSTRALIAN DEPARTMENT OF IMMIGRATION AND MULTICULTURAL AFFAIRS (1999): *Population Flows: Immigration Aspects*, http://www.immi.gov.au/population/flow-dec99.htm.

BADE, K.J. (1998), *Van emigratieland naar immigratieland zonder wetten. Duitse paradoxen in de negentiende en twintigste eeuw*, in EMMER, P. en OBDEIJN, H. (red.), *Het paradijs is aan de overzijde. Internationale immigratie en grenzen*, Jan van Arkel, Utrecht, 109-124.

BALDWIN-EDWARDS, M. (1999), *The greek regularisation - A comparative analysis with the Spanish, Portuguese and Italian experiences*, http://www.rdg.ac.uk/EIS/GSEIS/emc/publications/edwards.htm.

BALDWIN-EDWARDS, M. en SCHAIN, M.A. (eds.) (1994), *The politics of immigration in Western Europes*, Frank Cass, Illford.

BAUBÖCK, R. (1994), *Transnational citizenship: membership and rights in international migration*, Edward Elgar, Aldershot

BEAN, F.D., EDMONSTON, B. en PASSEL, J. (eds.) (1990), *Undocumented migration to the United States. IRCA and the experience of the 1980's*, The urban institute, Washington.

BEN ABDELJELIL, Y. (2000), *Nieuwkomers in Vlaanderen en Brussel: een analyse van hun socio-economisch en demografisch profiel en hun ruimteliujke spreiding*, deel 1 van TIMMERMAN, Ch., VAN DER HEYDEN, K., BEN ABDELJELIL, Y. en GEETS, J., *Marokkaanse en Turkse nieuwkomers in Vlaanderen*, onderzoek in opdracht van mevrouw Mieke Vogels, Vlaams Minister van Welzijn, Gezondheid en Gelijke Kansen, Onderzoeksgroep Armoede, Sociale Uitsluiting en Stad (OASeS), Vakgroep Sociologie en Sociaal Beleid, UFSIA, Universiteit Antwerpen. (voorlopige versie).

BEN ABDELJELIL, Y. en VRANKEN, J. (1996), *Ook wie elke dag zijn schapen telt, kan zich vergissen*, UFSIA, Antwerpen.

BERNSTEIN, A. en WEINER, M. (eds.) (1999), *Migration and Refugee Policies. An Overview*, Pinter, Londen/New York

BHAGWATI, J.N. (ed.) (1976), *The brain drain and taxation, vol. 2: theory and empirical analysis*, North-Holland, New York.

BHAGWATI, J.N. en DELLALFAR, W. (1973), *The brain drain and income taxation* in *World Development* 1, 94-101.

BHAGWATI, J.N. en WILSON, J.D. (eds.) (1989), *Income taxation and international mobility*, MIT Press, Cambridge (Mass.).

BIGO, D. (1996), *Polices et réseaux. L'experience européenne*, Presses de la fondation de sciences politiques, Parijs.

BLÖNDAL, S. en SCARPETTA, S. (1998), *The retirement decision in OECD countries.* Economic department working papers no. 202: http://www.olis.oecd.org/olis/1998doc.nsf/LinkTo/ECO-WKP(98)15

BÖCKER, A. (1992), *Gevestigde migranten als bruggehoofden en grenswachters: Kettingmigratie over juridisch gesloten grenzen*, in *Migrantenstudies*, 8, 4, 61-78.

BÖCKER, A.; GROENENDIJK, K.; HAVINGA, T. en MINDERHOUD, P. (eds) (1998), *Regulation of Migration: International experiences*, Spinhuis, Amsterdam.

BÖCKER, A. en HAVINGA, T. (1998), *Asylum applications in the European Union: patterns and trends and the effects of policy measures*, in *Journal of Refugee Studies*, 11, 3, 245-266.

BÖCKER, A. en HAVINGA, T. (1999), *Country of asylum by choice or by chance: asylum-seekers in Belgium, the Netherlands ans the U.K.*, in *Journal of Ethnic Studies*, 25, 1, 43-61.

BOGAERT, H. (1999) (ed.), *Vergrijzing en financiering van de sociale zekerheid: een haalbare uitdaging?*, Handelingen van het door het Federaal Planbureau georganiseerde Colloquium, Brussel, 2 en 3 december 1997.

BÖHNING, W. (1972), *The migration of workers in the United Kingdom and the European Community*, Oxford University Press, Londen.

BÖHNING, W. (1995), *Top and bottom end labour import in the United States and Europe: Historical Evolution and sustainability*, International Migration papers, nr. 8, ILO, Genève.

BOSSUYT, M. (1992), *Asiel in migratieperspectief*, in RAMAKERS, J. (red.), *Asiel en Migra-*

tie. Verslagboek studiedag 10 maart 1992, Steunpunt Migranten, HIVA, KU Leuven, 22-29.

BOYD, M. (1989), *Family and personal networks in international migration: Recent developments and new agendas*, in *International Migration Review*, 23, 3, 638-670.

BRACKE, S.; LEMAN, J. en STALLAERT, C. (1990), *De complexe aspecten van een terugkeer- en reïntegratie(beleid)*, in *Cultuur en Migratie*, 1990, 1.

BROCHMANN, G. (1998), *Controlling immigration in Europe. Nation-state dilemmas in an international context*, AMERSFOORT, H. en DOOMERNIK, J. (eds.), *International migration. Processes and interventions*, Het Spinhuis, Amsterdam.

BROCHMANN, G. en HAMMAR, T. (1999), *Mechanisms of immigration control: a comparative analysis of European regulation policies*, Berg, Oxford.

BROWN, R. (1994) *Migrants' remittances, saving and investment in the South Pacific*, in *International Labour Review* 133, 347-367.

BRUBAKER, W. (eds.) (1989), *Immigration and the politics of citizenship in Europe and North America*, University Press of American, Lanham.

BURGERS, J. en ENGBERSEN, G. (1995), *Mondialisering, migratie en illegale vreemdelingen*, in HEILBRON, J. en WILTERDINK, N. (red.), *Mondialisering. De wording van de wereldsamenleving*, Wolters-Noordhoff, Groningen, 225-249.

CAESTECKER, F. (2001), *Alien Policy in Belgium, 1840-1940. The Creation of Guest Workers, Refugees and Illegal Aliens*, Berghahn Books, Oxford-New York.

CAESTECKER, F. (1995), *Een rationeel en doortastend immigratiebeleid voor de post-industriële samenleving*, in *Bareel*, 15, 58, 3-6.

CAESTECKER, F. (1992), *Vluchtelingenbeleid in de naoorlogse periode (1945-1980)*, VUBPRESS, Brussel.

CAESTECKER, F. (2001a), *Strengthening control over migration in Europe at the end of the nineteenth century* in WEIL, P., *Immigration control in the nineteenth century*, Berghahn Books, Oxford, ter perse.

CAESTECKER, F. (1998), *The changing modalities of regulation in international migration within continental Europe*, 1870-1940 in BÖCKER, A., GROENENDIJK, K., HAVINGA, T. en MINDERHOUD, P. (eds), *Regulation of migration: International experiences*, Spinhuis, Amsterdam, 73-98.

CAESTECKER, F. en MARTENS, A. (2001), *Het Belgisch migratie- en migrantenbeleid, 1985-2000*, in VRANKEN, J., TIMMERMAN, C. en VAN DER HEYDEN, K. (red.), *Komende generaties. Wat weten we (niet) over allochtonen in Vlaanderen?*, Acco, Leuven.

CAESTECKER, F. en VAN DE VOORDE, M., (1996) *Schoolverlaters van Turkse en Marokkaanse nationaliteit op de Vlaamse arbeidsmarkt: positieve actie blijft nodig*. Documenten Begeleidingscel Werkgelegenheid Migranten, 1.

CANTILLON, B. (red.) (1999), *De welvaartsstaat in de kering*, Pelckmans, Kapellen.

CARENS, J. (1987), *Aliens and Citizens: The Case of Open Borders*, in *The Review of Politics*, 49, 251-273.

CARENS, J. (1988a), *Immigration and the welfare state*, in GUTMANN, A. (red.), *Democracy and the Welfare State*, Princeton University Press, 207-230.

CARENS, J. (1988), *Nationalism and the Exclusion of Immigrants: Lessons from Australian*

Immigration Policy, in GIBNEY, M. (ed.), *Open Borders? Closed Societies? The Ethical and Political Issues*, Greenwoodpress, New York, 41-60.

CASTELLS, M. (1989), *The informational city: information technology, economic restructuring and the urban-regional process*, Basil Blackwell, Oxford.

CASTLES, S. (2000), *Ethnicity and globalization: from migrant worker to transnational citizen*, Sage, Londen.

CASTLES, S en DAVIDSON, A. (2000a), *Citizenship and migration: globalization and the politics of belonging*, MacMillan, Houndmills.

CASTLES, S. en MILLER, M.J. (1993), *The age of migration. International population movements in the modern world*, MacMillan, Londen.

CGKR (Centrum voor gelijkheid van kansen en voor racismebestrijding) (1999), *Strijd tegen de mensenhandel, aandacht voor de slachtoffers, Jaarverslag 1998*, Brussel.

CGKR (Centrum voor gelijkheid van kansen en voor racismebestrijding) (2000), *Strijd tegen de mensenhandel. Tussen beleid en middelen: de diepe kloof?, Jaarverslag 1999*, Brussel.

CHALIAND, G.; JAN, M. en RAGEAU, J.-P. (1994), *Atlas historique des migrations*, Éditions du Seuil, Parijs.

CLEEMPUT, J. (1998), *Migratie- en asielbeleid: lijdensweg*, in *Tijdschrift voor Welzijnswerk*, 22, 216, 5-16.

COHN-BENDIT, D. (1995), *Een gesprek over* Thuisland Babylon, in *De Groene Amsterdammer*, 1 november 1995.

COHN-BENDIT, D. en SCHMID, T. (1995), *Thuisland Babylon. De uitdaging van de multiculturele democratie*, Hadewijch, Antwerpen.

COLEMAN, D. (1992), *Does Europe need immigrants? Population and work force projections*, in *International Migration Review*, 26, 2, 413-461.

COLEMAN, D. (1995), *International migration: demographic and socioeconomic consequences in the United Kingdom and Europe*, in *International Migration Review*, 29, 1, 155-206.

COOMANS, G. (1999), *Europe's changing demography. Constraints and bottlenecks*, Demographic and social trends issue paper nr. 8, Institute for Prospecive Technological Studies (IPTS), http://futures.jrc.es/menupage-b.htm.

CORNELIUS, W.; MARTIN, Ph. en HOLLIFIELD, J. (eds.) (1995), *Controlling Immigration: a global perspective*, Stanford University Press, Stanford.

CROSS, M. en WALDINGER, R. (1997), *Economic integration and labour market change: a review and re-appraisal*, http://international.metropolis.net.

DE BEER, P. (1999), *De dynamische onderkant*, in GODSCHALK, J. (red.), *Die tijd komt nooit meer terug. De arbeidsmarkt aan het eind van de eeuw*, Het Spinhuis, Amsterdam, 155-184.

DE HAAN, I. (1995), *Over de grenzen van de politiek: de integratie van allochtonen in de sfeer van de politiek*, in Engsbergen, G. en GABRIELS, R. (eds.) (1995), *Sferen van integratie. Naar een gedifferentieerd allochtonenbeleid*, Boom, Meppel, 157-179

DELEECK, H. (1991), *Zeven lessen over sociale zekerheid*, Acco, Leuven/Amersfoort.

DENEVE, C. (1995), *Illegale tewerkstelling van vreemdelingen*, in VAN HAEGENDOREN, M. (red.), *De vrouw in de Europese Unie. Referatenboek van de studiedag Nederlandstalige Nationale vrouwenraad / Conseil des femmes francophones de Belgique*, Acco, Leuven.

DERAECK, G. (1999), *Culturen in meervoud. Aspecten van intercultureel (ped)agogisch handelen in onderwijs, vormingswerk en hulpverlening*, Kritak, Leuven.

DERAECK, G. (1994), *Vreemd volk? Over integratie en uitsluiting van migranten en vluchtelingen*, Acco, Leuven.

DE RIDDER, H. (2000), *De pijnlijke weg van piramide naar cilinder*, in De Morgen, 09-06-2000, 2.

DE SMET, L. (1999), *De toekomst van het Belgisch migratiebeleid. Een Staatssecretaris voor Migratie en Mensenrechten?* in TALHAOUI, F. en WETS, J. (red.), *Asiel, de deur op een kier*, themanummer van *Noor-Zuid-Cahier*, 24, 115-126,

DE STOOP, C. (1991), *Vreemd volk op de werf*, in Knack 29 mei 1991, 12-15.

DE STOOP, C. (red.) (1991a), *Vrouwenhandel in België: een diagnose*, Koning Boudewijnstichting Brussel.

DE STOOP, C. (1992), *Ze zijn zo lief meneer: over vrouwenhandelaars, meisjesbaletten en de Bende van de Miljardair*, Kritak, Leuven.

D'HONDT, P. (1991), *Mens voor mens*, Kritak, Leuven.

DÍAZ-BRIQUETS, S. (1991), *The effects of international migration on Latin America*, in PAPADEMETRIOU, G. en MARTIN, Ph., *The unsettled relationship: labor migration and economic development*, Greenwoodpress, Westport, Connecticut.

DIJKSTAL, H. (1998), *Intercontinentale migratie en politiek*, in EMMER, P. en OBDEIJN (red.), *Het paradijs is aan de overzijde. Internationale migratie en grenzen*, Jan van Arkel, Utrecht, 157-167.

DOOMERNIK, J. (1998), *Labour immigration and integration in low and middle-income countries: Towards an evaluation of the effectiveness of migration policies*, ILO, Genève.

DOOMERNIK, J. en PENNINX, R. (1999), *Economische groei, werkgelegenheid en immigranten: veranderde verhoudingen?*, in GODSCHALK, J. (red.), *Die tijd komt nooit meer terug. De arbeidsmarkt aan het eind van de eeuw*, Het Spinhuis, Amsterdam, 115-132.

DOOMERNIK, J.; PENNINX, R. en VAN AMERSFOORT, H. (1996), *Migratiebeleid voor de toekomst: mogelijkheden en beperkingen*, IMES, Amsterdam.

DOORNHEIM, L. en DIJKHOFF, N. (1995), *Toevlucht zoeken in Nederland*, Gouda Quint, Arnhem.

DOWTY, A. (1987), *Closed Borders. The Contemporary Assault on Freedom of Movement*, Yale University Press, New Haven en Londen.

DURIEZ, B. (1999), *Baas in eigen land. Moraliteit en empathie als wapen tegen Rechts Extremisme*, in TALHAOUI, F. en WETS, J. (red.), *Asiel, de deur op een kier*, themanummer van *Noor-Zuid-Cahier*, 24, 95-106, 101.

EFIONAYI, D. e.a. (2001), *Distribution of asylum requests over European countries*, Forum Suisse pour l'étude des migrations, Neuchâtel.

EGGERICKX, T.; KESTELOOT, C.; POULAIN, M. e.a. (1999), *De allochtone bevolking in België*, NIS en DWTC (censusmonografie nr. 3), Brussel.

ELSTER, J. (1992), *Local justice : how institutions allocate scarce goods and necessary burdens*, Cambridge University Press, Cambridge.

EMMER, P. en OBDEIJN, H. (1998), *Het paradijs is aan de overzijde. Meer markt voor migranten*, in EMMER, P. en OBDEIJN (red.), *Het paradijs is aan de overzijde. Internationale migratie en grenzen*, Jan van Arkel, Utrecht, 7-19.

ENTZINGER, H. (1994), *De andere grenzen van de verzorgingsstaat. Migratiestromen en migratiebeleid*, in ENGBERSEN, G.; HEMERIJCK, A. en BAKKER, W. (red.), *Zorgen in het Europese huis. Verkenningen over de grenzen van de nationale verzorgingsstaten*, Boom, Amsterdam, 142-172.

ENTZINGER, H., (1994a), *Shifting Paradigms: An Appraisal of Immigration in the Netherlands*, in FASSMANN, H. en MÜNZ, R. (eds.), *European Migration in the late Twentieth Century*, Edward Elgar, Eldershot/Brookfield, 93-112.

ENTZINGER, H. (1999), *Mag het een onsje minder zijn?*, in *NRC Handelsblad*, 28-05-1999.

ENZENSBERGER, H.M. (1993), *De grote volksverhuizing. Drieëndertig markeringen*, De Bezige Bij, Amsterdam.

ESCHBACH, K.; HAGAN, J. e.a. (1999), *Death at the border*, in *International Migration Review*, 33, 2, 430-454.

FAWCETT, J.T. (1989), *Networks, linkages and migration systems*, in *International Migration Review*, 23, 3, 671-680.

FEDERAAL PLANBUREAU (1999), *Economische vooruitzichten 1999-2004*, Brussel, april 1999.

FERMON, J. (1996), *Het salon is vol? België, vreemdelingen en mensenrechten*, Epo, Berchem.

FINDLAY, A.M. (1993), *New technology, high level labour mouvements and the concept of the brain drain*, in OECD (ed.), *The changing course of international migration*, SOPEMI/ OECD, Parijs, 149-190.

FISHER, G.; FROHBERG, K.; KEYZER, M.A.; PARIKH, K.S. en TIMS, W. (1991), *Hunger. Beyond the reach of the Invisible Hand*, International Institue for Applied Systems Analysis, Laxenburg, Oostenrijk.

FOBLETS, M.-C. (1999), *Illegale migraties. Houdt 'primordiale autochtonie' ook het migratiebeleid in haar greep?*, in Liber Amicorum E. ROOSENS, *Cultuur, etniciteit en migratie, Culture, ethnicity and migration*, Acco, Leuven.

FRECAULT, D., *Transferts de fonds et flux financiers. Mais que font donc les migrants avec leur argent?*, in *Les migrations*, Dossier Le Soir, juni 1991, 34

FREEMAN, G. (1994), *Can Liberal States Control Unwanted Migration?*, in LAMBERT, R. en HESTON, A. (eds.), *Strategies for Immigration Control: An International Comparison, The Annals of the American Academy of Political and Social Science*, vol. 534, juli 1994.

FREEMAN, G. (1995), *Modes of immigration politics in liberal democratic states*, in *International Migration Review*, 29, 4, 881-902.

FREEMAN, G. (1999), *The quest for skill: a comparative analysis*, in BERNSTEIN, A. en WEINER, M. (eds.), *Migration and Refugee Policies. An Overview*, Pinter, Londen/New York, 84-118.

GIBNEY, M. (ed.) (1988), *Open Borders? Closed Societies? The Ethical and Political Issues*, Greenwoodpress, New York.

GODFROID, D.J. en VINCKX, Y. (1999), *Mensensmokkel*, Meulenhoff, Amsterdam.

GOLINI, A.; GERANO, A. en HEINS, F. (1991), *South-North migration with special reference to Europe*, in *International Migration*, 29, 2, 253-279.

GOWRICHARN, R. (1996), *Immigration and unemployment: the Duth debate*, in *New Community*, 22, 3, 531-538.

GROENLINKS (HALSEMA, F. e.a.) (1999), *Europa een immigratieregio. Met Status. Een pleidooi voor een progressieve Europese migratiepolitiek*, http://shaman.dds.nl/~groen-l/verkiezing/migratienota.html.

GUIRAUDON, V. en LAHAV, G. (2000), *A reappraisal of state sovereignty debate. The case of migration control*, in *Comparative political studies*, 33, 2, 163-195.

GURAK, D.T. en CACES, F. (1992), *Migration networks and the shaping of migration systems*, in KRITZ, M.M., LIM, L.L. en ZLOTNIK, H. (eds.), *International migration systems. A global approach*, Clarendon press, Oxford, 150-176.

HABERLAND, J. (1998), *EU Policies*, paper voor het seminarie *Managing Migration in the 21st Century*, San Diego, 20 februari 1998, http://migration.ucdavis.edu/mm21/sandiego/Haberland-EUPolicies.html.

HAMMAR, T. (1990), *Democracy and the nation state: aliens, denizens and citizens in a world of international migration*, Aldershot, Avebury.

HAMMAR, T. (1983), *Dilemmas of Swedish immigration policy. They were invited permanently. –Do they want to return?*, in KUBAT, D. (ed.), *The politics of return. International return migration in Europe. Proceedings of the first European conference on international return migration*, Rome, 11-14 november 1981, 187-200.

HAMMAR, T. (1985), *European immigration policy: a comparative study*, Cambridge University Press, Cambridge.

HAMPTON, J. (1998), *Internally Displaced People. A Global Survey*, Earthscan Publications, Londen.

HARRIS, N. (1995), *The new untouchables. Immigration and the New World Order*, I.B. Tauris, Londen/New York.

HERMAN, A. (1991), *Oost-West migratie*, Socialistisch Instituut voor Europese Studies, Brussel.

HERMAN, A. (1999), *Contingenten en quota*, onuitgegeven nota,SEVI, Brussel.

HEUSER, A. en HILLENBRAND, O. (eds.) (1996), *Controlling immigration, integrating foreigners, and living together. Hypotheses on immigration and integration in Europe*, TransAtlantic Learning Community, Migration Forum, Bertelsmann Foundation, Gütersloh, http://www.transatlanticnet.de/acces/pefmthes.htm.

HIRSCHMAN, A. (1970), *Exit, voice and loyalty*, Harvard Univ. Press, Cambridge, Mass..

HIRSCHMAN, A. (1993), *Exit, voice and the fate of the GDR: An essay in conceptual history*, in *World Politics*, 1, 173-202.

HJARNOE, J. (1996), *Illegals on the European labour markets*, paper for the international seminar 'Undocumented immigrants on the labour market: policy responses', Brussel 18-19 januari 1996.

HOLDERBEKE, F. (1997), *Conjunctuur en arbeidsmarktindicatoren*, in *Nieuwsbrief steunpunt WAV*, 4, 61-67.

HOLLANTS, E. (1998), *Fort Europa is een dure illusie. Pleidooi voor een vrije migratie*, in *Inzet Magazine*, nr. 39 december 1998, http://www.inzet.nl/bladen/inzet39/vrijmigr.html.

HOLLIFIELD, J. (1992), *Immigrants, markets and states: the political economy of postwar Europe*, Harvard University Press, Cambridge.

HOLLIFIELD, J. (1992a), *Migration and international relations: cooperation and control in the European Community*, in *International Migration Review*, 26, 2, 568-595.

HOLLIFIELD, J. (1998), *Migration, trade, and the nation-state. The myth of globalization*, paper voor het seminarie *Managing Migration in the 21st Century*, Hamburg, 21-23 juni 1998, http://migration.ucdavis.edu/mm21/Jim.html.

HÖNEKOPP, E. (1997), *The new labor migration as an instrument of German foreign policy*, in MÜNZ, R. en WEINER, M. (eds.), *Migrants, refugees and foreign policy: U.S. and German policies toward countries of origin*, Providence, Berghahn Books, 165-182.

HUBEAU, B. (1995), *Europees burgerschap en Europees migratierecht: basisbegrippen en recente ontwikkelingen*, in DE FEYTER, K., FOBLETS, M.-C. en HUBEAU, B. (red.), *Migratie- en migrantenrecht. Recente ontwikkelingen*, De Keure, Brugge, 101-146.

HUBEAU, B. en FOBLETS, M.C. (eds.) (1997), *Politieke participatie van allochtonen (reeks: minderheden in de samenleving nr. 2)*, Acco, Leuven/Amersfoort.

HULSHOF M., DERIDDER, L. en KROONEMAN, P. (1992), *Asielzoekers in Nederland*, Instituut voor Sociale Geografie, Universiteit van Amsterdam.

ILO (1995), *World Employment 1995*, ILO, Genève.

IMMIGRATION AND NATURALIZATION SERVICE (INS): http://www.ins.usdoj.gov/graphics/index.htm

IOM (International Organisation for Migration) (1994), *Trafficking in migrants: characteristics and trends in different regions of the world*, Paper presented at the 11th IOM seminar on migration, Genève.

ISBISTER, J. (1996), *The immigration debate. Remaking America*, Kumarian Press, Connecticut.

JACOBS, D. (1998), *Nieuwkomers in de politiek. Het parlementair debat omtrent kiesrecht voor vreemdelingen in Nederland en België (1970-1997)*, Academia Press, Gent.

JACOBSON, D. (1996), *Rights across borders: immigration and the decline of citizenship*, John Hopkins university press, Baltimore.

JOPPKE, C. (ed.) (1998), *The challenge to the nation-state: immigration and citizenship in Europe and North America*, Oxford University Press, Oxford.

KAHN, J.R. (1994), *Immigrant and native fertility during the 1980s: Adaptation and expectations for the future*, in *International Migration Review*, 28, 3, 501-519.

KCM (1992), *Aan zijn vruchten kent men de boom*, Nota van het KCM over de problematiek van de fruitpluk en het inzetten van seizoenarbeid, KCM, Brussel.

KCM (1989), *Integratie(beleid): een werk van lange adem*, Inbel, Brussel.

KCM (1990), *Voor een harmonieuze samenleving*, Inbel, Brussel.

KLOS, C. (1997), *German Integration Policy. Current developments in the legal discussion*, Paper voor de conferentie '*Managing Migration in the 21th century*' 10-11 oktober 1997, http://migration.ucdavis.edu/mm21/Klos.html.

KOEKEBAKKER, O. (1990), *Immigranten in Europa*, Nederlands Centrum Buitenlanders, Utrecht.

KÖRNER, H. (1983), *Return migration from the Federal Republic of Germany*, in KUBAT, D.

(ed.), *The politics of return. International return migration in Europe. Proceedings of the first European conference on international return migration*, Rome, 11-14 november 1981, 175-186.

KRUYT, A. (2000), *Een Europees vluchtelingenbeleid?*, in *Streven*, 67, 5, 440-445.

KUIJSTEN, A. (1995), *The impact of migration flows on the size and structure of the dutch population*, in VOETS, S., SCHOORLAND, J. en DE BRUIJN, B. (eds.), *Demographic Consequences of international Migration*, NIDI, rapport 44, Den Haag, 283-305.

KULLUK, F. (1996), *The political discourse on quota immigration in Germany*, in *New Community*, 22, 2, 301-320.

LAKEMAN, P. (1999), *Binnen zonder kloppen. Nederlandse immigratiepolitiek en de economische gevolgen*, Meulenhoff, Amsterdam.

LAYTON-HENRI, Z. (ed.) (1990), *The political rights of migrant workers in Western Europe*, Sage, Londen.

LEBON, A. (1983), *Return migration from France: politics and data*, in KUBAT, D. (ed.), *The politics of return. International return migration in Europe. Proceedings of the first European conference on international return migration*, Rome, 11-14 november 1981, 153-169.

LEBRAS, (1989), *Demographic impact of post-war migration in selected OECD countries*, in *Migration: the demographic aspects*, SOPEMI/OECD, Parijs.

LEMAN, J. (ed.) (1995), *Sans documents, Les immigrés de l'ombre: Latino-américains, polonais et nigérians clandestins*, De Boeck Université, Brussel.

LEMAN, J. SIEWERA, B. en VAN BROECK, A-M. (1994), *Documentloze immigranten in Brussel*, in *Cultuur en migratie*, 2.

LESTHAEGHE, R. (2000), *Europe's demographic issues: fertility, household formation and replacement migration*, Paper prepared for the UN expert group meeting on policy responses to population decline and ageing, New York, 16-18 oktober 2000.

LESTHAEGHE, R.; MEEUSEN, W. en VANDEWALLE, K. (1998), *Eerst optellen, dan delen. Demografie, economie en sociale zekerheid*, Garant, Leuven/Apeldoorn.

LEYMAN, D. (1998), *Interview met Luc De Smet, Commissaris-Generaal voor de vluchtelingen en de staatslozen*, in *De Wereld Morgen* december 98, 26-28.

LIEVENS, J. (1999), *Family-forming migration from Turkey and Morocco to Belgium: the demand for marriage partners from the countries of origin*, in *International Migration Review*, 33, 3, 717-744.

LOF, E. (1998), *Een nieuwe Gouden Eeuw. De demografische en economische noodzaak van immigratie*, Forum, Utrecht.

LOOBUYCK, P. (2000), *Inburgeren in Nederland en Vlaanderen. Een inleiding tot het debat*, in *Samenleving en Politiek*, 7, 4, 21-35.

LOOBUYCK, P. (2000a), *Een actief migratiebeleid: kansen voor internationale solidariteit?*, in *Samenleving en Politiek*, 7, 10, 25-36.

LUCAS, R. (1999), *International trade, capital flows and migration: economic policies towards countries of origin as a means of stemming migration*, in BERNSTEIN, A. en WEINER, M. (eds.), *Migration and Refugee Policies. An Overview*, Pinter, Londen/New York, 119-142.

MARTENS, A. (1985), *Het na-oorlogs immigratiebeleid*, in MARTENS, A. en MOULAERT,

F. (red.), *Buitenlandse minderheden in Vlaanderen – België*, De Nederlandse Boekhandel, Antwerpen, Amsterdam, 169-180.

MARTENS, A. e.a. (1993), *Zelfde zweet, ander brood. Onderzoek naar de arbeidsmarktpositie van Belgen en migranten op twee lokale arbeidsmarkten: Antwerpen en Gent*, DPW, Brussel.

MARTIN, Ph. (1998), *Germany: Reluctant Land of Immigration*: http://www.aicgs.org/ publications/PDF/martin.pdf.

MARTIN, Ph. (1999), *Guest worker policies: an international survey*, in BERNSTEIN, A. en WEINER, M. (eds.), *Migration and Refugee Policies. An Overview*, Pinter, Londen/New York, 45-83.

MARTIN, Ph. (1997), *Guest worker policies for the twenty-first century*, in *New Community*, 23, 4, 483-494.

MARTIN, Ph (1991), *The Unfinished Story: Turkish labour migration to Western Europe*, ILO, Genève.

MARTIN, Ph., (1995), *Trade and Migration: NAFTA and Agriculture*, Institute for international Economics, Washington.

MARTIN, Ph., MARTIN, S., WEIL, P. en WIDGREN, J. (2000), *Migration in the new millennium. Recommendations of the Transatlantic Learning Community*, Bertelsmann Foudation Publishers, Gütersloh, http://www.transatlanticnet.de/access/efmrep.htm.

MASSEY, D. (1988), *Economic development and international migration in comparative perspective*, in *Population and development review*, 14, 3, 383-413.

MASSEY, D. e.a. (1993), *Theories of international migration: a review and appraisal*, in *Population and development review*, 19, 3, 431-466.

MASSEY, D. e.a. (1998), *Worlds in motion. Understanding international migration at the end of the millennium*, Clarendon Press, Oxford.

MIGRATION NEWS (verschillende volumes), http://migration.ucdavis.edu/mn/mntxt.html.

MILLER M.J. (1992), *Evolution of policy modes for regulating international labour migration*, in KRITZ, M.M., LIM, L.L. en ZLOTNIK, H. (eds.), *International migration systems. A global approach*, Clarendon press, Oxford, 300-314.

MILLER M.J. (1994), *Strategies for immigration control. An international comparison*, in *The Annals of the American Academy of Political and Social Science*, 534, 133-146.

MILLER, M.J. (1999), *The prevention of unauthorized migration*, in WEINER, M. (ed.), *Migration and Refugee Policies. An Overview*, Pinter, Londen/New York, 20-44.

MINISTERIE VAN DE VLAAMSE GEMEENSCHAP (afdeling migratie en arbeidsmarktbeleid, cel migratie), *Jaarrapport 1999*.

MITCHELL, C. (1989), *International migration. International relations and foreign policy*, in *International Migration Review*, 23, 3.

MORELLI A. (red.) (1993), *Geschiedenis van het eigen volk. De vreemdeling in België van de prehistorie tot nu*, Kritak, Leuven.

MOREN I ALEGRET, R. (1996), *Foreign immigrant workers in Catalonia. An approach to the situation of the undocumented*, paper for the international seminar 'Undocumented immigrants on the labour market: policy responses', Brussel 18-19 januari 1996.

MORRISON, J. (2000), *The trafficking and smuggling of refugees. The end game in European asylum policy?*, UNHCR, Genève.

MOULAERT, F. (1985), *Vreemde werknemers, werkgelegenheid en sociale zekerheid*, in MARTENS, A. en MOULAERT, F. (red.), *Buitenlandse minderheden in Vlaanderen – België*, De Nederlandse Boekhandel, Antwerpen, Amsterdam, 61-74.

MUUS, Ph. (1997), *A study on the expected effects of free movement for legally residing workers from third countries within the European Community*, in *Free Movement for non-EC-Workers within the European Community*, Nederlands Centrum Buitenlanders, Utrecht.

MUUS, Ph. (1993), *Internationale Migratie naar Europa. Een analyse van internationale migratie, migratiebeleid en mogelijkheden tot sturing van immigratie, met bijzondere aandacht voor de Europese Gemeenschap en Nederland*, SUA, Amsterdam.

MUUS, Ph., (1995) *De wereld in beweging: Internationale migratie, mensenrechten en ontwikkeling*, Jan van Arkel, Utrecht.

MUUS, Ph. (1986) *Terugkeren of blijven*, Instituut voor Sociale Geografie, Universiteit van Amsterdam.

MUUS, Ph. e.a., *Retourmigratie van Mediterranen, Surinamers en Antillianen uit Nederland*. Den Haag: Ministerie van Sociale Zaken en Werkgelegenheid, deel 2, 1-47.

NACKERUD, L.; SPRINGER, A. e.a. (1999), *The end of the cuban contradiction in US refugee policy*, in *International Migration Review*, 33, 1, 176-192.

NAYYAR, D. (1998), *Emigration pressures ans structural change: Case study of Indonesia*, ILO, Genève.

NIEROP, T. (1995), *Globalisering, internationale netwerken en de regionale paradox*, in HEILBRON, J. en WILTERDINK, N. (red.), *Mondialisering. De wording van de wereldsamenleving*, Wolters-Noordhoff, Groningen, 36-60.

OBDEIJN, H. (1998), *Europese repatrianten na de dekolonisatie. Terug naar het moederland*, in EMMER, P. en OBDEIJN, H. (red.), *Het paradijs is aan de overzijde. Internationale immigratie en grenzen*, Jan van Arkel, Utrecht, 83-94.

OBDEIJN, H. (1998), *De Middellandse Zee, een nieuwe Rio Grande? Noord-Afrikaanse migratie naar Europa*, in EMMER, P. en OBDEIJN, H. (red.), *Het paradijs is aan de overzijde. Internationale immigratie en grenzen*, Jan van Arkel, Utrecht, 125-142.

ÖBERG, S. (1993), *Europe in the context of world population trends*, in KING, R. (ed.), *Mass migration in Europe: The legacy and the future*, John Wiley & Sons, New York, 195-211.

OECD (1989 en 1991), *Migration: the demographic aspects*, SOPEMI/OECD, Parijs.

OECD (1994), *The OECD jobs study: Evidence and explanations, Part I*, OECD, Parijs.

OTUNNU, O. (1992), *Environmental refugees in Sub-Saharan Africa. Causes and Effects*, in *Refuge*, 12, 1, 11-14.

PACHLER, C. (1993), *Environmental displacement*, onuitgegeven thesis universiteit Amsterdam (Department for International Relations and Public International Law).

PESSAR, P. (1991), *Caribbean emigration and development*, in PAPADEMETRIOU, G. en MARTIN, Ph. (eds.), *The unsettled relationship: labor migration and economic development*, Greenwoodpress, Westport, Connecticut.

PINTO, D. en VAN REE, A. (1998), *Samen verder. Ontwikkeling van participatiebeleid. Achtergrondinformatie*, Bohn Stafleu Van Loghum, Houten/Diegem.

PIORE, M.J. (1979), *Birds of passage: migrant labor in industrial societies*, Cambridge University Press, Cambridge.

PORTES, A. (ed.) (1995), *The economic sociology of immigration: essays on networks, ethnicity, and enterpreneurship*, Russel Sage Foundation, New York.

POULAIN, M. (1999), *La prise en compte des migrations internationales dans l' évolution future de la population en Belgique*, in BOGAERT, H. (red.), *Vergrijzing en financiering van de sociale zekerheid: een haalbare uitdaging?*, Handelingen van het door het Federaal Planbureau georganiseerde Colloquium, Brussel, 2 en 3 december 1997, 37-41.

RAMAKERS, J. (1996), *Undocumented immigrants on the labour market. Main topics and agenda setting*, paper for the international seminar 'Undocumented immigrants on the labour market: policy responses', Brussel 18-19 januari 1996.

RAMAKERS, J. (1992), *Vluchtelingen, asielzoekers en migratie*, in RAMAKERS, J. (red.), *Asiel en Migratie. Verslagboek studiedag 10 maart 1992*, Steunpunt Migranten, HIVA, KU Leuven, 7-21.

REERMAN, O. (1997), *Costs of caring for foreigners: An EU Comparison*, Lezing op de conferentie '*Managing migration in the 21th century*', Davis Californië, 10-11 oktober 1997.

RENIERS, G. (1999), *On the history and selectivity of Turkisch and Morrocan migration to Belgium*, in *International Migration*, 37, 4, 679-713.

RHODE, B. (1993), *Brain drain, brain gain, brain waste: reflections on the emigration of highly educated and scientific personnel from Eastern Europe*, in RUSSEL, K. (ed.), *The new Geography of European Migrations*, Belhaven Press, Londen/New York, 228-245.

RICHMOND, A. (1994), *Global Apartheid: Refugees, Racism, and the New World Order*, Oxford University Press, Toronto/New York/Oxford.

ROOSENS, E. (1998), *Eigen grond eerst? Primordiale autochtonie, dilemma van de multiculturele samenleving*, Acco, Leuven.

ROSEVEARE, D., LEIBFRITZ, W., FORE, D. en WURZEL, E. (1996), *Ageing populations, pension systems and government budgets: Simulations for 20 OECD countries*, Economic department working papers no. 168: http://www.olis.oecd.org/olis/1996doc.nsf/LinkTo/OCDE-GD(96)134.

RUDOLPH, H. (1996), *The new gastarbeiter system in Germany*, in *New Community*, 22, 2, 287-300.

RUGGIE, J.G. (1998), *Constructing the world polity: essays on international institutionalization*, Routledge, Londen.

RUSSEL, S.S. (1992), *Migrant remittances and development*, in *International Migration*, 30, 3-4, 267-287.

RUSSEL, S.S. (1986), *Remittances from international migration: a review in perspective*, in *World Development*, 14, 6, 677-696.

RYSTAD, G. (1992), *Immigration history and the future of international migration*, in HOLMES, C. (ed.) (1996), *Migration in European history* (vol. II), Edward Elgar Publ., Chelterham/Brookfield, 555-586 (oorspr. in *International Migration Review*, 26, 4, 1168-1199).

SALT, J. (1992), *Migration processes among the highly skilled in Europe*, in *International Migration Review*, 26, 2, 484-505.

SALT, J. (1992a), *The future of international labor migration*, in *International Migration Review*, 26, 4, 1077-1111.

SALT, J. en FORD, R. (1993), *Skilled international migration in Europe: the shape of things to come?*, in KING, R. (ed.), *Mass Migration in Europe: The Legacy and the Future*, John Wiley & Sons, New York, 293-309.

SALT, J. en STEIN, J. (1997), *Migration as a business: the case of trafficking*, in *International Migration*, 35, 4.

SASSEN, S. (1999), *Globalisering. Over mobiliteit van geld, mensen en informatie*, Van Gennep, Amsterdam.

SASSEN, S. (1998), *Globalization and its discontents*, The New Press, New York.

SASSEN, S. (1999b), *Guests and Aliens*, The New Press, New York.

SASSEN, S. (1996), *Losing Control?*, Columbia University Press, New York.

SASSEN, S. (1996a), *New employment regimes in cities: the impact on immigrant workers*, in *New Community*, 22, 4.

SASSEN, S. (1991), *The global city: New York, London, Tokyo*, Princeton University Press, Princeton/Oxford.

SASSEN, S. (1999a), *Transnational Economies and National Migration Policies*, in CASTRO, M..J. (ed.), *Free Markets, Open Societies, Closed Borders. Trends in international migration and immigration policy in the Americas*, North-South Center Press, Miami, 7-32.

SAVONA, E.; DI NICOLA, A. en DA COL, G. (1996), *Dynamics of migration and crime in Europe: new patterns of an old nexus*, http://www.jus.unitn.it/transcrime/papers/wp8.html.

SCHLOETER-PAREDES, M. en BÖHNING, W. (1994), *Aid in place of migration?*, ILO, Geneve.

SCHMITT-RINK, G. (1992), *Migration and international factor price equalization*, in ZIMMERMANN, K.. (ed.), *Migration and economic development*, Springer, Berlijn, 41-52.

SCHOENMAECKERS, R. (2000), *Problemen rond vergrijzing, krimp en groei*, in *Demos* februari 2000, http://www.nidi.nl/public/demos/dm00023.html.

SCHOENMAECKERS, R. (2000a), *Zelfingenomen en kortzichtig*, in *De Morgen*, 23-02-2000.

SCHOENMAECKERS, R; LODEWIJCKX, E. en GADEYNE, S. (1999), *Mariages and fertility among Turkish and Moroccon women in Belgium: results from census* data, in *International Migration Review*, 33, 4, 901-928.

SCHUMACHER, C. (1997), *Social Benefits of Asylum Seekers, de facto Refugees and Illegal Immigrants*, Lezing op de conferentie 'Managing migration in the 21th century', Davis Californië, 10-11 oktober 1997.

SIMON, J.L. (1989), *The economic consequences of immigration*, Blackwell, Oxford.

SINGER, P. & R. (1988) *The ethics of Refugee Policy*, in GIBNEY, M. (ed.), *Open Borders? Closed Societies? The Ethical and Political Issues*, Greenwoodpress, New York, 112-130.

SKELDON, R. (1997), *Migration and development: a global perspective*, Longman, Londen.

SMITH, P.J. (ed.) (1997), *Human Smuggling*, The center for strategic and international studies, Washington.

SOCIAAL EN CULTUREEL PLANBUREAU (1999), *Rapportage minderheden 1999: positie in het onderwijs en op de arbeidsmarkt*, SCP, Den Haag.

SOPEMI (verschillende jaargangen), *Trends in international migration.*, OECD, Parijs.

SÖRENSEN, P. (1994), *De maskers af. Over socialisme, prostitutie en mensenhandel*, Hadewijch, Antwerpen.

SOYSAL, Y. (1994), *Limits of citizenship. Migrants and postnational membership in Europe*, University of Chicago Press, Londen/Chicago.

SPAAN, E. (1998), *Arbeidsmigratie in Zuidoost-Azië. De gevolgen van de crisis*, in *Demos* oktober / november 1998, http://www.nidi.nl/public/demos/dm98091.html.

STALKER, P. (1994), *The work of strangers. A survey of international labour migration*, ILO, Genève.

STALKER, P. (2000), *Workers without frontiers. The impact of globalization on international migration*, ILO, Genève.

STICHTING GERRIT KREVELD (2000), *Verslag van de studiedag: 'arbeidsmigratie als uitdaging voor de sociaal-democratie'*, 9 december 2000, Blankenberge, http://users.pandora.be/samenleving-en-politiek/.

STRAUBHAAR, T. (1992), *Allocational and distributional aspects of future immigration to Western Europe*, in *International Migration Review*, 26, 2, 462-483.

STRAUBHAAR, T. (1988), *On the economics of international labor migration*, Haupt, Bern en Stuttgart.

STRAUBHAAR, T. (1986), *The causes of international labor migrations: a demand-determined approach*, in *International Migration Review*, 20, 4, 835-856.

STRAUBHAAR, T. (1992a), *The impact of international labor migration for Turkey*, in ZIMMERMANN, K.. (ed.), *Migration and economic development*, Springer, Berlijn, 79-131.

STRAUBHAAR, T. en WOLBURG, M. (1998), *Brain drain and brain gain in Europe. An evaluation of the East-European migration to Germany*, paper voor het seminarie *Managing Migration in the 21st Century*, San Diego, 20 februari 1998, http://migration.ucdavis.edu/mm21/sandiego/Straubhaar—East-West.html.

SUÁREZ-NAVAZ, L. (1997), *Political economy of the mediterranean rebordering: new ethnicities, new citenships*, in *Stanford Electronic Humanities Review*, vol. 5.2, http://shr.stanford.edu/shreview/5-2/navaz.html.

SWYNGEDOUW, M. e.a. (red.) (1998), *De (on)redelijke kiezer: onderzoek naar de politieke opvattingen van Vlamingen: verkiezingen van 21 mei 1995*, Acco, Leuven.

TALHAOUI, F. (1999), *Rechten voor 'mensen zonder papieren'?*, in TALHAOUI, F. en WETS, J. (red.), *Asiel, de deur op een kier, Noor-Zuid-Cahier*, 24, 2, 57-66.

TEITELBAUM, M.S. (1984), *Immigration, refugees and foreign policy*, in *International Organisation*, 38, 3.

TEITELBAUM, M.S. (1992), *The population threat*, in *Foreign Affairs*, Winter 92/93.

TEITELBAUM, M.S. en RUSSEL, S.S. (1997), *Potentials, Paradoxes and Realities: Economic Development and the Future of International Migration*, paper voor het seminarie *Managing Migration in the 21st Century*, Hamburg, 27-29 april 1997, http://migration.ucdavis.edu/mm21/Tr.html.

THOLEN, J. (1997), *Vreemdelingenbeleid en rechtvaardigheid? Een wijsgerige studie naar onze beoordelingen van immigratie- en naturalisatiebeleid*, Proefschrift Kath. Univ. Nijmegen (uitgegeven in de reeks *Recht en Samenleving* nr.15).

THOLEN, B. (1998), *Migratievrijheid, asiel en de deugd van rechtvaardigheid*, in *Migrantenstudies*, 14, 4, 212-221.

TIMS, W. (1990), *De internationale context van het vluchtelingenbeleid*, in HEINS, J. (red.), *Vluchtelingen en de derde wereld*, themabundel ontwikkelingsproblematiek nr.1, Vrije Univ. Amsterdam.

UNDP (2000), *Replacement Migration: Is it A Solution to Declining and Ageing Populations?*, VN, New York, http://www.un.org/esa/population/migration.htm.

UNHCR (1998), *The state of the world's refugees, 1997-1998. A humanitarian agenda*, Oxford University Press, Oxford.

VAN AMMELROOY, A. (1987), *Vrouwenhandel. De internationale seksslavinnenmarkt*, BZZTôH, 's-Gravenhage.

VAN BUUREN, J. (1998), *Economie en vrije migratie*, in *Konfrontatie Digitaal*, http://www.stelling.nl/konfront/1e1999/4803.html.

VANDAELE, J. (1999), *Op zoek naar het beloofde land: migratie en ontwikkeling*, Halewyck, Leuven.

VAN DALEN, H.; HUISMAN, C.; VAN IMHOFF, E. (1999), *Arbeidsaanbod in de Europese Unie*, in *Demos* april 1999, http://www.nidi.nl/public/demos/dm99041.html.

VANDE LANOTTE, J. (1999), *Streng aan de poort, rechtvaardig in het land, solidair in de wereld*, in *Samenleving en politiek*, 6, 1, 23-33.

VANDENBROUCKE, F. (2000), *De actieve welvaartsstaat: een Europese ambitie*, in *Onze Alma Mater, Leuvense Perspectieven* 54, 1, 28-48.

VAN DER AUWERAERT, P. (2000), *De leugen in het hart van het Belgisch asielbeleid*, in *Streven*, 67, 7, 630-640.

VAN DER BRUG, W., FENNEMA, M. en TILLIE, J. (2000), *Anti-immigrant parties in Europe: ideological or protest vote?* in *European Journal of Political Research*, 37, 77-102.

VAN DER SCHANS, W. (1998), *De mythen en de verkeerde toon*, in *Konfrontatie digitaal*, http://www.stelling.nl/konfront/1e1999/4802.html.

VAN DER WIJST, A. en ZWIERS, A. (1999), *Zorgen over de zorg van morgen*, in *Demos* november / december 1999, http://www.nidi.nl/public/demos/dm99101.html.

VANDEVELDE, T. (1999), *Migranten en vluchtelingen. Ethische beschouwingen*, in TALHAOUI, F. en WETS, J. (red.) (1999) *Asiel, de deur op een kier, Noor-Zuid-Cahier* 24, 2, 107-114.

VAN HECKE, G. (1994), *De slavenroute. Mensenhandel langs nieuwe sluipwegen*, Scoop, Groot-Bijgaarden.

VAN IMHOFF, E. en VAN NIMWEGEN, N. (2000), *Migratie GEEN remedie tegen vergrijzing*, in *Demos* februari 2000, http://www.nidi.nl/public/demos/dm00021.html.

VAN NIMWEGEN, N. (2000), *Vergrijzing geen reden tot paniek*, in *Demos* februari 2000, http://www.nidi.nl/public/demos/dm00022.html.

VAN QUICKENBORNE, V. en CORNILLIE, J. (2000), *Pleidooi voor beperkte economische migratie*, in *De Standaard* 20-06-2000.

VERHOEVEN, H. (2000), *De vreemde eend in de bijt. Arbeidsmarkt en diversiteit*, WAV-dossier, Leuven.

VERMEERSCH, E. (1999), *Eindverslag van de commissie belast met de evaluatie van de instructies inzake de verwijdering*, januari 1999.

VERSCHUEREN, H. (1997), *Niet-Europese allochtonen en participatie aan het Europees burgerschap.*, in HUBEAU, B. en FOBLETS, M.C. (red.), *Politieke participatie van allochtonen (reeks: minderheden in de samenleving nr. 2)*, Acco, Leuven/Amersfoort, 35-45.

VEV (2000), *De demografische uitdaging: visie van het VEV*, ongepubliceerde paper als bijdrage voor de studiedag Vereniging voor Demografie, 4 mei 2000.

VIDAL, K. (2000), *De hersenroof uit het Zuiden*, in *De Morgen*, 8-01-2000, 30.

VIDAL, K. (1999a), *Mensensmokkel: ongelukkige mensen, gelukkige smokkelaars*, in TALHAOUI, F. en WETS, J. (red.) (1999) *Asiel, de deur op een kier, Noor-Zuid-Cahier* 24, 2, 23-30.

VIDAL, K. (1999), *Op de deurmat van Europa*, Houtekiet, Antwerpen.

VOS, J. (1995), *Illegal migrants in the Netherlands*, in *New Community* 21, 1, 103-113.

WALZER, M. (1983), *Spheres of Justice. A defense of Pluralism and Equality*, Basil Blackwell, Oxford.

WATTELAR, C. en ROUMAINS, G. (1991), *Simulations of demografic objectives and migration*, in *Migration: the demografic aspects*, OECD, Parijs, 57-67.

WAV, steunpunt Werkgelegenheid, arbeid en vorming (1999), *De arbeidsmarkt in Vlaanderen. Jaarboek 1999*, Steunpunt WAV, KULeuven, Leuven.

WBS (Wiardi Beckmanstichting) - werkgroep migratiepolitiek (1993), *Immigratie: waar ligt de grens?*, PvdA Verkenningen, Amsterdam.

WEIL, P. (1997), *Pour une politique de l'immigration juste et efficace*, Rapport au Premier Ministre, http://migration.ucdavis.edu/mm21/Weil-Immigration.html.

WEINER, M. (1985), *On international migration and international relations*, in *Population and development review*, 11, 3, 441-455.

WEINER, M. (1995), *The global migration crisis: challenge to states and the human rights*, HarperCollins, New York.

WESTERINK, H. (1999), *Vrije migratie: het recht van de sterkste?*, in *De Fabel van de illegaal*, http://www.dsl.nl/~lokabaal/3608acdi.htm.

WETS, J. (1992), *Internationale migratie en veiligheid*, in RAMAKERS, J. (red.), *Asiel en Migratie. Verslagboek studiedag 10 maart 1992*, Steunpunt Migranten, HIVA, KU Leuven, 30-42.

WETS, J. (1999), *Waarom onderweg? Een analyse van de oorzaken van grootschalige migratie- en vluchtelingenstromen*, proefschrift KULeuven.

WETS, J. (1999a), *De dynamiek achter internationale migraties. Een export van problemen*, in TALHAOUI, F. en WETS, J. (red.), *Asiel, de deur op een kier, Noor-Zuid-Cahier*, 24, 2, 11-21

WETS, J., (2000), *Waarheen? De internationale migratiedynamiek op de drempel van de eenentwintigste eeuw*, in *Streven*, 67, 3, 246-254.

WETS, J., BRUYNINCKX, F., POULAIN, M. en PERRIN, N. (2000), *Status Quaestionis. Migratie en integratie, aanvang 2000*, in CGKR, *Medeburgers en landgenoten. Jaarverslag 1999*, Centrum voor gelijkheid van kansen en voor racismebestrijding, Brussel, 87-162.

WETS, J. en CAESTECKER, F. (2001), *Nieuwe migraties, oude wijn in nieuwe vaten?* in

VRANKEN, J., TIMMERMAN, C. en VAN DER HEYDEN, K. (red.), *Komende genera- ties. Wat weten we (niet) over allochtonen in Vlaanderen?*, Acco, Leuven.

WETS, J. en DE BOCK, K. (1997), *Internationale migratie. Een geografische voorstelling van de redenen van vertrek*, Centrum voor vredesonderzoek en strategische studies, Leuven.

WHELAN, F.G. (1988), *Citizenship and freedom of movement. An open admission policy?* in GIBNEY, M. (ed.), *Open Borders? Closed Societies? The Ethical and Political Issues*, Greenwoodpress, New York, 3-39.

WIDGREN, J. (1994), *International response to trafficking in migrants and the safeguarding of migrant rights*, Paper presented at the 11th IOM seminar on migration, Genève.

WILPERT, C. (1992), *The use of social networks in Turkish migration to Germany*, in KRITZ, M.M., LIM, L.L. en ZLOTNIK, H. (eds.), *International migration systems. A global ap- proach*, Clarendon press, Oxford, 177-189.

WILS, A.B. (1991), *Survey of immigration trends and assumptions about future migration*, in LUTZ, W. (ed.), *Future demographic trends in Europe and North America*, Academic Press, Londen, 281-299.

WILTERDINK, N. (1995), *Internationalisering en binnenstatelijke ongelijkheid*, in HEIL- BRON, J. en WILTERDINK, N. (red.), *Mondialisering. De wording van de wereldsamen- leving*, Wolters-Noordhoff, Groningen, 181-205.

WINKELMANN, R. en ZIMMERMANN, K. (1993), *Ageing, migration and labour mobility*, in JOHNSON, P. en ZIMMERMANN, K. (eds.), *Labour Markets in an ageing Europe*, Cambridge University Press, Cambridge, 255-283.

WIHTOL DE WENDEN, C. (1993), *Return migration in France and the Franco-Algerian agreement of 1980*, in KUBAT, D. (ed.), *The politics of return. International return migra- tion in Europe. Proceedings of the first European conference on international return migra- tion*, Rome, 11-14 november 1981, 171-174.

WOODROW-LAFIELD, K.A. (1998), *Undocumented residents in the United States in 1990. Issues of uncertainty in quantification*, in *International Migration Review*, 32, 1, 145-173.

UN (1992), *Changing population age structures 1990-2015: demographic and economic con- sequences and implications*, UN, New York.

ZETTER, R. (1999), *International perspectives on refugee assistance*, in AGER, A. (ed.) (1999), *Refugees. Perspectives on the Experience of Forced Migration*, Pinter, Londen/ New York, 46-82.

ZOLBERG, A.R. (1992), *Vluchten voor geweld: een analyse van het vluchtelingenvraagstuk*, SUA, Amsterdam.

ZOLBERG, A.R. (1992a), *Labour migration and international economic regimes: Bretton woods and after*, in KRITZ, M.M., LIM, L.L. en ZLOTNIK, II. (eds.), *International migra- tion systems. A global approach*, Clarendon press, Oxford, 315-334.

ZOLBERG, A.R. en SUHRKE, A. (1999), *Issues in contemporary refugee policies*, in BERNSTEIN, A. en WEINER, M. (eds.) (1999), *Migration and Refugee Policies. An Overview*, Pinter, Londen/New York, 143-180.

ZOLBERG, A.R.; SUHRKE, A. en AGAYO, S. (1989), *Escape from violence. Conflict and the refugee crisis in the developing world*, Oxford University Press, New York/Oxford.

STICHTING GERRIT KREVELD vzw

Bezinnings- en initiatiefcentrum voor een sociale democratie

De Stichting is een bezinnings-, studie- en initiatiefcentrum ter ondersteuning van het sociaal-democratisch gedachtegoed zoals het zich in de huidige maatschappelijke context moet profileren en herprofileren. De Stichting werkt onder het voorzitterschap van prof. dr. Herman Balthazar.

De Stichting draagt een dubbele naam. De naam *Gerrit Kreveld* is een eerbetoon aan de stichter en gewezen afgevaardigd beheerder van het vakantiecentrum Blutsyde te Bredene aan zee. Naast de functie van sociaal toerisme had het ook een functie als zeeklassencentrum. In de persoon van G. Kreveld wordt ook een generatie militanten geëerd, die van de jaren dertig tot het begin van de jaren tachtig de ruggengraat van de beweging vormden.

De *naam Bezinnings- en Initiatiefcentrum voor een Sociale Democratie* wijst erop dat wij een stimulerende bijdrage willen leveren in de reflectie die aan de gang is over de toekomst, de mogelijkheden, grenzen en nieuwe uitdagingen van de sociale democratie. De vereniging is onafhankelijk en heeft tot doel het sociaal-democratisch gedachtegoed te verdiepen vertrekkend van en bouwend op het erfgoed van de sociaal-democratische beweging. Het wil de studie en promotie bevorderen van het sociaal-democratisch denken, werken en handelen, in zijn maatschappelijke, politieke en culturele dimensie.

Gelet op de doelstelling van de Stichting en de huidige politieke en maatschappelijke toestand, heeft men als eerste een project gekozen rond het thema 'migratie- en asielbeleid als uitdaging voor de sociaal-democratie'.

De Stichting is ook sinds kort het nieuwe 'onderdak' van *Samenleving en Politiek*, een onafhankelijk tijdschrift voor een democratisch socialisme.

vzw Stichting Gerrit Kreveld
Bagattenstraat 174 – 9000 Gent
telefoon: 09/267.35.31
fax: 09/233.35.32
e-mail: stichting.kreveld@pandora.be
web: http://users.pandora.be/samenleving-en-politiek